Anatomía del ENTRENAMIENTO DE LA FUERZA CON EL PROPIO PESO CORPORAL

Editor: David Domingo
Coordinación editorial: Paloma González
Traducción: Joaquín Tolsá y Milagros Rodríguez López-Privado
Asesor técnico: Dr. Alberto Muñoz Soler

Título original: *Bodyweight Strength Training Anatomy*
Publicado en EE.UU. por Human Kinetics Publishers, Inc.

Marqués de Urquijo, 34. 28008 Madrid
Tel: 91 559 98 32. Fax: 91 541 02 35
e-mail: info@edicionestutor.com
www.edicionestutor.com

Miembro de la
World Sport Publishers' Association
(WSPA)

Fotografías (para referencia de las ilustraciones de cubierta e interiores): Neil Bernstein

Ilustraciones de cubierta e interiores: Jen Gibas

ISBN: 978-84-7902-968-5
Depósito legal: M-9.006-2014
Impreso en GRÁFICAS MURIEL, S.A.
Impreso en España – *Printed in Spain*

Anatomía del ENTRENAMIENTO DE LA FUERZA CON EL PROPIO PESO CORPORAL

BRET CONTRERAS

ÍNDICE

PRÓLOGO

Dado que estás leyendo este libro, puedo aventurarme a decir que estás interesado en aprender a desarrollar la fuerza y la forma física mediante el entrenamiento con autocargas. Si es así, ¡estupendo! Has venido al lugar correcto.

Durante los últimos 20 años, no he dejado de hacer entrenamiento de la fuerza más que unos cuantos días. Aunque me he entrenado en cientos de gimnasios, estudios e instalaciones increíbles, en muchas ocasiones me las he tenido que apañar con lo que tenía por casa, en el apartamento o en la habitación del hotel. Cuando me inicié en el entrenamiento con pesas, a los 15 años de edad, no sabía lo que hacía. Recuerdo que me sentía torpe, incómodo y descoordinado en muchos de los ejercicios. De hecho, evitaba la mayoría de los ejercicios multiarticulares porque no me parecía que actuasen de la manera que lo hacían los de aislamiento muscular. Volviendo la vista atrás, me doy cuenta de que era un tirillas flacucho que tenía unos niveles extremadamente bajos de estabilidad tanto a nivel del segmento somático central como a la hora de permanecer apoyado en una sola pierna, además de tener un pésimo control motor. No hacía más que divagar sin rumbo fijo ni plan, pasando al azar de un ejercicio a otro.

Al principio, no podía realizar fondos de brazos, por lo que no me molestaba en intentar hacerlos. De hecho, tampoco podía hacer ni una dominada, ni un hundimiento (*dip*), ni una repetición de Remo Invertido. Sospecho que si hubiera intentado una sentadilla completa con el propio peso corporal no habría podido mantener erguida la espalda y las rodillas se me habrían hundido hacia el interior (síndrome de las velas quemadas), porque tenía los glúteos increíblemente débiles y carecía de conocimientos sobre la técnica correcta. Tardé cinco años en poder realizar una dominada y un hundimiento con autocarga.

Me he pasado los últimos 20 años aprendiendo todo lo posible sobre el cuerpo humano en lo que respecta a la fuerza y la preparación física. Si hubiera sabido entonces lo que sé ahora, podría haber acelerado varios años mis resultados ateniéndome al sistema correcto de progresión de ejercicios y a la plantilla de un programa. Me atrevo a pensar que podría haber estado realizando dominadas y hundimientos durante mi primer año de entrenamiento si hubiera poseído una comprensión sólida respecto a la técnica, progresión de ejercicios y programación. Quisiera retroceder en el tiempo para ayudar a mi yo más joven y confuso (pero decidido). Ojalá mi yo actual pudiera actuar como consejero del antiguo y enseñarle todos los fundamentos que ahora conozco.

Han pasado 20 años. Me siento de maravilla, la salud de mis articulaciones es sobresaliente, mis niveles de fuerza están muy avanzados y mi control muscular es óptimo. Ahora soy capaz de lograr un entrenamiento increíble usando tan solo el peso de mi propio cuerpo y algunos muebles de casa. Reclino la espalda sobre sofás para trabajar los glúteos. Me cuelgo de mesas y sillas para trabajar la espalda y las piernas. Y lo único que necesito es el suelo para trabajar el pecho, los hombros, las piernas, y la zona media (es decir, el segmento somático central).

Creo que todas las personas que entrenan la fuerza deberían dominar su propio peso corporal como forma de resistencia antes de pasar al peso libre y otros sistemas de entrenamiento. Los ejercicios con el propio peso corporal establecen los cimientos para el futuro éxito en entrenamiento, y su realización correcta requiere una mezcla exacta de movilidad, estabilidad y control motor. A medida que se hagan progresos y se gane fuerza, es posible continuar forzándose mediante el entrenamiento con el propio peso corporal para seguir poniendo a prueba los músculos y mejorar la condición física. Pero para conseguir llegar a eso, hay que aprender los ejercicios y disponer de un "mapa de carreteras".

Anatomía del entrenamiento de la fuerza con el propio peso corporal se ha escrito para varios tipos de personas:

- Principiantes que necesitan aprender los fundamentos del entrenamiento con autocargas. Todo el mundo conoce los fondos de brazos y las sentadillas, pero no todo el mundo conoce los ejercicios de empuje de cadera, La Plancha RKC (Russian Kettlebell Challenge) o diferentes formas de realizar Remo Invertido. Estos ejercicios deben ser ingredientes básicos que todo aficionado al entrenamiento de la fuerza incluirá en su rutina.
- Quienes quieran estar en buena forma pero no les guste ir al gimnasio. Si esto te describe, estate seguro de que siempre podrás realizar un entrenamiento increíble estés donde estés.
- Practicantes de *fitness* que viajan mucho. No cabe duda de que es agradable tener acceso a equipos de entrenamiento de la fuerza de cientos de miles de euros, pero si estás frecuentemente de viaje sabes que esta opción no es siempre viable.
- Todos los aficionados al entrenamiento de la fuerza. Ya seas un guerrero de fin de semana, deportista, levantador de pesas, preparador físico, entrenador o terapeuta, si tu línea de trabajo implica la preparación física, entonces tienes que conocer a fondo el entrenamiento de la fuerza con el propio peso corporal. Los aficionados al entrenamiento de la fuerza puede que tengan unos objetivos específicos de preparación física, como por ejemplo mejorar la fuerza funcional, ganar músculo, perder grasa o mejorar la postura; pues bien: el entrenamiento con el propio peso corporal ayudará a cada una de estas personas a lograr esos objetivos.

He aquí cómo he estructurado el libro. El capítulo 1 es una introducción al entrenamiento con autocargas. Los capítulos 2 al 9 tratan sobre anatomía funcional y su papel en el deporte y la estética del cuerpo, y en ellos se describen los mejores ejercicios con el propio peso corporal para los siguientes grupos musculares: brazos, cuello y hombros, pecho, segmento somático central, espalda, muslos, glúteos y pantorrillas. En el capítulo 10 expongo ejercicios generales o globales (es decir, enfocados a todo el cuerpo) y explico su propósito. Por último, en el capítulo 11, el más importante de todos, enseño los fundamentos necesarios para diseñar un programa y ofrezco varios ejemplos de plantillas para que sirvan de guía al lector. *Anatomía del entrenamiento de la fuerza con el propio peso corporal* incluye dibujos, instrucciones y descripciones de más de 150 ejercicios, para que la persona interesada pueda consultarlos. A medida que tu fuerza vaya mejorando, podrás avanzar pasando de realizar las variantes más fáciles a las más difíciles de los ejercicios que se muestran; por eso incluyo un sistema de clasificación, para ayudarte a determinar el nivel de dificultad de cada ejercicio.

Principiante

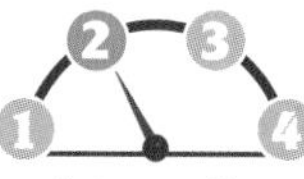
Intermedio

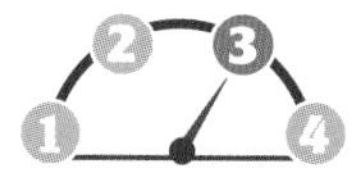
Intermedio/Avanzado

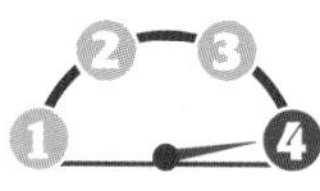
Avanzado

Algo totalmente único de *Anatomía del entrenamiento de la fuerza con el propio peso corporal* son las detalladas ilustraciones que ayudan al lector a identificar los grupos musculares y las partes de los músculos que se trabajan en concreto durante el ejercicio. Las investigaciones han demostrado que es posible centrarse en una zona determinada de un músculo; pero, para hacerlo, es esencial ser consciente del mismo, a fin de centrarse en dicha región durante el entrenamiento. A los músculos agonistas primarios y secundarios destacados se les ha atribuido un código de colores en las ilustraciones anatómicas que acompañan a los ejercicios, con objeto de ayudar al lector a desarrollar la conexión mente-músculo.

Músculos agonistas primarios   Músculos agonistas secundarios

Después de leer *Anatomía del entrenamiento de la fuerza con el propio peso corporal,* el lector poseerá un sólido conocimiento de los grupos musculares del cuerpo humano y de muchos ejercicios que entrenan cada patrón de movimiento y cada músculo. Sabrá cómo realizar correctamente ejercicios con el propio peso corporal de importancia fundamental para obtener mejoras futuras. Sabrá por dónde empezar y cómo progresar para poder desarrollar la flexibilidad y la fuerza adecuadas que se necesitan para seguir avanzando con el paso del tiempo. Conocerá los importantes papeles que desempeñan la estabilidad del segmento somático central y la fuerza de los glúteos en los movimientos básicos, y comprenderá cómo diseñar programas efectivos basados en su propia singularidad y sus preferencias. Por último, el lector aumentará espectacularmente su aprecio por el entrenamiento con el propio peso corporal, la forma más práctica de entrenamiento de la fuerza.

AGRADECIMIENTOS

Me gustaría dar las gracias a mi buen amigo Brad Schoenfeld. No solo me recomendó a Human Kinetics, sino que también me ofreció su opinión experta, que yo tanto necesitaba, para lograr terminar la publicación de mi primer libro. También me gustaría agradecer a mi familia su permanente apoyo incondicional.

CAPÍTULO 1

EL RETO DE LAS AUTOCARGAS

Se han escrito numerosos libros sobre entrenamiento utilizando únicamente el propio peso del practicante. La mayoría incluyen un compendio de ejercicios habituales en el entrenamiento con el propio peso corporal. No obstante, ofrecer una gran colección de ejercicios es solo parte del paquete. Los resultados que se logren dependen de diversos factores, y es importante realizar las mejores variantes de cada ejercicio y atenerse a una rutina bien equilibrada.

Aunque llevo 20 años entrenando resistencia, he invertido la década pasada en profundizar en el mundo de la fuerza y el acondicionamiento. He aprendido de los mejores entrenadores, expertos en biomecánica, fisioterapeutas e investigadores del mundo. Por eso hablo por experiencia al afirmar que, cuando se lleva en este campo el tiempo suficiente, basta con echar una ojeada a un programa para saber de inmediato si es eficaz y si dará los resultados esperados.

En lo que a elaboración de programas de entrenamiento se refiere, confío en los entrenadores de la fuerza más que en ningún otro. No solo tienen un interés personal en optimizar la fuerza, la potencia y el acondicionamiento de sus pupilos, sino que también están obligados a considerar los problemas cruciales que afectan a la salud de las articulaciones y a la longevidad de las mismas. En este sentido, su trabajo consiste en preparar programas de entrenamiento que aseguren una adecuada progresión, sin dejar por ello de prevenir adaptaciones disfuncionales.

EMPUJE Y TRACCIÓN

Es importante entender que el entrenamiento con el propio peso corporal está mucho más orientado hacia la acción de empujar que hacia la de tirar. Debido a las maravillas de la gravedad, lo único que se necesita para lograr una excelente sesión de ejercicios de *press* o empuje es bajar el cuerpo al suelo y luego empujar para elevarlo. Piénsese en las sentadillas, las zancadas, los fondos de brazos normales y los que se realizan haciendo el pino. Todos ellos son excelentes movimientos de *press* que sin duda hay que realizar; pero ¿y los movimientos de tracción? No es posible agarrar el suelo y tirar de uno mismo de ninguna manera.

Los ejercicios de tracción con el propio peso corporal requieren el uso de una barra de dominadas, un sistema de suspensión o muebles sólidos y resistentes si no es posible acceder a otro tipo de equipamiento. Puedes realizar los movimientos utilizando el mueble que elijas con la finalidad de fortalecer los músculos tractores que proporcionan equilibrio estructural al cuerpo y contrarrestan las adaptaciones posturales impuestas por los movimientos de *press*.

Barras de dominadas y sistemas de suspensión

Es posible que te parezca más cómodo realizar variantes de las dominadas y el remo con una auténtica barra de dominadas y un sistema de suspensión en vez de con una puerta, viga o mesa sólida y resistente. Considera la posibilidad de hacerte tu propia barra de dominadas o estación de remo invertido, o incluso comprarte una. Actualmente se encuentran en el mercado muchos modelos, como por ejemplo el Iron Gym o el TRX, que se instalan simplemente sobre el marco de una puerta. Hacerlo así te permitirá realizar los movimientos de los ejercicios empleando distintos agarres de forma más natural.

Casi todos los programas de entrenamiento con el propio peso corporal para hacer en casa que he visto se inclinan, de hecho, hacia movimientos de presión. Aunque estos ejercicios son muy efectivos, los programas deben dedicar igual atención al orden, así como al número, series y repeticiones de los ejercicios que implican movimientos de tracción. En caso contrario, se provocan desequilibrios estructurales. La dominancia del cuádriceps y el dolor de rodillas, la postura cargada de hombros y el dolor en esa zona, así como la anteversión pélvica y la lumbalgia, son tan solo algunos de los efectos negativos que alguien podría padecer después de seguir un programa mal diseñado.

Asumí el reto de escribir este libro por dos razones. En primer lugar, un libro de alta calidad sobre entrenamiento con autocargas centrado en la correcta selección de ejercicios y la creación de programas equilibrados era una necesidad acuciante en el sector. En segundo lugar, soy un apasionado del entrenamiento con el propio peso corporal. No creo que nadie más haya dedicado tanta atención a este tipo de ejercicios para los músculos de la parte posterior del cuerpo. Como se ha constatado, es fácil trabajar los de la parte anterior mediante entrenamiento con el propio peso corporal, porque en ella se encuentran los músculos empleados en la acción de empujar. Pero un deportista y una persona en forma requieren también músculos fuertes en la parte posterior del cuerpo, y los ejercicios de tracción con el propio peso corporal que trabajan estos músculos no son tan sencillos. Exigen creatividad.

LA VENTAJA DE LAS AUTOCARGAS

A muchas personas les encanta de verdad la perspectiva de poder entrenar eficientemente en la comodidad de su propio hogar. La mayoría de los apasionados del *fitness* son socios de gimnasios y se han vuelto muy dependientes de las máquinas y los pesos libres para trabajar sus músculos. Aunque soy defensor a ultranza de emplear todo tipo de resistencias, el entrenamiento con el propio peso corporal es, sin duda, el tipo más práctico de resistencia. Lo único que se necesita es el propio físico, y nunca se carecerá de equipamiento ni de instalación, ni se necesitará observador. En otras palabras, si aprendes a usar el cuerpo como si fuera la barra de pesas, siempre tendrás la posibilidad de lograr un excelente entrenamiento. Puede adquirirse una tremenda forma física funcional mediante el entrenamiento progresivo con autocargas desde el punto de vista de la fuerza, la potencia, el equilibrio y la resistencia, y las investigaciones recientes demuestran que es posible mejorar la flexibilidad en el mismo o incluso mayor grado a través del entrenamiento de la resistencia que con una rutina de estiramientos.

Me gusta observar a todo tipo de atletas entrenando. Como entrenador de la fuerza he observado a miles de deportistas levantando pesas. Dos tipos de deportistas siempre me han llamado la atención por su óptimo control muscular: los gimnastas y los culturistas. Observo con admiración al gimnasta en las anillas o el caballo con arcos desenvolviéndose con precisión en el aparato. Observo al culturista contraer sus músculos contra resistencia con una concentración total. Al entrenar con el propio peso corporal, conviene aprender de estos deportistas y desarrollar una tremenda conexión mente-músculo, lo cual te permitirá lograr una increíble sesión de entrenamiento dondequiera que vayas.

En este libro te enseñaré los mejores ejercicios con el propio peso corporal y te mostraré la manera más eficaz de combinarlos en programas de entrenamiento sensatos, coherentes con los objetivos que pretendes conseguir. Aprenderás cómo progresar desde las más simples a las más complicadas y avanzadas variantes de los ejercicios con el propio peso corporal. Aprenderás a usar los abdominales y los glúteos para fijar el tronco en una determinada posición y crear un pilar de apoyo firme mientras se mueven las extremidades. Te convertirás en una persona esbelta, ágil y atlética. Los fondos de brazos y las dominadas no te intimidarán. Tus glúteos funcionarán como nunca y la confianza en ti mismo que adquieras con este programa brillará en cada aspecto de tu vida.

Nunca tendrás miedo de tener sesiones de entrenamiento de baja calidad cuando te vayas de vacaciones, porque podrás realizar un entrenamiento efectivo en la comodidad de tu habitación de hotel. Te darás cuenta de que no necesitas barras de pesas, mancuernas, ni bandas elásticas de resistencia. Con sólidos conocimientos de la biomecánica del entrenamiento con el propio peso corporal, puedes aprender a generar la fuerza justa en los músculos como si estuvieras realizando un duro entrenamiento de resistencia.

Aún mejor, te ahorrarás miles de euros en cuotas de gimnasio sin poner en peligro la calidad de tu sesión de entrenamiento. Puedes emplear esos ahorros para hacer elecciones alimentarias más saludables, de manera que puedas lograr aún mejores resultados con tu entrenamiento. ¡Y todo en la comodidad de tu propio hogar!

¡La seguridad ante todo!

Aunque te enseñaré a realizar muchos ejercicios empleando mobiliario normal y corriente, no quiero que te lesiones porque una silla se resbala o una puerta se sale de sus goznes. Recuerda que el equipamiento estándar de *fitness*, como las barras de dominadas y los bancos de pesas, son también opciones viables. Si optas por usar muebles, te recuerdo enérgicamente que todos los que uses para entrenar deben ser seguros, estables y robustos. Disponer el mueble contra una pared o encima de una alfombra firme y resistente impedirá que se deslice. Colocar un libro detrás de una puerta abierta servirá de ayuda para que no se cierre. Si existe el riesgo de que puedas resbalarte y caer, realiza el ejercicio sobre una superficie blanda, como por ejemplo moqueta o hierba artificial. Verifica la seguridad de tu instalación realizando una o dos repeticiones antes de empezar el entrenamiento completo. Si determinada instalación parece desequilibrada o insegura, cambia a un ejercicio distinto o explora una alternativa más segura.

Hace poco me preguntaron si creía que podría mantener mi musculatura y forma física exclusivamente realizando ejercicios con autocargas. Sin dudar un instante respondí: "Sí". A medida que vayas progresando y pases a realizar variantes más difíciles de los ejercicios y aumentes el número de repeticiones, irás poniendo a prueba de forma continua tu sistema neuromuscular. El organismo responderá sintetizando más proteínas y generando más tejido muscular. En esencia, el organismo se adapta desarrollando un motor mayor. Recientes estudios han demostrado que un elevado número de repeticiones puede proporcionar un potente estímulo para el desarrollo muscular, mayor del que la mayoría de expertos imaginaba. Me alegro de que hayas decidido aceptar el reto del propio peso corporal y aprender a manejar tu cuerpo para lograr un entrenamiento de alto nivel. Me alegra que hayas decidido dejar de ser un esclavo del gimnasio. Ahora el mundo es tu gimnasio y tú eres la resistencia.

CAPÍTULO 2

BRAZOS

Si hablas con mi hijo quinceañero, que acaba de iniciarse en el entrenamiento de la fuerza, lo más probable es que lo primero que te pregunte sea acerca del entrenamiento de los brazos. Entre los hombres, unos bíceps y unos tríceps bien desarrollados son probablemente los músculos más codiciados del cuerpo, lo cual tiene sentido: son los músculos principales que están más expuestos. Las camisas, los pantalones largos y cortos y los calcetines esconden la mayor parte del tronco y las piernas, pero normalmente los brazos están al aire, a la vista de todos.

No es fácil encontrar músculos que se flexionen con mayor frecuencia frente al espejo de los cuartos de baño en todo el mundo que los músculos de los brazos, porque en cualquier momento probablemente miles de hombres estarán sacando bíceps haciendo poses frente a él. Cuando se tienen unos brazos de fideo, se hará cualquier cosa para rellenar las mangas de la camisa marcando la bola del bíceps. Aunque los bíceps parezcan llevarse toda la gloria, la apariencia de los brazos requiere también el adecuado desarrollo de los tríceps, situados en la parte posterior de los brazos.

Los ejercicios de brazos no son solo para hombres. También son importantes para las mujeres. La primera dama de EE.UU., Michelle Obama, dio lugar a muchos comentarios en los medios por sus brazos musculosos y tonificados. Habla con cualquier mujer que esté a punto de casarse y que vaya a llevar un vestido palabra de honor y te contará lo mucho que le gustaría tener los músculos de los brazos bien torneados. Muchas mujeres se sienten inseguras de la apariencia de sus tríceps en particular y tratan de dar firmeza a esa zona aumentando su desarrollo muscular mediante ejercicios de fortalecimiento específicos.

LOS MÚSCULOS DE LOS BRAZOS

Para entender cómo es preferible trabajar la musculatura de los brazos, profundicemos primero en su anatomía básica. En la parte anterior del brazo tenemos los flexores del codo. La flexión del codo desplaza la muñeca hacia el hombro doblando el brazo. El flexor principal del codo es el bíceps braquial, que se compone en realidad de dos cabezas, una larga y otra corta (figura 2.1). Otros flexores del codo que hay que conocer son el braquial anterior y el supinador largo. Estos músculos contribuyen al movimiento en diversos grados dependiendo de cómo se realice el ejercicio de flexión de codo. En general, el bíceps braquial se trabaja en mayor grado con un agarre en supinación (con las palmas de las manos hacia arriba), el supinador largo con un agarre en posición neutra (con las palmas orientadas una hacia la otra), y el braquial anterior con un agarre en pronación (con las palmas hacia abajo). Esto se debe a la palanca realizada por cada músculo en diversas posiciones y rangos de movimiento.

La parte posterior del brazo está compuesta por los extensores del codo. La extensión del codo aleja la muñeca del hombro estirando el brazo para formar una línea recta desde el hom-

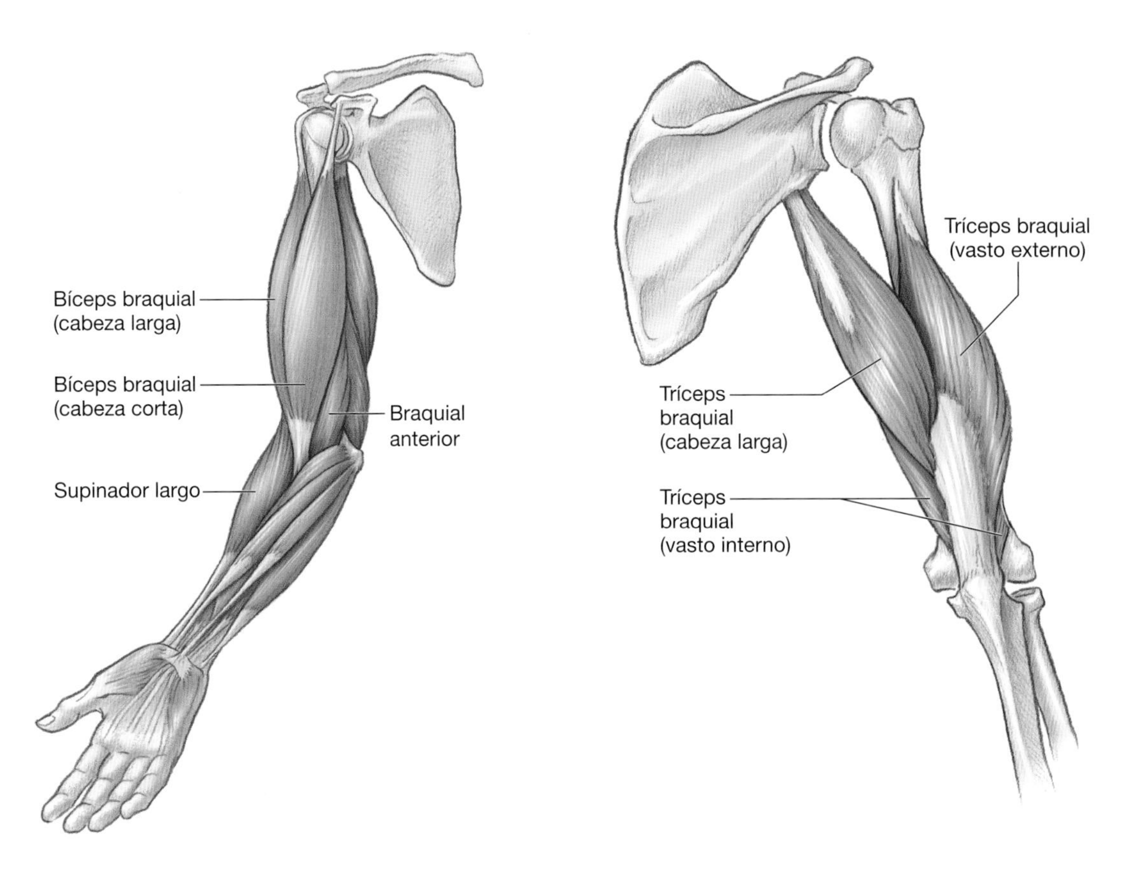

Figura 2.1 Músculos bíceps braquial, braquial anterior y supinador largo.

Figura 2.2 Músculo tríceps braquial.

bro hasta la muñeca. Los principales extensores del codo son las tres porciones del tríceps braquial: la cabeza larga, el vasto interno y el vasto externo (figura 2.2).

Los brazos son importantes en diversas actividades deportivas. Los extensores del codo se contraen con fuerza al hacer oscilar hacia delante un bate de béisbol o un palo de golf, o cuando un jugador de fútbol americano coge la pelota y empuja con el brazo extendido el casco de un oponente, al rematar en voleibol, o al lanzar la pelota por encima de la cabeza en béisbol o en fútbol americano. Estos músculos están fuertemente implicados en los movimientos de lanzar un pase de pecho en baloncesto, un directo de izquierda o un cruzado de derecha en boxeo, o en el lanzamiento de peso en atletismo.

Los flexores del codo transfieren energía al impulsar hacia delante una raqueta en tenis o realizar un *crochet* o gancho en boxeo. Se depende de ellos al trabarse en un cuerpo a cuerpo o al intentar o evitar una luxación de codo en artes marciales mixtas, al placar a un contrario en fútbol americano, y en el momento de elevar el cuerpo en escalada en roca. Además, están implicados en el acarreo de objetos pesados por delante del cuerpo en pruebas de fuerza (*strongman*) y en el deporte del remo.

TRABAJAR LOS BRAZOS

Los brazos se trabajan intensamente durante los ejercicios del tren superior que implican la acción de dos o más articulaciones a la vez. Todos los tipos de dominadas y movimientos de remo son suficientes para trabajar los flexores del codo, y cualquier tipo de fondos de brazos y movimientos de hundimiento (*dip*) bastarán para trabajar los extensores del codo. Por esta razón, cada vez que se entrena el pecho, los hombros y la espalda, se estarán trabajando forzosamente los brazos.

La intervención de la musculatura del brazo durante los movimientos multiarticulares es especialmente importante desde la perspectiva del entrenamiento con el propio peso corporal. Es fácil aislar los músculos del brazo al usar pesas o poleas. Basta con agarrar un instrumento lastrado y flexionar o extender los codos. No obstante, las cosas se complican al tratar de usar el cuerpo como barra de pesas. En este caso, es difícil manejar el cuerpo en torno a la articulación del codo de forma aislada. Esto no quiere decir que no sea buena idea tratar de centrarse en los brazos con movimientos monoarticulares; pero es de fundamental importancia comprender que los multiarticulares son los más productivos desde el punto de vista del rendimiento muscular total.

Al realizar ejercicios de brazos, hay que concentrarse en contraer los músculos diana y no permitir que otros hagan el trabajo. Antes de realizar series intensas de ejercicios de flexión de codo, Arnold Schwarzenegger solía imaginar sus bíceps creciendo hasta hacerse tan grandes como montañas. Céntrate en sentir los músculos de los brazos contrayéndose para generar el movimiento deseado. Los culturistas llaman a esto conexión mente-músculo, y se tarda tiempo en desarrollar suficientemente estas rutas neuromusculares. Entrenar con propósitos deportivos y funcionales consiste más en entrenar movimientos, mientras que hacerlo con propósitos físicos y estéticos consiste más en entrenar músculos. Por este motivo, hay que concebir el trabajo de los brazos como la contracción de los músculos contra resistencia. Esto ayudará a someter a los músculos que se quieren trabajar a una carga máxima.

Aunque los antebrazos formen indudablemente parte de los brazos, se trabajarán durante los movimientos de agarre, incluyendo las dominadas y los movimientos de remo, que se realizan para entrenar la musculatura de la espalda. (Ver el capítulo 6.)

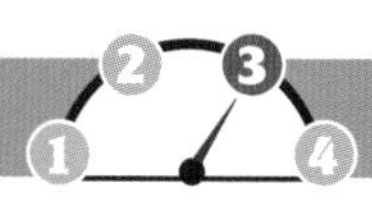

EXTENSIONES DE TRÍCEPS

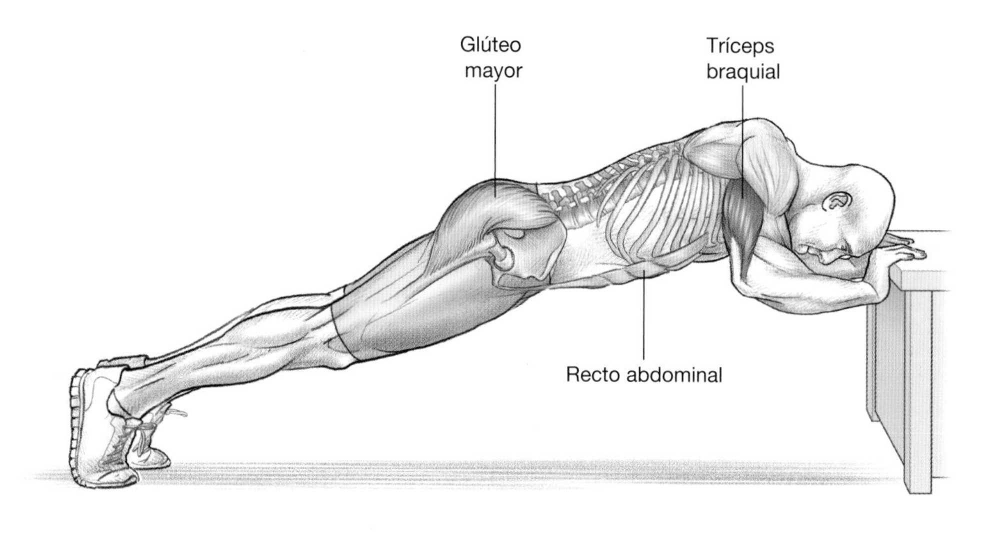

Consejo de seguridad Elegir una mesa (o silla) estable, sólida y resistente.

Ejecución

1. Colocar las manos en el borde de una mesa o del asiento de una silla y retroceder con los pies hasta colocarse en la posición correcta.
2. Manteniendo el cuerpo en línea recta con las piernas estiradas, los brazos extendidos, el peso sobre las puntas de los pies y los abdominales y glúteos contraídos, bajar el cuerpo flexionando los codos.
3. Elevar el cuerpo usando los tríceps para extender los codos.

Músculos implicados

Agonista primario: Tríceps braquial.

Agonistas secundarios: Recto abdominal, glúteo mayor.

Notas al ejercicio

Las Extensiones de Tríceps son uno de los raros ejercicios que se centra verdaderamente en el grupo muscular que le da nombre. Esto se debe a que el peso del cuerpo se concentra en la articulación del codo, que realiza una extensión casi pura. Hay que adoptar una posición fuerte plantándose firmemente en el suelo y contrayendo los abdominales y los glúteos para mantener una sólida línea recta de la cabeza a los pies. No debe perderse esta posición durante el ejercicio. Perderla hundiendo las caderas no es solo poco atlético, sino también potencialmente dañino para la región lumbar. No hay que permitir que la articulación del hombro se mueva mucho tratando de mantener la mayor parte del movimiento en torno a los codos. Ha de usarse la musculatura del tríceps para elevar y bajar el cuerpo.

Es posible modular la dificultad de este ejercicio ajustando la altura de la silla o mesa. Para simplificar el ejercicio, usar una silla o mesa más alta. A la inversa, para complicarlo, utilizar una más baja.

VARIANTE

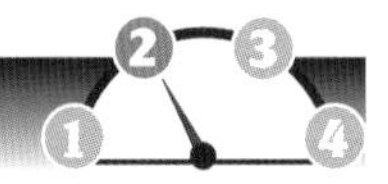

Extensiones de tríceps con palanca corta

Las personas a las que este movimiento les parece exigente pueden acortar la palanca realizando el ejercicio con las rodillas apoyadas en el suelo, reduciendo así el porcentaje total de peso corporal que está siendo elevado. Hay que usar una silla o mesa de centro sólida y resistente para este ejercicio; una mesa normal y corriente resulta demasiado alta.

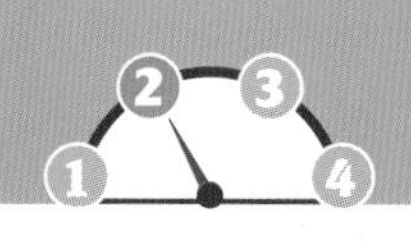

CURL EN POSICIÓN INVERTIDA (PALANCA CORTA)

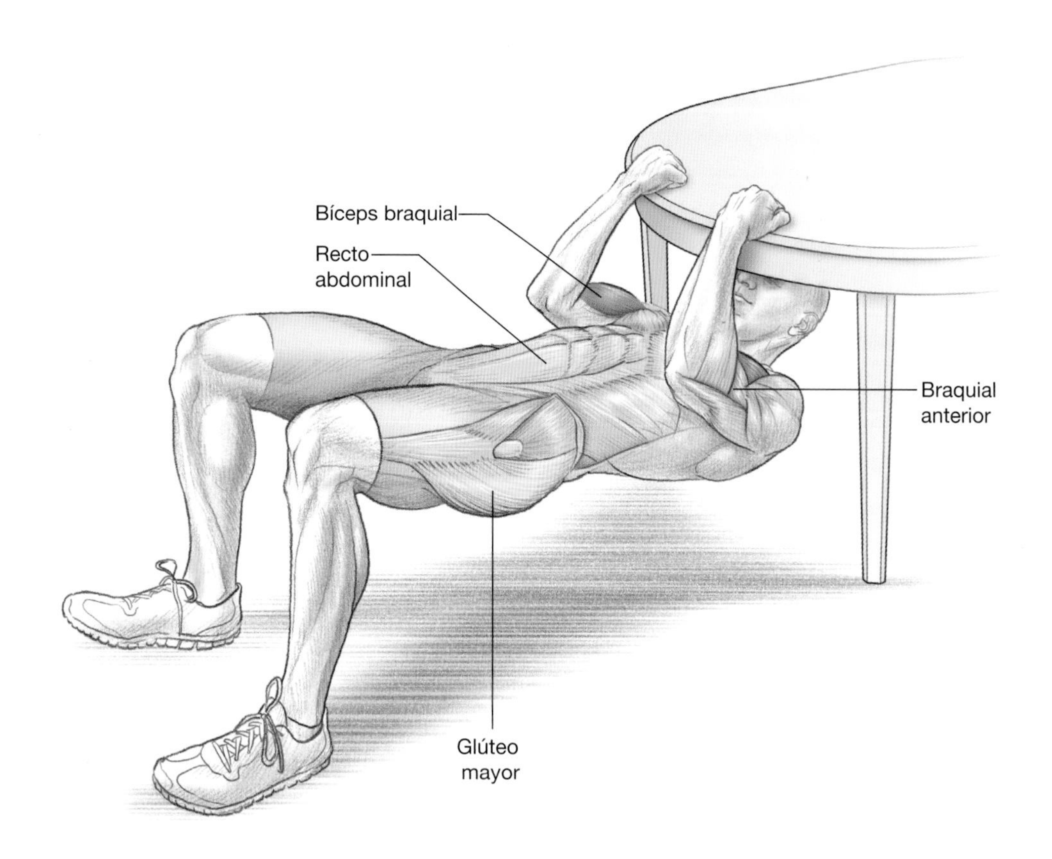

Consejo de seguridad Elegir una mesa (o silla) sólida y resistente. Realizar el ejercicio sobre una superficie blanda, como por ejemplo moqueta.

Ejecución

1. Tumbado de espaldas, colocarse bajo una mesa sólida y resistente o una silla alta con las manos agarrando los bordes externos y las palmas dirigidas una a la otra.
2. Manteniendo el cuerpo en línea recta con las piernas flexionadas en ángulo recto, el cuello en posición neutra, las rodillas flexionadas en ángulo recto, el peso sobre los talones y los abdominales y glúteos contraídos, elevar el cuerpo flexionando los codos. (Cuando el cuello está en posición neutra, la cabeza y el cuello permanecen en sus posiciones naturales y no están inclinados ni hacia delante ni hacia atrás.)
3. Descender con control hasta la posición inicial, moviendo principalmente los codos y no los hombros.

Músculos implicados

Agonista primario: Bíceps braquial.

Agonistas secundarios: Braquial anterior, recto abdominal, glúteo mayor.

Notas al ejercicio

El *Curl* en Posición Invertida (Palanca Corta) es uno de los ejercicios puros, exclusivos para bíceps. La mayoría de los demás movimientos de bíceps implican a los músculos de la espalda de forma considerable. Hay que asegurarse de contraer la musculatura del segmento somático central, incluyendo los glúteos, para mantener el tronco y las piernas en línea recta. Esto mantiene la estabilidad de la zona media mientras se mueve el cuerpo en torno a la articulación del codo para centrarse en los músculos bíceps.

Este ejercicio puede adaptarse para acomodarse a diversos niveles de fuerza usando una mesa o silla más alta, a fin de facilitar el ejercicio, o bien más baja para complicarlo. Dependiendo del tipo de silla o mesa, es posible no ser capaz de describir un rango de movimiento completo si la cabeza toca la parte inferior del mueble. En tal caso, bastaría con realizar un ejercicio isométrico manteniéndose en la posición superior durante un cierto tiempo o bien un movimiento de flexo-extensión de rango más corto. Otra posibilidad es agarrar ambos extremos de una toalla enganchada previamente en la parte superior de una puerta. Ha de emplearse en este caso un agarre neutro, que trabaja el braquial anterior y el supinador largo un poco más que el bíceps.

VARIANTE

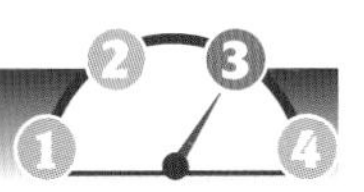

Curl *en posición invertida (palanca larga)*

Las personas a las que este movimiento les parece fácil pueden alargar la palanca realizando el ejercicio con las piernas estiradas, manteniéndolas elevadas sobre otra silla o banco y aumentando así el porcentaje total de peso corporal que se esté levantando.

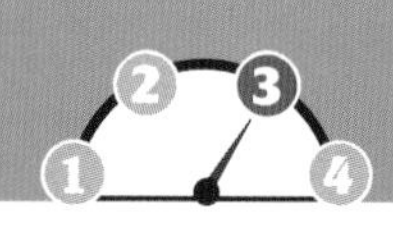

DOMINADAS CON AGARRE EN SUPINACIÓN

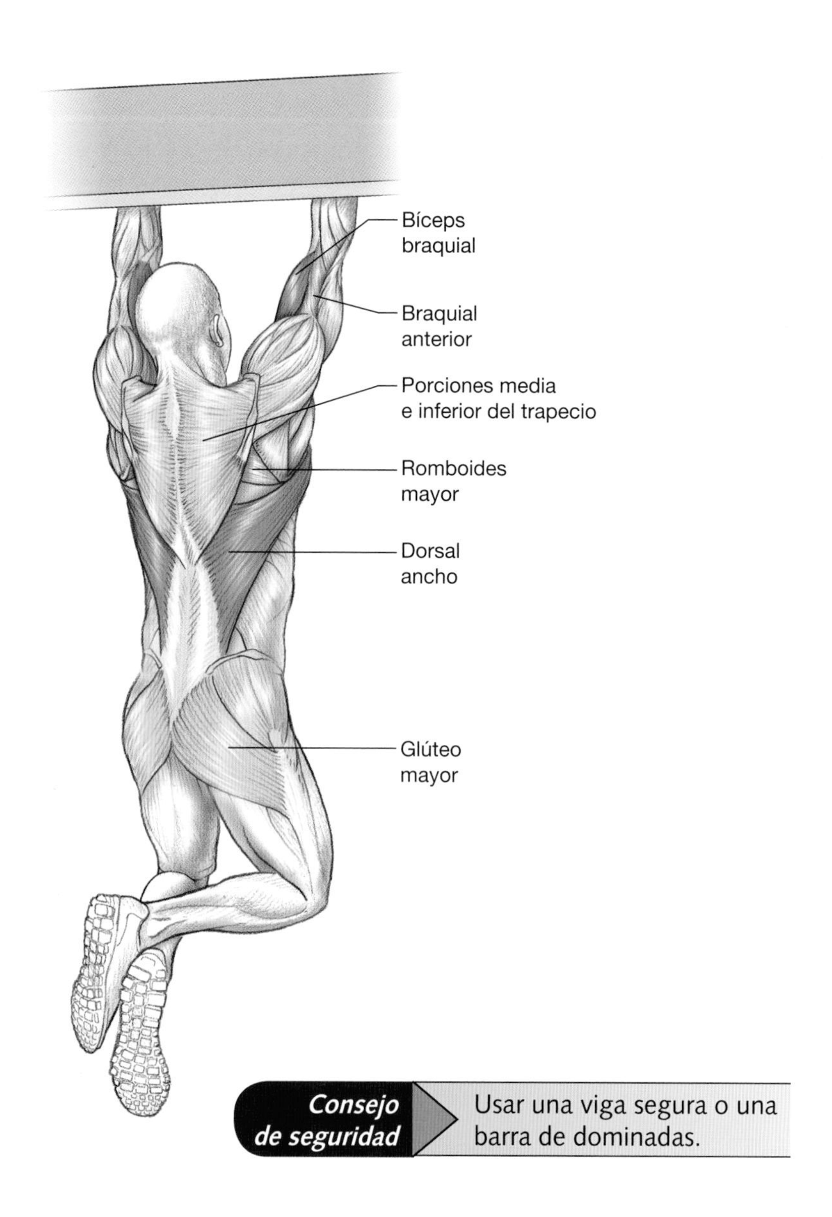

Consejo de seguridad Usar una viga segura o una barra de dominadas.

Ejecución

1. Empezar en una posición de estiramiento total, colgando de una viga segura o de una barra de dominadas con los brazos estirados y un agarre en supinación, con las palmas orientadas hacia ti. Las puntas de los pies deben estar separadas del suelo y las rodillas pueden estar flexionadas si eso resulta más cómodo.
2. Tirar del cuerpo hacia la viga o barra de dominadas hasta la altura del esternón, manteniendo el segmento somático central estable.
3. Bajar el cuerpo con control, asegurándose de descender del todo.

Músculos implicados

Agonistas primarios: Bíceps braquial, dorsal ancho.

Agonistas secundarios: Braquial anterior, porciones inferior y media del trapecio, romboides, recto abdominal, glúteo mayor.

Notas al ejercicio

Las Dominadas son un ejercicio clásico de autocarga para los bíceps y los músculos de la espalda. El agarre en supinación, con las palmas orientadas hacia el practicante, es el que mejor trabaja el bíceps, razón por la que esta variante se incluye en el capítulo sobre los brazos. Este movimiento requiere una viga o barra de la que poder colgarse de dicho modo.

Muchas personas realizan este ejercicio incorrectamente al no utilizar un rango de movimiento completo, sin alcanzar el punto superior e inferior del mismo, o bien dan patadas con las piernas y generan así impulso, arqueando excesivamente la región lumbar y contrayendo los hombros en la fase final de la subida. Hay que mantener el segmento somático central estable y el cuerpo formando una línea recta desde los hombros hasta las rodillas con una zona media fuerte y los glúteos contraídos. Al estar en el punto más elevado del movimiento, con la barbilla por encima de la barra, imaginar que las escápulas se meten en los bolsillos traseros del pantalón, a fin de atrasarlas y bajarlas. Utilizar un rango de movimiento completo empezando desde una posición estática y elevarse hasta llegar a tocar la viga con la parte alta del pecho. Si se realizan dominadas de esta manera, se llevará a cabo un entrenamiento muy efectivo del segmento somático central, además de constituir un exigente ejercicio para el tren superior.

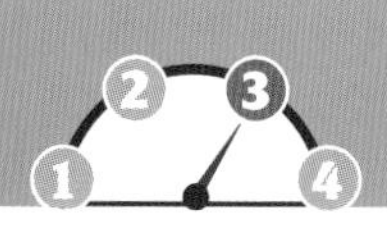

FONDOS DE TRÍCEPS CON APOYO ESTRECHO

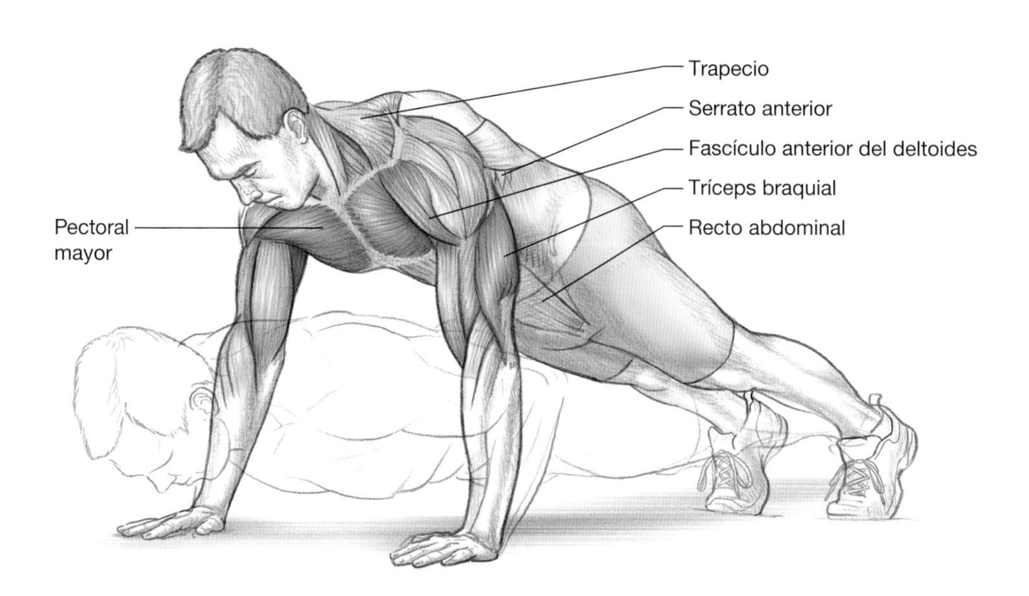

Ejecución

1. Tumbarse boca abajo con las manos separadas la anchura de los hombros y los codos bien pegados al cuerpo.
2. Con los pies juntos y el segmento somático central estable, presionar con los brazos para elevar el cuerpo.
3. Bajar el cuerpo hasta que el pecho toque el suelo.

Músculos implicados

Agonistas primarios: Tríceps braquial, pectoral mayor, fascículo anterior del deltoides.

Agonistas secundarios: Porciones superior e inferior del trapecio, serrato anterior, recto abdominal, glúteo mayor.

Notas al ejercicio

Los Fondos de Brazos realizados con una base de sustentación reducida son un clásico ejercicio que se centra en los tríceps y los pectorales. Sin género de dudas, es sumamente efectivo; no obstante, la mayoría de las personas realiza este movimiento incorrectamente hundiendo las caderas, levantando la vista y extendiendo excesivamente el cuello, acortando el recorrido sin describir un rango de movimiento completo, o no alineando los codos sobre las muñecas.

Mantener un segmento somático central fuerte flexionando los abdominales y los glúteos. Conservar el cuerpo en línea recta durante todo el ejercicio y no permitir que las caderas se hundan. Bajar el cuerpo hasta que el pecho dé en el suelo. Bajar la vista durante la serie y asegurarse de que los codos estén alineados con las muñecas. Mantener el cuerpo bloqueado en una posición eficaz asegura que se disfrute de un buen entrenamiento del segmento somático central, además de constituir un efectivo ejercicio para el tren superior.

VARIANTE

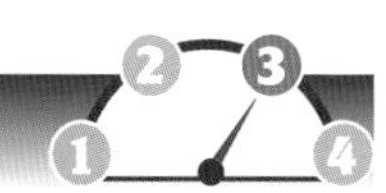

Fondos de tríceps con apoyo en forma de rombo

Este ejercicio es algo más exigente que los Fondos de Tríceps con Apoyo Estrecho, porque depende más intensamente de los tríceps. Esta variante se realiza poniendo las manos en contacto y formando un rombo con los pulgares y los dedos índices.

VARIANTE

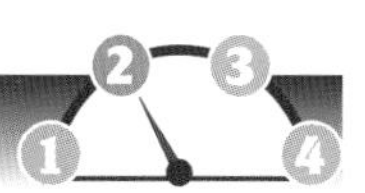

Fondos de tríceps con palanca corta

Las personas que tengan problemas con los Fondos de Tríceps con Apoyo Estrecho pueden acortar la palanca realizando el movimiento apoyándose en las rodillas. Esto reduce el porcentaje total de peso corporal levantado y permite utilizar una técnica más rigurosa.

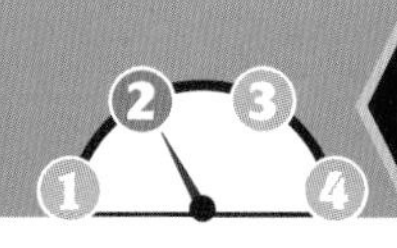

HUNDIMIENTOS EN BANCO CON TRES PUNTOS DE APOYO

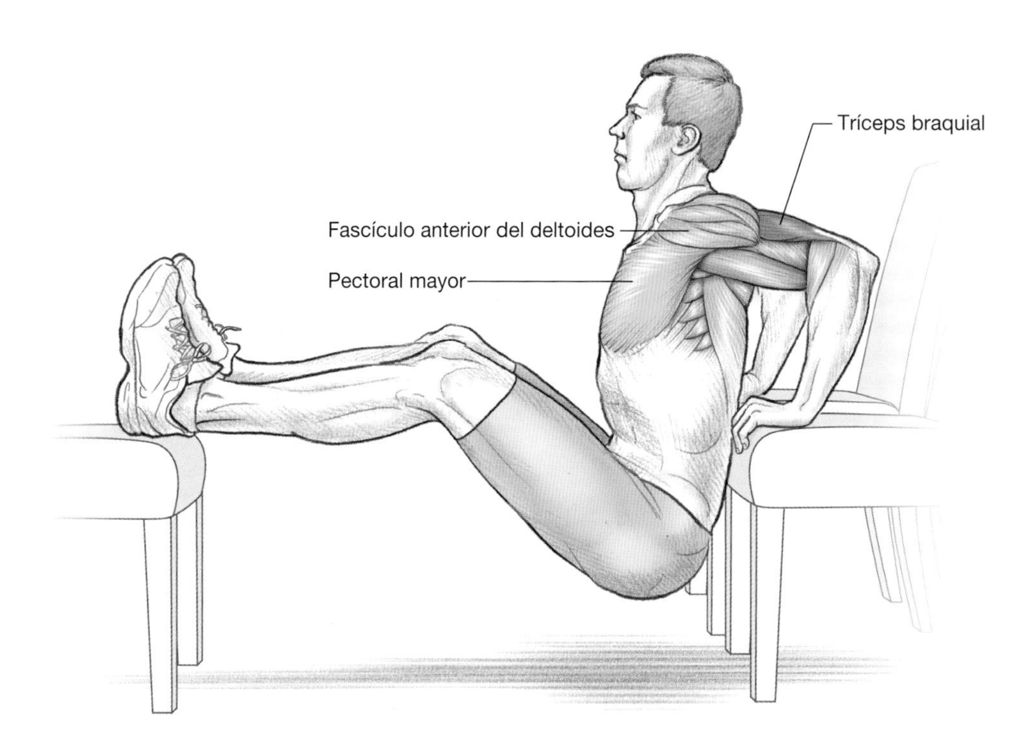

Consejo de seguridad Usar sillas estables, sólidas y resistentes, o bancos de pesas.

Ejecución

1. Colocar tres sillas de tal modo que los pies se apoyen en una y el cuerpo esté centrado entre las otras dos. (Si se tiene acceso a bancos de pesas, puede realizarse este ejercicio usando dos de ellos. Colocarlos paralelos entre sí. Disponer las palmas de las manos en un banco y los talones de los pies en el otro, de modo que el cuerpo esté perpendicular a los bancos.)
2. Con las palmas de las manos en el borde de las dos sillas, los dedos hacia delante, el tronco erguido y las piernas en línea recta, bajar el cuerpo con control hasta sentir el estiramiento adecuado. No bajar demasiado; podría ser peligroso. Basta con situar los brazos paralelos al suelo.
3. Elevar el cuerpo para regresar a la posición inicial.

Músculos implicados

Agonista primario: Tríceps braquial.

Agonistas secundarios: Pectoral mayor, fascículo anterior del deltoides.

Notas al ejercicio

Los Hundimientos en Banco son un ejercicio habitual realizado en gimnasios de todo el mundo. Son eficaces para desarrollar los tríceps y pueden ajustarse con facilidad al nivel de fuerza del practicante. Se puede simplificar el ejercicio realizando el movimiento con la planta de los pies en el suelo y las rodillas flexionadas, lo cual reduce la cantidad total de peso corporal levantado. Descender lo suficiente como para recibir un buen estiramiento en los músculos, pero no tanto como para poner en peligro los tejidos blandos. Si se desciende regularmente en exceso, se corre el riesgo de lesionar ciertas estructuras que circundan la articulación del hombro. Este ejercicio puede ser peligroso si no se realiza correctamente. Mantener el pecho alto durante este movimiento y no permitir que la región lumbar se coloque en retroversión. Asegurarse de ascender realizando todo el recorrido hasta el punto inicial.

CAPÍTULO 3

CUELLO Y HOMBROS

Si se imagina a un hombre fuerte y corpulento, sin lugar a dudas tendrá unos hombros musculosos y un cuello grueso. Nunca se verá a un tipo fuerte con hombros debiluchos o un cuello enclenque. Además, los hombros marcados crean la ilusión óptica de tener una cintura más pequeña, produciendo la codiciada silueta en forma de V. Aunque los dorsales anchos sean de fundamental importancia en la creación de este factor X, la parte superior de la X en realidad empieza por los deltoides. El factor X es el cuerpo que ambicionan los hombres. Para conseguirlo, se necesita una fuerte musculatura en el tren superior, una zona media estrecha, así como unas caderas y muslos vigorosos y musculados. La silueta en forma de V, que va desde los deltoides hasta la perfilada zona media, caracteriza al hombre atlético y en forma.

Por su parte, las mujeres a menudo buscan unos deltoides definidos y tonificados, indicadores de una parte superior del cuerpo fuerte y cultivada mediante duro trabajo y esfuerzo. Para muchas personas, los hombros pueden ser persistentemente indiferentes al entrenamiento, requiriendo por eso mucha dedicación. Para afrontar correctamente el espectro del entrenamiento de los hombros y del cuello, es importante comprender las muchas funciones de los grupos musculares que los conforman.

EL CUELLO

El cuello es importante en muchos deportes. Los deportes de contacto o colisión, como el fútbol americano, el boxeo o el rugby, requieren un cuello fuerte para absorber los golpes y prevenir conmociones o lesiones cervicales. Los deportes de combate cuerpo a cuerpo, como la lucha o el jiu-jitsu brasileño, también requieren tener fuerte el cuello para prevenir sumisiones y lesiones cervicales.

Aunque el cuello puede moverse en todo tipo de acciones, como la flexión, la extensión, la flexión lateral, la rotación, la protracción y la retracción, nos centraremos principalmente en el fortalecimiento de su musculatura de forma isométrica con movimientos hacia delante (flexión) y hacia atrás (extensión). Esto dará lugar a un cuello fuerte y firme, un aspecto de la estabilidad espinal que suele pasarse por alto. Gracias a estos dos movimientos quedarán cubiertas todas las bases, ya que permiten el fortalecimiento de las diversas fibras del trapecio y del esternocleidomastoideo, los escalenos y el elevador de la escápula, músculos encargados también de otros movimientos del cuello, como la rotación y la flexión lateral.

Muchas personas suponen que la única manera de trabajar la porción superior del trapecio (figura 3.1) es mediante ejercicios de encogimiento que requieren la elevación de las escápulas. Esto es incorrecto. La parte superior del trapecio está enormemente implicada en la rotación ascendente de la escápula y, por lo tanto, se estimula intensamente durante los movimientos de Fondo de Brazos en Posición Invertida (haciendo el pino). Lo mismo cabe decir de la porción inferior de este músculo. De hecho, es posible desarrollar adecuadamente las fibras del trapecio equilibrando la realización de los movimientos horizontales y verticales de empuje y tracción incluidos en este libro.

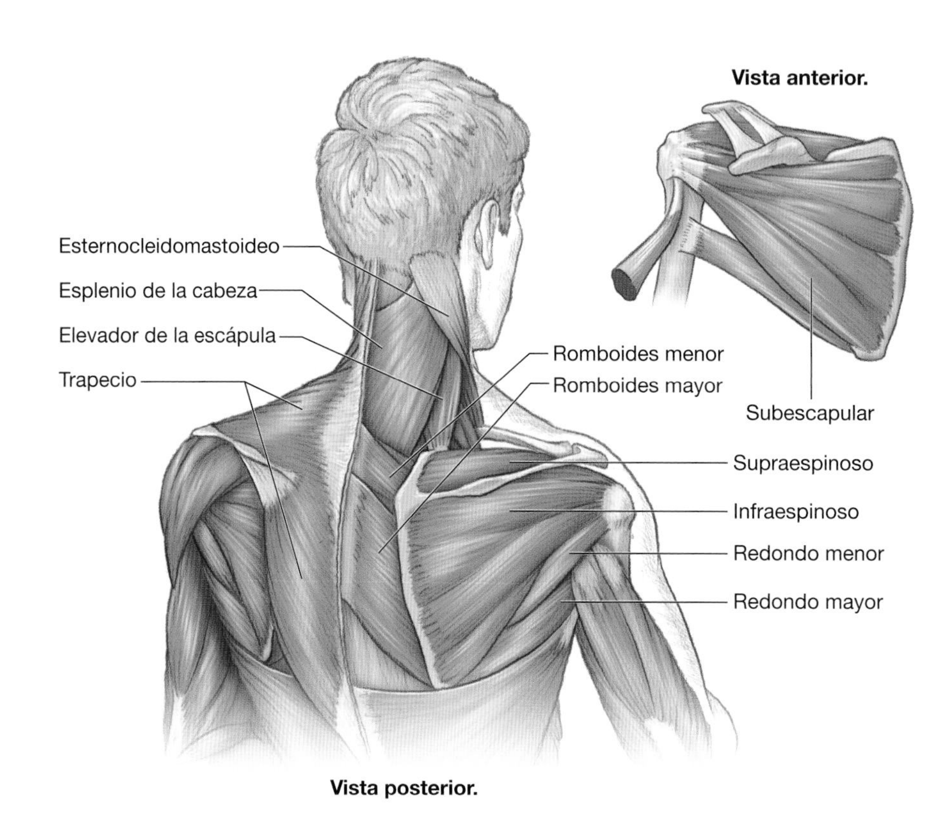

Figura 3.1 Músculos del cuello y de la parte superior de la espalda.

El movimiento de empuje con la parte superior de la cabeza es complejo desde el punto de vista de la biomecánica. Realizarlo de forma correcta requiere una fuerza y movilidad adecuadas del hombro, así como de la parte superior de la espalda y del brazo. Cuando las personas trabajan ante una mesa y permanecen sentadas durante gran parte del día encorvadas delante del ordenador, la postura se ve afectada, lo cual pone en peligro la mecánica de los movimientos de elevación. Por esta razón, los principiantes deben estirar el tren superior y progresar gradualmente de un ejercicio a otro para asegurar que la movilidad y estabilidad de los hombros se desarrollan conjuntamente. En especial, la parte superior de la columna debe ser capaz de extenderse y rotar correctamente, y los hombros poseer la movilidad adecuada en todas las direcciones. Una fuerza y flexibilidad equilibradas en las articulaciones del tren superior mantendrán los hombros sanos y funcionando correctamente durante toda la vida.

LOS HOMBROS

El deltoides (figura 3.2) es un importante estabilizador de la articulación glenohumeral, por lo que tiene que ser fuerte y coordinado para realizar movimientos rápidos y para prevenir luxaciones de hombro. El deltoides está formado por tres fascículos, cada uno de los cuales posee una función distinta. Cuando pierdas la suficiente masa grasa, podrás ver los tres fascículos contrayéndose mientras entrenas.

Un fascículo medio (o lateral) bien desarrollado es la sección del deltoides que provoca la ilusión óptica de la ancha forma de X anteriormente mencionada. Los fascículos anterior y

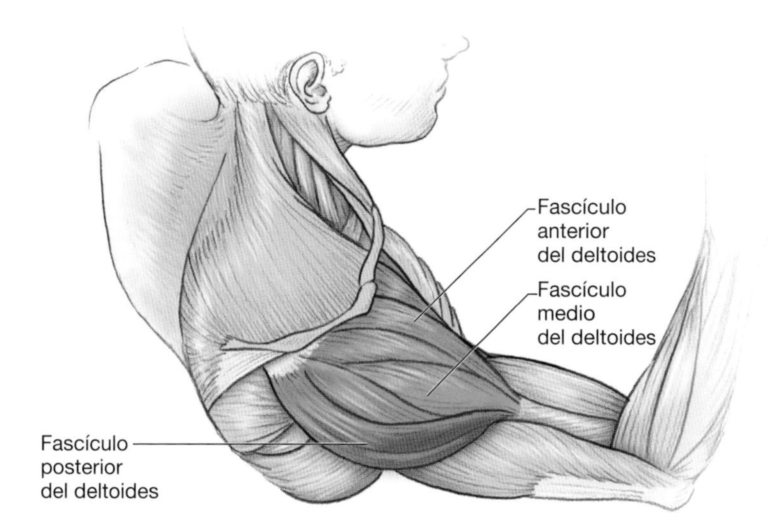

Figura 3.2 Músculo deltoides.

posterior están situados en la parte del cuerpo que sus nombres indican. El primero se trabaja durante las variantes del ejercicio de Fondo de Brazos, porque es un potente flexor y aductor horizontal del hombro. (La aducción desplaza una extremidad hacia la línea media del cuerpo, mientras que la abducción la aleja de ella.) El fascículo posterior se trabaja con diversos ejercicios de remo y dominadas, porque actúa como extensor y abductor transverso, u horizontal, del hombro. No obstante, este fascículo a menudo está infradesarrollado. Se le concede una atención específica en la abducción horizontal. Aunque los tres fascículos contribuyen a los movimientos de Fondo de Brazos en Posición Invertida (haciendo el pino), los fascículos anterior y lateral son los que más se trabajan durante este tipo de elevaciones. El fascículo posterior mantiene el hombro estable y contribuye ligeramente al movimiento global.

Aunque no se centre uno nunca en los deltoides de forma específica, se podría lograr un desarrollo considerable de los mismos realizando movimientos de presión y tracción horizontales, como los Fondos de Brazos y el Remo Invertido. Pero para optimizar el desarrollo de estos músculos es imprescindible trabajarlos directamente. Parecía haber menos lesiones de hombros hace muchos años, cuando el movimiento de empuje por encima de la cabeza era más popular que el realizado en el plano horizontal. Esta práctica producía una mayor estabilidad de los músculos de los hombros y unos niveles de fuerza equilibrados.

No debería ser ninguna sorpresa saber que los deltoides están intensamente implicados en movimientos deportivos. Lo están en el lanzamiento de jabalina y en los golpes cruzados de boxeo, en los pases de pecho en baloncesto y en los rechaces (*stiff-arms:* empujar al oponente hacia delante) en fútbol americano. De hecho, los hombros intervienen de forma importante en todos los movimientos de lanzamiento, balanceo y golpeo predominantes en deportes tales como el béisbol, el tenis, el racquetball, la natación, el voleibol y las artes marciales. El fascículo posterior del deltoides está muy implicado en el revés en tenis, el golpe de revés en giro (*kaiten uraken*) en artes marciales mixtas, el remo, o incluso en un lanzamiento de *frisbee.* Al llevar cargas pesadas a los lados del cuerpo, el deltoides se contrae con fuerza para mantenerlas alejadas del cuerpo y evitar que el húmero (el hueso del brazo) se salga de su acetábulo.

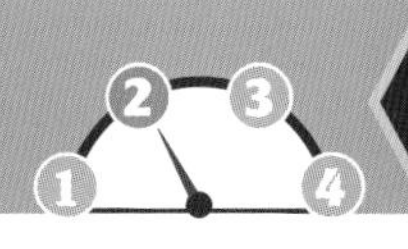

CONTRACCIÓN ISOMÉTRICA DE LA PARTE ANTERIOR DEL CUELLO EN PARED

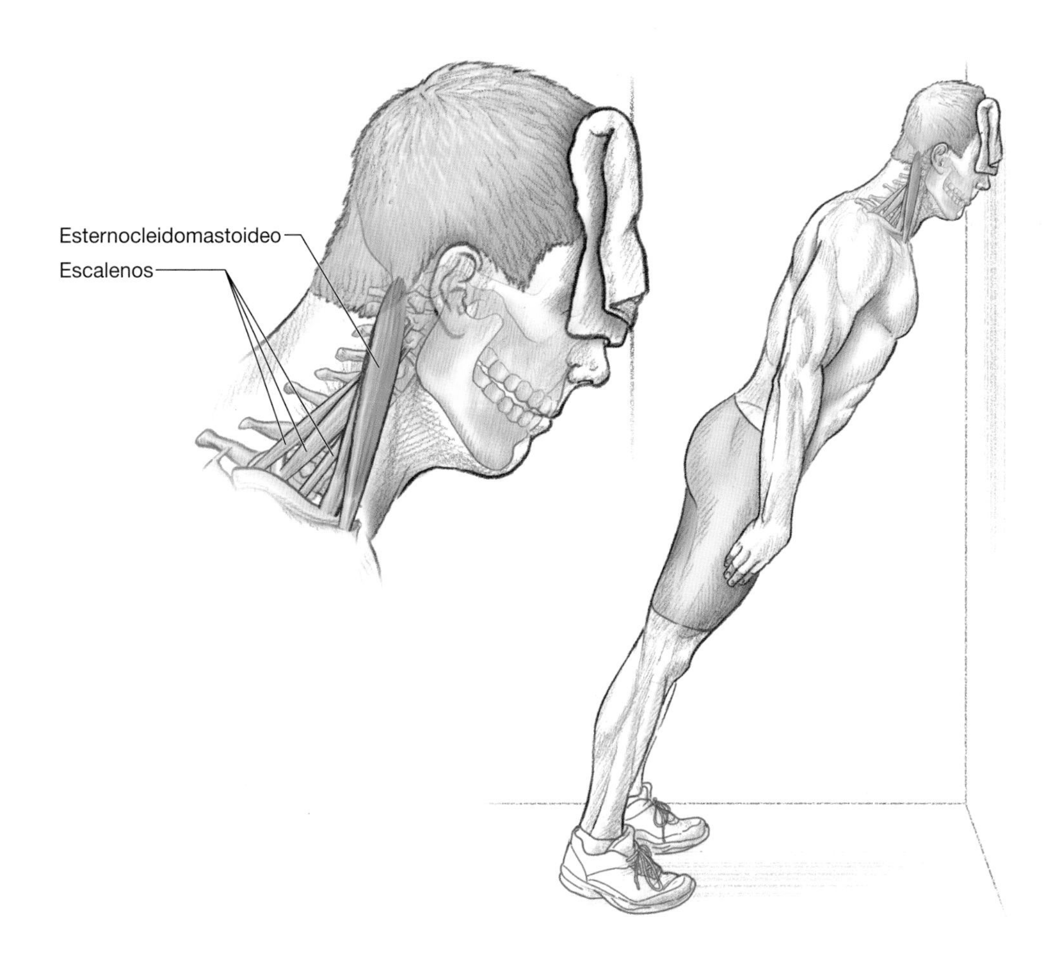

Ejecución

1. Colocar una toalla doblada sobre la frente.
2. Partiendo de una posición de pie con los brazos a los lados del cuerpo, inclinarse contra la pared, asegurándose de mantener el cuerpo en línea recta.
3. Mantener la posición durante la cantidad de tiempo deseada.

Músculos implicados

Agonista primario: Esternocleidomastoideo.

Agonistas secundarios: Escalenos.

Notas al ejercicio

La Contracción Isométrica de la Parte Anterior del Cuello en Pared es un ejercicio importante para lograr el desarrollo correcto de los músculos del cuello. En los deportes de contacto o colisión y en los de combate estos músculos tienen que estar fuertes, porque se encargan de prevenir la hiperextensión del cuello, que puede ocurrir durante colisiones o golpes si no están suficientemente desarrollados.

La dificultad de este ejercicio puede ajustarse según la altura de la pared en la que nos apoyemos. Cuanto más alto y más cerca de ella se esté, más fácil resultará, y cuanto más bajo y alejado de ella, más exigente. Yo prefiero realizar una contracción de 30 segundos, pero puede optarse por tiempos menores o mayores, dependiendo de los objetivos perseguidos.

Usar una toalla doblada para proteger la cabeza al realizar este ejercicio. Mantener el cuerpo en línea recta con el segmento somático central fuerte y los glúteos contraídos.

VARIANTE

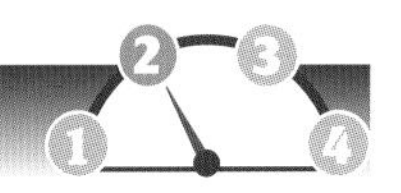

Contracción isométrica de la parte posterior del cuello en pared

En este caso, los responsables de realizar la contracción isométrica no son los músculos de la parte anterior del cuello, sino de la posterior. Este ejercicio, que implica mantener una extensión del cuello, depende de la acción del trapecio y los extensores cervicales. Este ejercicio se realiza para mejorar la fuerza equilibrada del cuello.

Trapecio

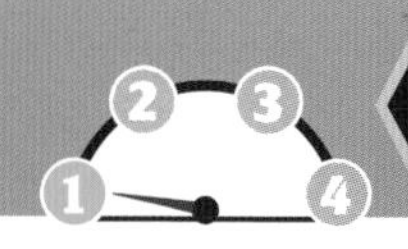

CONTRACCIÓN ISOMÉTRICA DEL CUELLO CONTRA RESISTENCIA MANUAL

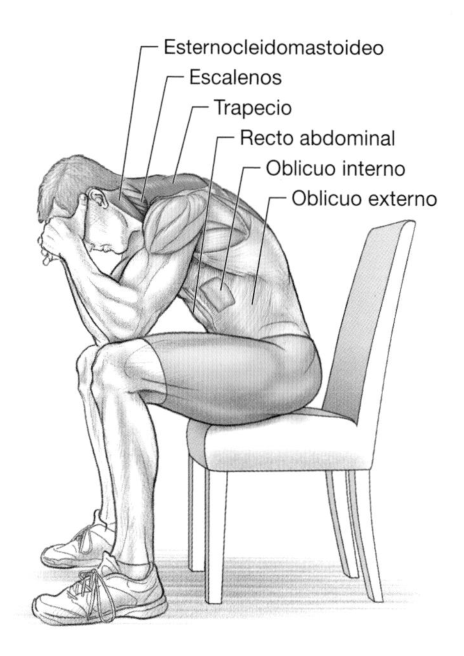

Resistencia manual frontal.

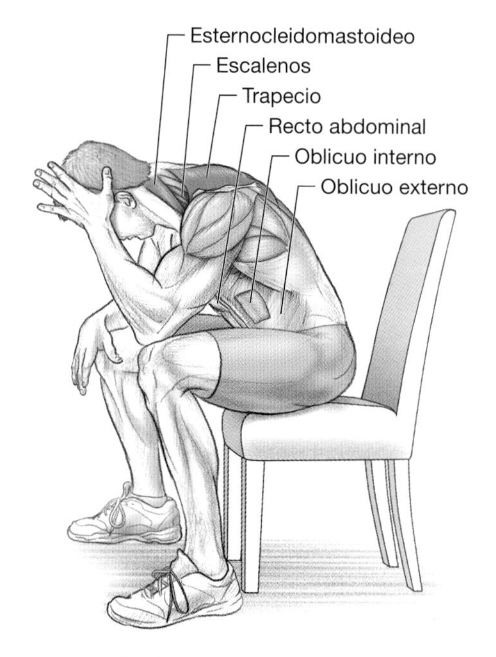

Resistencia manual lateral.

Ejecución

1. Partiendo de una postura sentada, con los codos apoyados en los muslos, disponer las manos en la parte anterior de la cabeza y aplicar una resistencia isométrica manual (autogenerada) durante 10 segundos.
2. Colocar las manos en la parte posterior de la cabeza y mantener la posición durante otros 10 segundos mientras se aplica la resistencia manual. Si los brazos son relativamente cortos, tal vez se tenga problema para mantener los codos en los muslos para esta variante.
3. Terminar con una contracción isométrica lateral por cada lado (derecho e izquierdo) colocando cada vez la mano en el lado de la cabeza correspondiente y aplicando la resistencia manual durante 10 segundos.

Músculos implicados

Agonistas primarios: Esternocleidomastoideo, escalenos, trapecio, extensores cervicales como el semiespinoso de la cabeza y el esplenio de la cabeza.

Agonistas secundarios: Recto abdominal, oblicuos interno y externo, erector de la columna (espinoso, dorsal largo, iliocostal).

Notas al ejercicio

Los ejercicios para el cuello contra resistencia manual son excelentes para fortalecer su musculatura. Los estudios demuestran que, para fortalecer el cuello, hay que entrenarlo directamente. Los músculos del cuello no alcanzarán su máximo potencial a menos que se realicen ejercicios específicos para esta parte del cuerpo; lo bueno es que es muy fácil entrenar el cuello mediante contracciones isométricas.

Hay que mantener el cuello en posición neutra mientras se realicen las contracciones. De esta forma, el cuello está en su posición normal, no en rotación ni inclinado hacia delante, hacia atrás o lateralmente. Realizar cuatro contracciones: una para la flexión, otra para la extensión, una tercera para la flexión lateral derecha y una última para la flexión lateral izquierda.

Tener fuerte el cuello es importante, porque así conecta con mayor seguridad la cabeza con el tronco, lo cual reduce el riesgo de sufrir una conmoción cerebral.

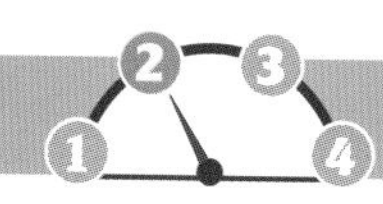

Posición inicial.

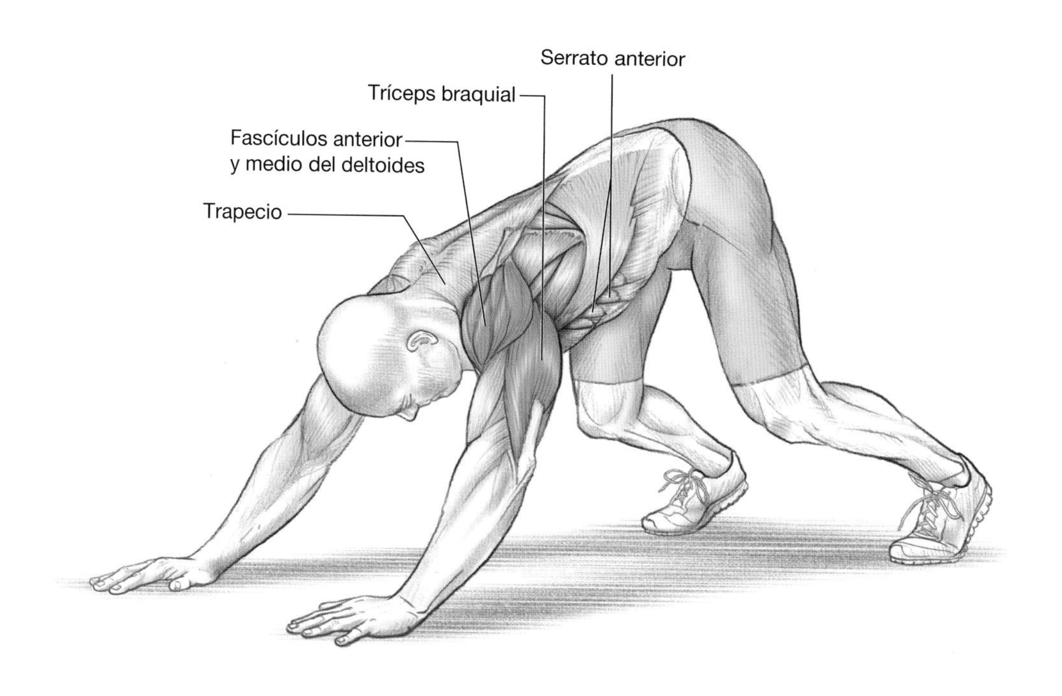

Ejecución

1. Colocarse con los pies más separados que la anchura de las caderas y adoptar la posición de fondo de brazos, pero manteniendo las caderas altas.
2. Empujar hacia arriba y hacia atrás, con las caderas elevadas, manteniéndolas más altas que los hombros.
3. Volver a la posición inicial. El componente excéntrico, es decir, la fase de elevación de la secuencia, cuando los músculos se acortan, debe ser el reverso exacto del componente concéntrico, es decir, la fase de descenso, cuando los músculos se alargan.

Músculos implicados

Agonistas primarios: Fascículo anterior del deltoides, fascículo medio del deltoides, porción superior del pectoral mayor, tríceps braquial.

Agonistas secundarios: Porciones superior e inferior del trapecio, serrato anterior, porciones media e inferior del pectoral mayor.

Notas al ejercicio

El ejercicio Empujar hacia Atrás es una mezcla entre el fondo de brazos normal y el realizado en posición carpada. El objetivo es tratar de hacer que el fondo de brazos normal se sienta como el realizado en posición invertida manipulando la dirección de la fuerza que se ejerce contra el suelo. Empujando el cuerpo hacia atrás, el practicante se centra más en la musculatura de los hombros que en la de los pectorales.

Hay que mantener las caderas altas y sentir que el movimiento trabaja sobre los deltoides. Debe bajarse la vista y evitar hiperextender el cuello durante el movimiento.

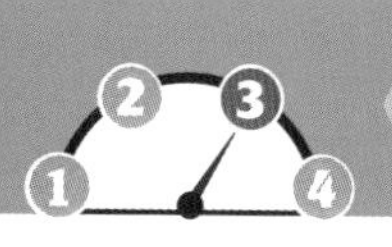

FONDOS DE BRAZOS EN POSICIÓN CARPADA CON LOS PIES ELEVADOS

Consejo de seguridad Emplear una silla muy sólida y resistente.

Ejecución

1. Poner las manos en el suelo ligeramente más separadas que la anchura de los hombros y los pies encima de una silla, caja o banco de pesas sólidos y resistentes.
2. Colocarse en posición carpada (en forma de L) "caminando" con las manos hacia atrás mientras se flexionan las caderas y se elevan los glúteos hacia el techo, y luego bajar el cuerpo hacia el suelo flexionando los codos.
3. Cuando la cabeza llegue al suelo, invertir el movimiento hasta la posición carpada inicial bloqueando los brazos en extensión y empujando el cuerpo lo más alto y apartado del suelo que sea posible.

Músculos implicados

Agonistas primarios: Deltoides, tríceps braquial.

Agonistas secundarios: Porciones superior e inferior del trapecio, serrato anterior.

Notas al ejercicio

Los Fondos de Brazos en Posición Carpada con los Pies Elevados son un ejercicio eficaz para desarrollar los hombros. Muchas personas no son suficientemente fuertes como para realizar fondos de brazos en posición invertida (haciendo el pino), por lo que realizarlos en posición carpada constituye un excelente ejercicio intermedio en la progresión hacia variantes más exigentes.

No hay necesidad de hiperextender el cuello para descender más abajo, porque los Fondos de Brazos en Posición Carpada se realizan con un rango de movimiento limitado, se mire por donde se mire. Hay que mantener la cabeza y el cuello en posición neutra y bajar el cuerpo hasta que la cabeza toque el suelo. Se debe mantener el cuerpo en posición de L durante todo el movimiento.

VARIANTE

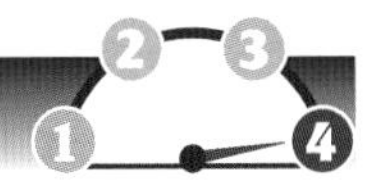

Fondos de brazos en posición carpada con tres puntos de apoyo elevados

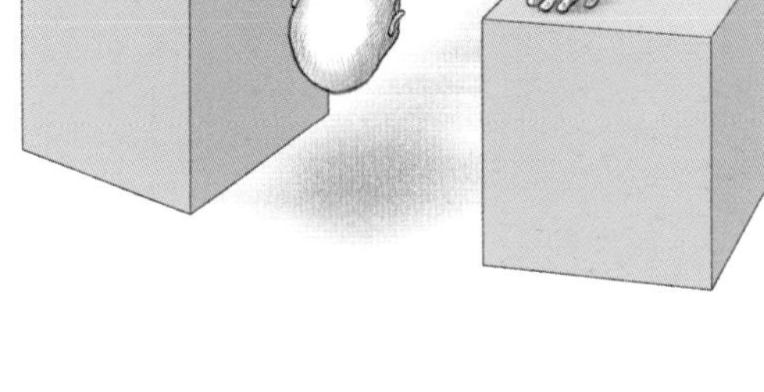

Cuando se lleguen a dominar los Fondos de Brazos en Posición Carpada con los Pies Elevados, aumentar el rango de movimiento realizando el ejercicio entre dos sillas o cajas sólidas, resistentes e inmóviles. Esto permite que la cabeza descienda más, sometiendo a los músculos de los hombros a una mayor solicitación y dando lugar a un movimiento más efectivo. La silla de atrás debe ser más alta que las dos de delante.

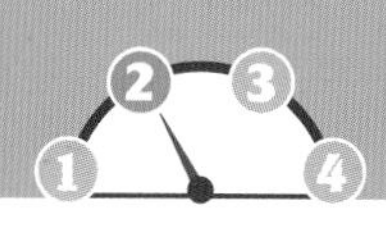

ELEVACIONES POSTERIORES (DE PIE)

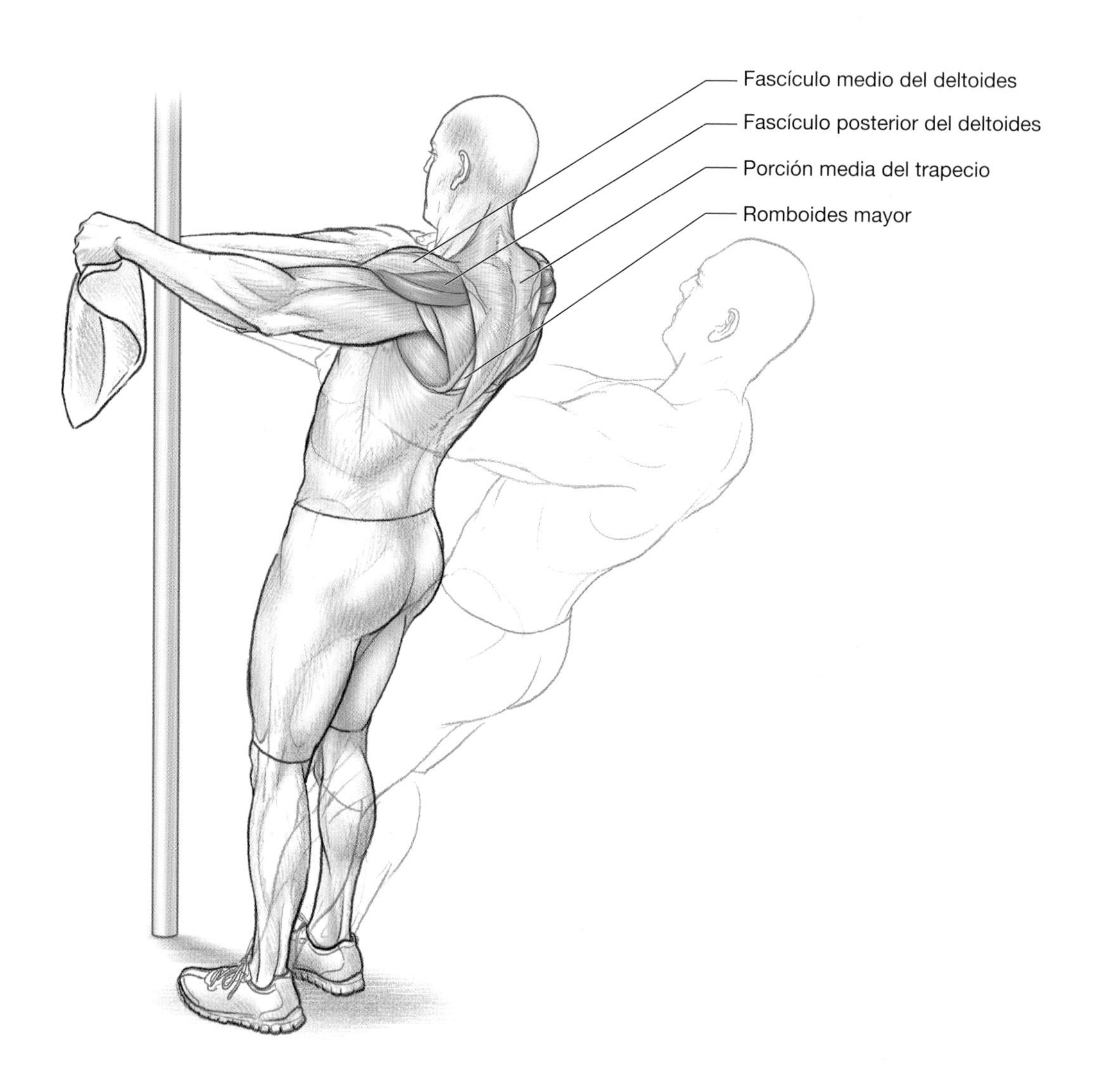

Ejecución

1. Partiendo de una posición de pie, pasar una toalla por detrás de un poste, agarrar sus extremos e inclinar el cuerpo hacia atrás para colocarse en posición.
2. Manteniendo el cuerpo en línea recta, elevarlo abriendo los brazos a los lados.
3. Controlar el descenso para regresar a la posición inicial.

Músculos implicados

Agonista primario: Fascículo posterior del deltoides.

Agonistas secundarios: Fascículo medio del deltoides, porción media del trapecio, romboides mayor.

Notas al ejercicio

Este ejercicio resulta más fácil cuando se tiene una toalla grande y acceso a un poste. No obstante, se tienen otras opciones. También se puede envolver con el extremo de una toalla grande la parte alta de una puerta sólida y resistente, antes de cerrarla, empotrando así la toalla para fijarla en posición. Si la toalla es lo bastante ancha, bastará con una, pero también pueden usarse dos. Hay que mantener el cuerpo en línea recta y centrarse en elevarlo con el fascículo posterior de los deltoides y los retractores escapulares (porción media del trapecio y romboides). Se puede ajustar el nivel de dificultad variando la posición corporal. Para simplificar el ejercicio, permanecer más erguido, y para generar una mayor inclinación de tronco y complicar el ejercicio, adelantar los pies.

Aunque este ejercicio tenga un rango corto de movimiento, es importante para equilibrar la musculatura del hombro. Hay que hacer todo lo posible para mantener la tensión en el fascículo posterior del deltoides, porque a menudo se descuida y se encuentra infradesarrollado.

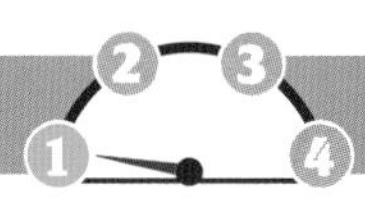

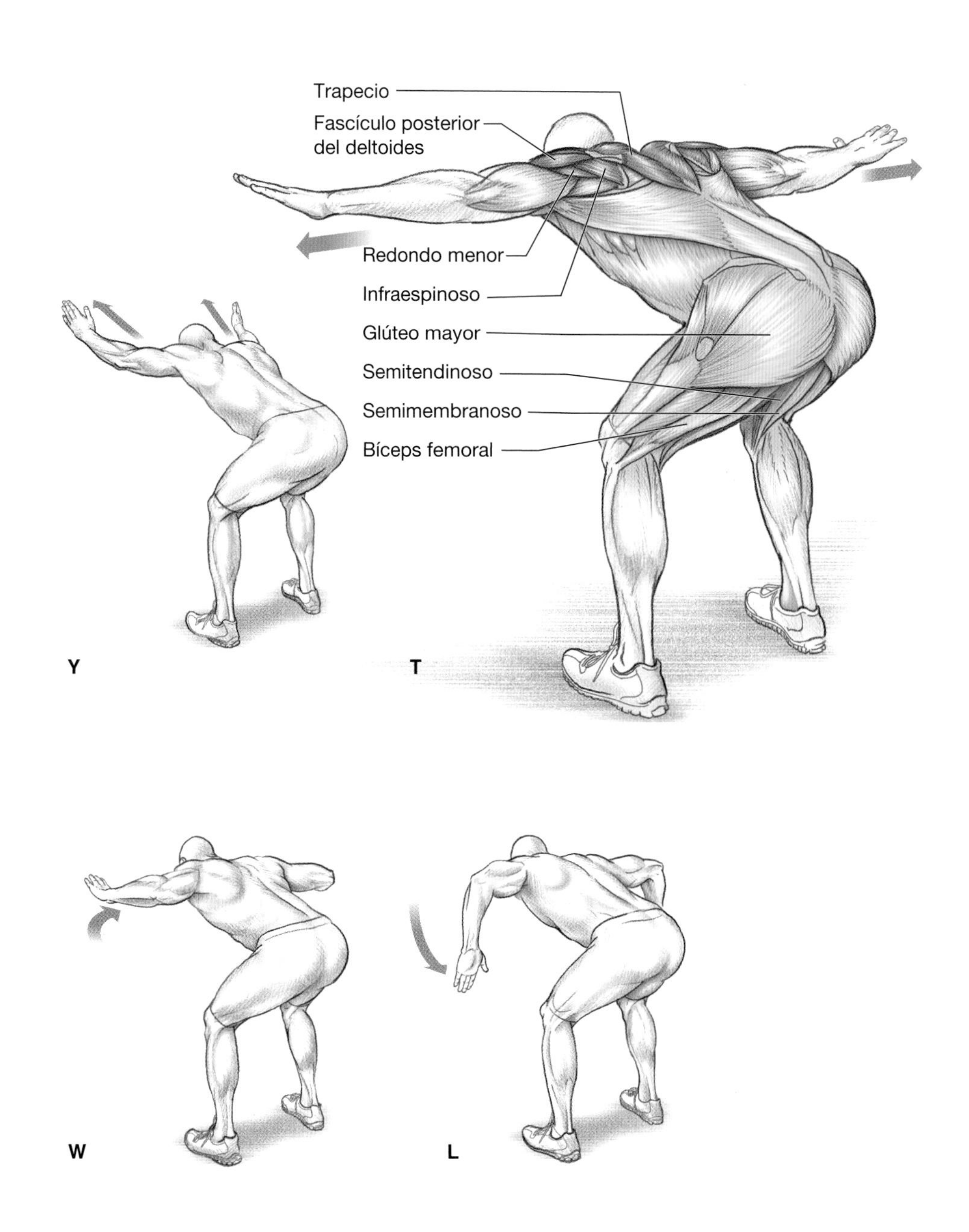

Posición de Y, posición de T, posición de W y posición de L.

Ejecución

1. Partiendo de una posición de pie, flexionar el tronco por las caderas en un ángulo de más de 45 grados respecto a las piernas, manteniendo la columna vertebral neutra mientras se realiza una sentadilla y se estiran los isquiosurales.
2. Realizar 10 movimientos en Y formando esa letra con los brazos, volviendo a la posición inicial después de cada repetición. Cambiar a 10 movimientos en T con los brazos, seguidos de 10 movimientos en W.
3. Realizar la transición a 10 movimientos en L manteniendo los brazos elevados atrás con los codos flexionados en ángulo recto y rotar los hombros, de modo que los antebrazos se desplacen de la vertical hacia el suelo, pasando por estar paralelos a este.

Músculos implicados

Agonistas primarios: Porción inferior del trapecio, porción media del trapecio, musculatura del manguito de los rotadores (infraespinoso, redondo menor), fascículo posterior del deltoides.

Agonistas secundarios: Isquiosurales (bíceps femoral, semitendinoso y semimembranoso), glúteo mayor.

Notas al ejercicio

El YTWL es un ejercicio estupendo, porque fortalece muchos de los cruciales músculos menores de la articulación del hombro que proporcionan estabilidad y sirven de soporte a los movimientos multiarticulares. No se recurre mucho a estos músculos durante las actividades diarias, por lo que, activándolos durante este ejercicio, se prevendrán futuras lesiones o disfunciones. Es importante mantenerlos sanos.

Al practicante le sorprenderá lo exigente que resulta la resistencia del propio peso corporal durante la realización de toda esta serie. Hay que mantener una buena postura y no permitir que la espalda deje de estar recta.

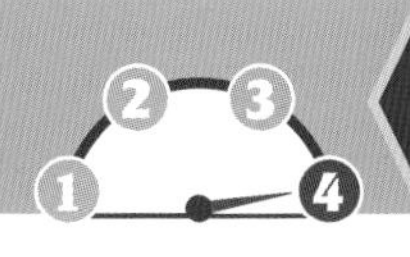

FONDOS DE BRAZOS EN POSICIÓN INVERTIDA APOYADO EN UNA PARED

Ejecución

1. Colocarse de espaldas a una pared y, partiendo de una posición de cuadrupedia (apoyar en el suelo las manos y las rodillas), disponer los pies contra ella y elevarse a la posición del pino (equilibrio invertido de brazos) "caminando" con las manos y los pies, de modo que las puntas de estos terminen apoyadas en la pared, el cuerpo esté relativamente vertical y formando una línea recta, y el practicante quede mirando a la pared.
2. Bajar el cuerpo despacio flexionando los codos hasta que la cabeza llegue al suelo.
3. Invertir el movimiento y volver a elevar el cuerpo hasta la posición inicial. Cuando la serie termine, descender "caminando" por la pared hasta apoyar de nuevo las manos y las rodillas.

Serrato anterior
Deltoides
Tríceps braquial
Trapecio

Músculos implicados

Agonistas primarios: Deltoides, tríceps braquial.

Agonistas secundarios: Porciones superior e inferior del trapecio, serrato anterior.

Notas al ejercicio

Los Fondos de Brazos en Posición Invertida Apoyado en una Pared es el ejercicio de *press* por encima de la cabeza más exigente que existe, porque requiere levantar todo el peso del cuerpo. Este ejercicio resulta mucho más difícil que los fondos de brazos normales por dos razones. En primer lugar, las personas son más fuertes en los movimientos de *press* horizontales que en los verticales. En segundo lugar, los Fondos de Brazos en Posición Invertida (haciendo el pino) implican levantar todo el peso del cuerpo, mientras que los normales solo comportan el 70 por ciento aproximadamente, debido a la existencia de cuatro puntos de contacto con el suelo y al ángulo del tronco.

Hay varias maneras de realizar este movimiento: con los pies apoyados en una pared (situada bien por delante o bien por detrás del cuerpo), con un compañero (que sostiene las piernas), y en equilibrio (sin apoyos). Obviamente, esta última opción es la versión más difícil porque requiere mantener el equilibrio.

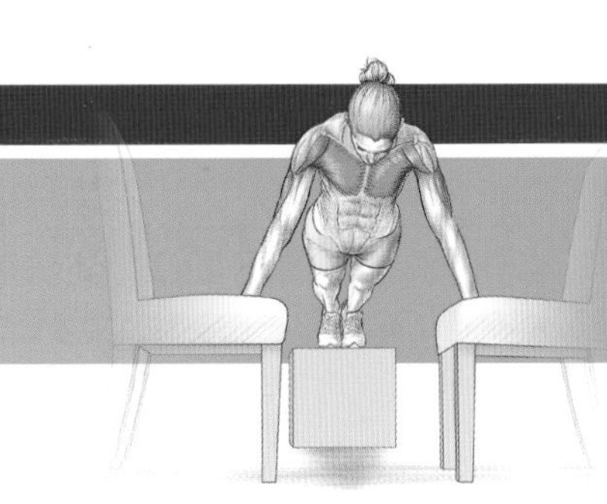

CAPÍTULO 4

REGIÓN PECTORAL

Hay una razón por la que los lunes han sido proclamados como Día Internacional del *Press* de Banca. Los levantadores de pesas de todo el mundo que desean tener unos pectorales bien desarrollados establecen prioridades en sus rutinas semanales y entrenan el pecho en primer lugar. Aunque la mayoría de los practicantes varones dedican la mayor parte del tiempo al desarrollo de las zonas superior, media e inferior de los pectorales con el fin de alcanzar su pleno potencial, las mujeres suelen estar menos preocupadas en este sentido. No obstante, una línea muscular sutil que atraviese el esternón puede resultar bastante atractiva en una mujer y, dado que los ejercicios multiarticulares para el pecho también pueden servir como excelentes desarrolladores de los tríceps, parece lógico que las mujeres incluyan ejercicios de pectorales en sus rutinas.

Entrenar con el propio peso corporal es adecuado para trabajar la región pectoral; lo único que se necesita para poder empezar es el suelo, y listo. Es esencial prestar atención a sentir el trabajo de los músculos del pecho durante los movimientos de *press* multiarticulares. Si no, el tríceps y el fascículo anterior del deltoides pueden asumir todo el control y privar a los pectorales de su estimulación nerviosa. Los culturistas llaman a esto conexión mente-músculo, y es una de las técnicas más importantes que pueden emplearse para mejorar el desarrollo muscular.

LOS MÚSCULOS DE LA REGIÓN PECTORAL

El pectoral mayor (figura 4.1) posee tres subdivisiones funcionales: las porciones superior, media e inferior. La porción superior se denomina esternoclavicular, debido a su inserción en la clavícula, mientras que las dos más inferiores a veces se agrupan bajo la denominación porción esternocostal, debido a su inserción en las costillas. Para ser aún más precisos, los investigadores han descubierto que los pectorales están formados por seis subdivisiones funcionales que son reclutadas por separado en función de sus líneas de tracción. El pectoral mayor realiza la aducción transversal (flexión horizontal) del hombro (así se emplea al lanzar una pelota sin levantar el brazo por encima del hombro), es aductor del hombro (así se utiliza durante los Cruces en Polea) y rotador interno del hombro (al echar un "pulso" de brazos).

El pectoral menor es un músculo pequeño situado bajo el pectoral mayor que protrae, rota hacia abajo y deprime la escápula. Realiza una función estabilizadora durante ejercicios como los Hundimientos (*Dips*). El pectoral menor suele estar contracturado, lo cual puede alterar la postura y restringir la función correcta de la escápula durante los movimientos de *press* por encima de la cabeza. Por esta razón, no es mala idea realizar con regularidad estiramientos de pectorales.

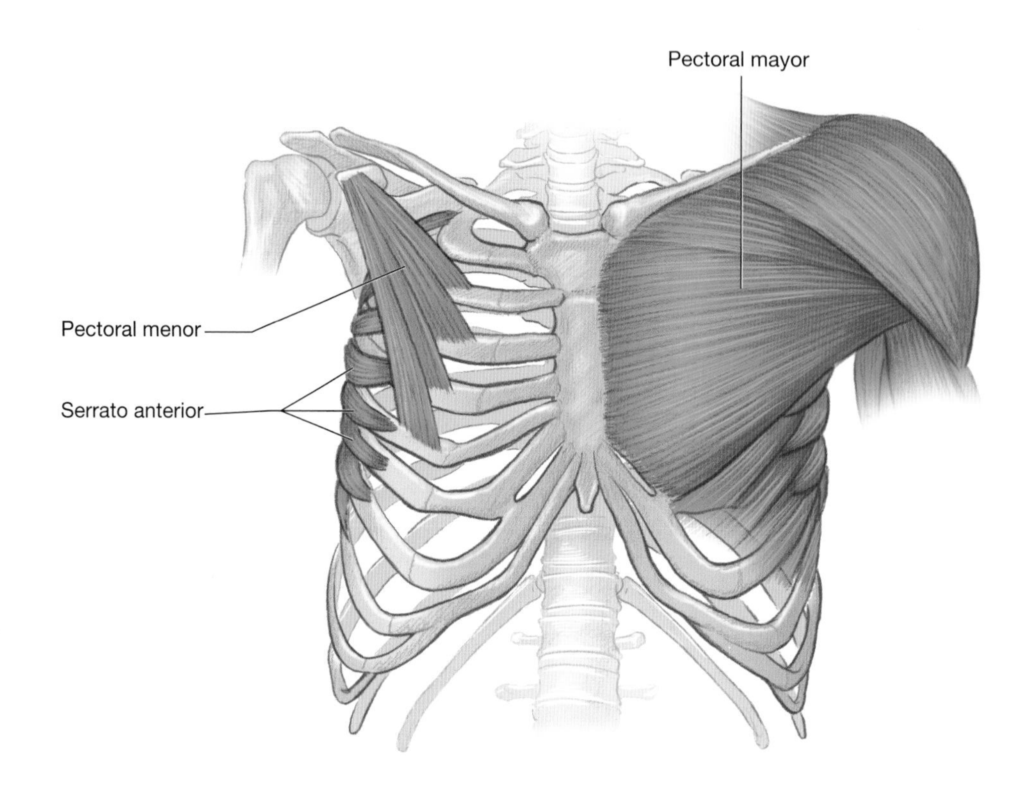

Figura 4.1 Músculos de la región pectoral.

EJERCICIOS PARA LA REGIÓN PECTORAL

Para lograr el máximo desarrollo de la región pectoral es necesario realizar distintos ejercicios de pecho, porque algunos son más adecuados para una porción (superior, media o inferior) que otra. Puede ser posible desarrollar también las porciones interna y externa; no obstante, las investigaciones no han logrado confirmarlo. Las mujeres que buscan unos pectorales definidos deben centrarse en el desarrollo de la porción superior, porque esta zona es más visible en el cuerpo de la mujer que las porciones media e inferior; muchos hombres las desarrollan de forma efectiva realizando frecuentemente *Press* de Banca y Fondos de Brazos, por lo que deberían centrarse en el trabajo de la porción superior para lograr una estética equilibrada.

Aunque podría decirse que los Fondos de Brazos, conocidos también como Flexiones de Brazos, son el ejercicio con autocargas más popular y, desde luego, el específico para el pecho sin aparatos que se realiza de forma más habitual, es importante progresar utilizando variantes más exigentes para lograr mantener los resultados. Hay decenas de tipos de Fondos de Brazos, y he incluido sus variantes más efectivas para permitir al lector lograr sus objetivos.

Además, es de fundamental importancia aprender desde el principio la manera correcta de llevar a cabo un fondo de brazos, porque la inmensa mayoría de los practicantes realiza este movimiento incorrectamente. Recuerdo con claridad cuando empecé a realizar fondos de brazos. Tenía 15 años y apenas podía hacer tres series de seis repeticiones. Estoy bastante seguro de que mi técnica tampoco era muy allá. Afortunadamente, seguí adelante con ellos y no me rendí. Saltando adelante en el tiempo hasta hoy día, ahora soy capaz de realizar 60 seguidos. Una excelente ventaja adicional de los fondos de brazos es la estabilidad de la zona media (segmento somático central) que proporciona realizarlos.

Los músculos del pecho también están implicados en muchas acciones deportivas. Rechazar al oponente con el brazo extendido como en el fútbol americano (*push forward*) o en el sumo depende enormemente de los pectorales. En boxeo, los golpes rectos como el directo en corto (*jab*) o el cruzado de derecha implican a estos músculos, como les ocurre a los ganchos tanto horizontales como verticales. Las acciones en tenis, voleibol, racquetball y balonmano que implican movimientos por encima de la cabeza y oscilaciones cruzando el cuerpo, como los saques, los golpes de derecha y los remates, implican a los pectorales, como les ocurre a los lanzamientos en béisbol y fútbol americano. Un lanzador de peso o de disco requiere una musculatura fuerte y potente en el pecho para lograr la máxima distancia posible. Las artes marciales mixtas se basan en la región pectoral para los golpes, las proyecciones y el cuerpo a cuerpo (tanto de pie como en el suelo). Los gimnastas y los nadadores necesitan unos pectorales fuertes para diversas maniobras gimnásticas y estilos de natación. Incluso los atletas entrenan estos músculos, porque un tren superior fuerte puede aumentar la velocidad.

Algunos entrenadores de la fuerza prefieren los diversos tipos de ejercicios de Fondo de Brazos a los de *Press* de Banca con barra, porque les parece un patrón de movimiento más seguro y natural. Muchos opinan que las necesidades de los estabilizadores de la escápula durante el movimiento crean hombros fuertes y sanos y protegen contra lesiones. Los Fondos de Brazos son también un ingrediente básico del entrenamiento militar. Los gimnastas suelen ser capaces de realizar un *Press* de Banca con el doble de su peso corporal a pesar del hecho de que nunca practican ese ejercicio; su tren superior, sumamente fuerte, está desarrollado mediante frecuentes ejercicios de Fondos de Brazos y Hundimientos (*Dips*) y una extenuante práctica competitiva. Para lograr un rendimiento deportivo óptimo a través del entrenamiento, los movimientos explosivos de empuje son fáciles de llevar a cabo mediante los Fondos de Brazos, ya que se prestan a tener variantes, como puede ser el realizarlos dando palmadas o utilizando pliométricos (movimientos explosivos repetidos).

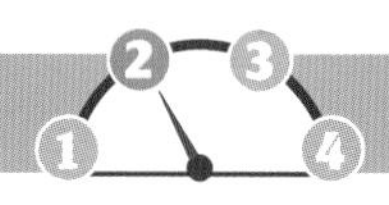

FONDOS DE BRAZOS

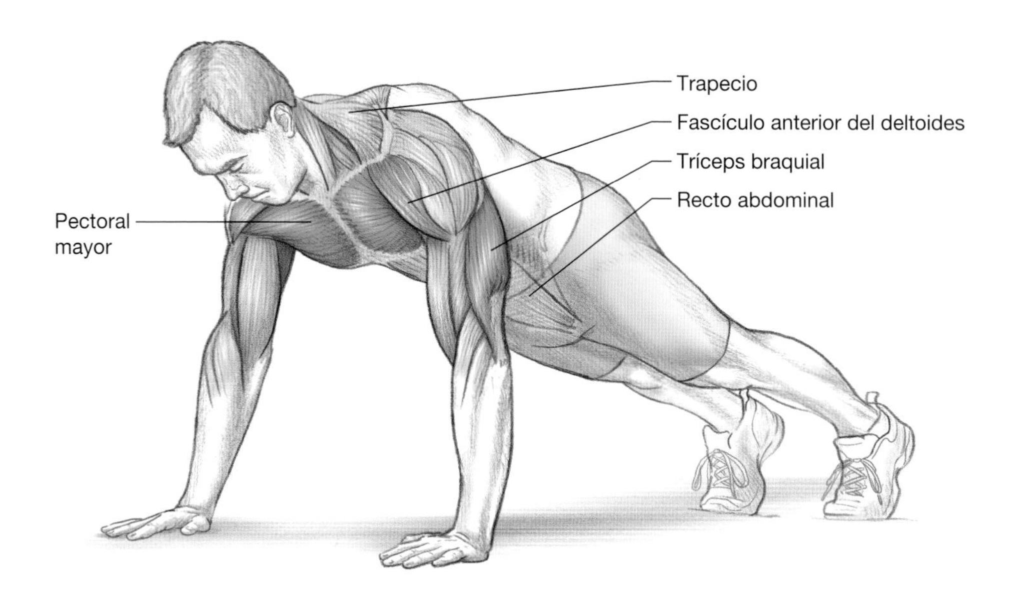

Ejecución

1. Poner las manos ligeramente más separadas que la anchura de los hombros y los pies juntos en el suelo, con el cuerpo en línea recta desde los talones hasta la cabeza.
2. Con los brazos en un ángulo de 45 grados, las manos colocadas en la vertical de los codos, los glúteos y abdominales contraídos y todo el cuerpo tenso, descender hasta que el pecho toque el suelo.
3. Invertir el movimiento y elevar el cuerpo hasta que los codos estén totalmente estirados.

Músculos implicados

Agonistas primarios: Pectoral mayor, tríceps braquial, fascículo anterior del deltoides.

Agonistas secundarios: Serrato anterior, trapecio, recto abdominal.

Notas al ejercicio

Después de los bíceps, el pectoral mayor es el músculo que más ansían desarrollar los hombres, como evidencia nuestra obsesión por los Fondos de Brazos y los *Press* de Banca. Pero este ejercicio no es solo pura apariencia, sin ningún resultado. Los Fondos de Brazos desarrollan la fuerza y la potencia del tren superior, la cual se transfiere a los golpes de puño y a la potencia de empuje. Activando la zona media (segmento somático central) y manteniendo los glúteos lo más contraídos posible durante toda la serie, los Fondos de Brazos pueden convertirse en un ejercicio integral. Muchas personas hunden las caderas, colocan los codos demasiado separados y no emplean un rango completo de movimiento. Activando los glúteos y los abdominales, se prevendrá que las caderas se hundan. Para proteger al máximo la salud de la articulación de los hombros, hay que colocar los brazos en un ángulo de 45 grados respecto al cuerpo (posición de abducción) y comprobar que los antebrazos y las manos están en la vertical de los codos. Se debe bajar la vista para mantener el cuello en posición neutra. Para realizarlos correctamente, hay que realizar completo el recorrido de bajada y subida, lo cual también permite fortalecer los estabilizadores del hombro y mantener sana esta articulación durante muchos años.

VARIANTE

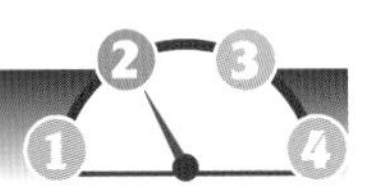

Fondos de brazos con palanca corta

Los Fondos de Brazos con Palanca Corta son una buena variante para principiantes, porque en ellos se emplea aproximadamente el 20 por ciento menos de peso corporal que en los fondos de brazos normales, simplificando así el ejercicio. Mantener los brazos bien pegados al tronco y el cuerpo estirado mientras se realizan los fondos con las rodillas apoyadas en el suelo.

VARIANTE

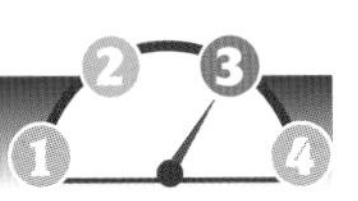

Fondos de brazos con apoyo amplio

Los Fondos de Brazos con Apoyo Amplio se centran en los músculos pectorales de manera distinta a los fondos de brazos normales. Para realizar este ejercicio, hay que colocar las manos más adelantadas y separadas en el suelo en comparación con la variante estándar.

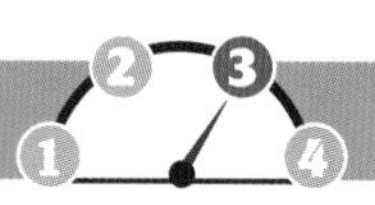

FONDOS DE BRAZOS EN ELEVACIÓN

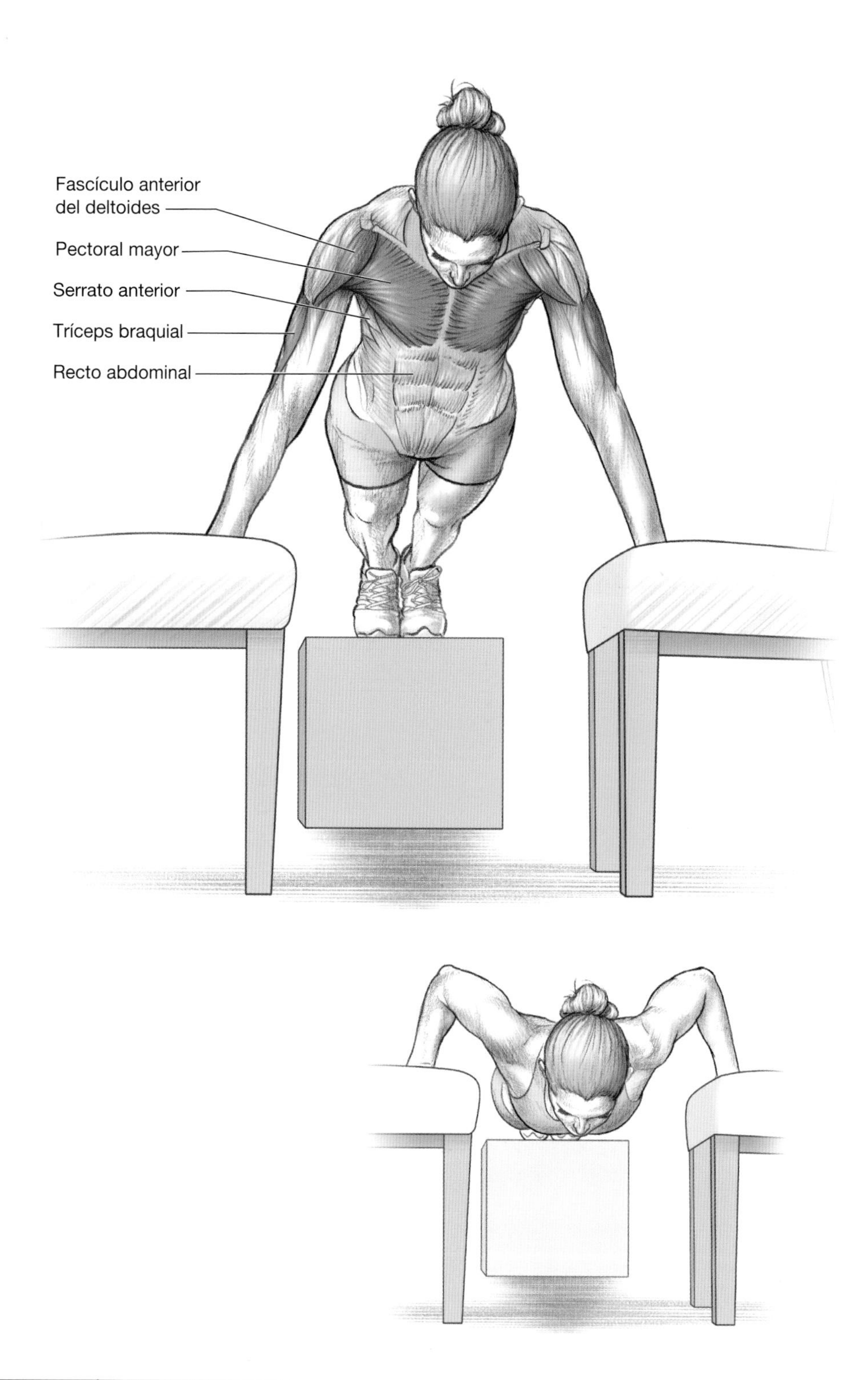

Consejo de seguridad Para este ejercicio, emplear elementos de apoyo muy sólidos, resistentes y bien asentados en el suelo.

Ejecución

1. Poner los pies encima de un sofá, silla o caja, y las manos sobre sendas sillas colocadas ligeramente más separadas que la anchura de los hombros. También podrían utilizarse elementos tales como un banco de pesas y dos cajones sólidos y resistentes.
2. Manteniendo el cuerpo en línea recta y los glúteos contraídos, descender hasta sentir un estiramiento en los pectorales.
3. Invertir el movimiento y, empujando, elevar el cuerpo hasta que los codos estén totalmente estirados.

Músculos implicados

Agonistas primarios: Pectoral mayor, tríceps braquial, fascículo anterior del deltoides.

Agonistas secundarios: Serrato anterior, trapecio, recto abdominal.

Notas al ejercicio

Los Fondos de Brazos en Elevación son una variante avanzada de los normales que permite aumentar el rango de movimiento en la articulación del hombro. Esto equivale a una mayor activación muscular y, a la larga, más masa muscular. No conviene sobrecargar la articulación glenohumeral, por lo que solamente hay que descender unos pocos centímetros más de lo que se bajaría durante unos fondos de brazos normales. Los antebrazos deben permanecer perpendiculares al suelo y las manos separadas a una distancia media.

VARIANTE

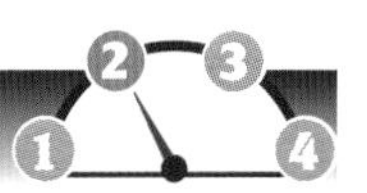

Fondos de brazos en elevación y con palanca corta

Los practicantes que deseen aprovechar el rango de movimiento extra proporcionado en los Fondos de Brazos en Elevación, pero no tengan la fuerza suficiente para realizarlos, pueden emplear la variante con Palanca Corta, que se realiza apoyando las rodillas, en lugar de los pies, sobre un sofá o silla.

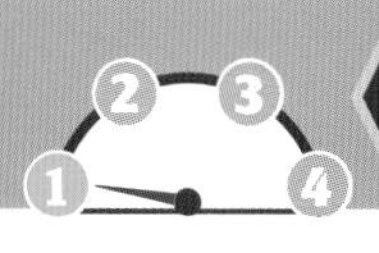

FONDOS DE BRAZOS CON EL TRONCO ELEVADO

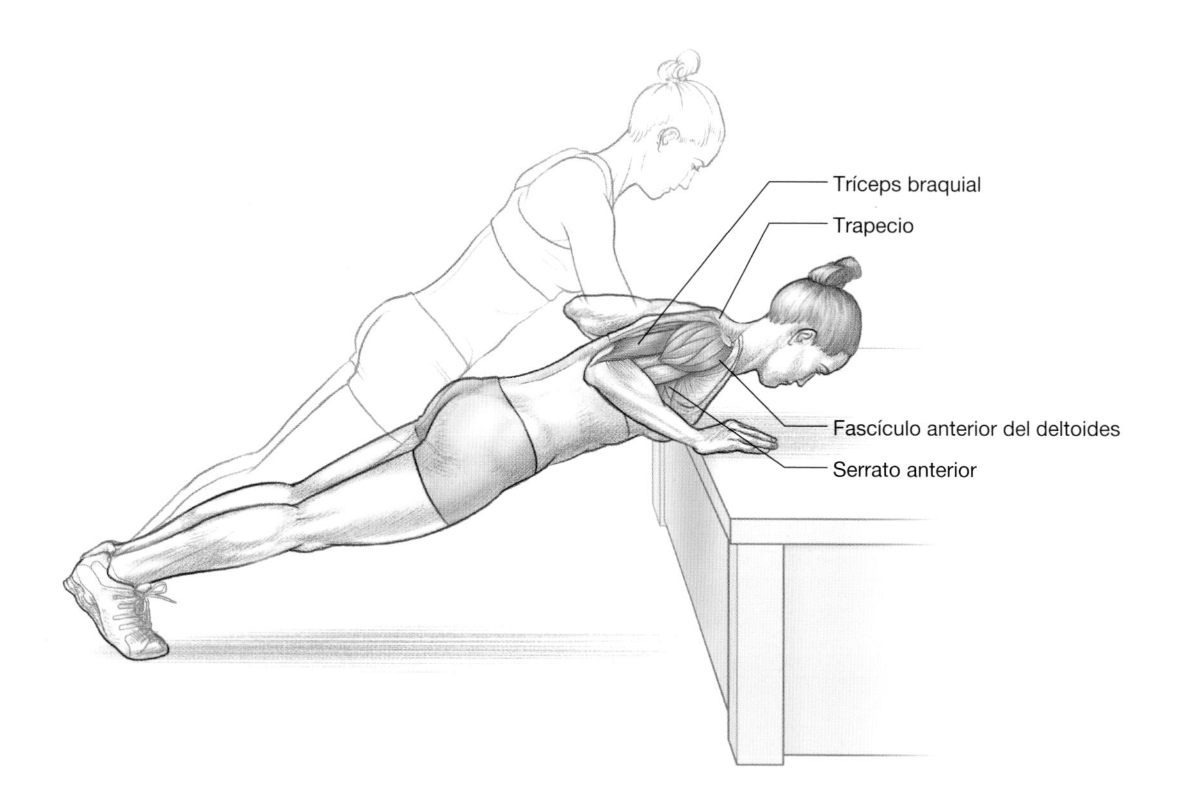

Ejecución

1. Poner las manos encima de una silla o mesa sólida y resistente, ligeramente más separadas que la anchura de los hombros, y los pies juntos en el suelo.
2. Manteniendo los glúteos contraídos y el cuerpo en línea recta, descender hasta que el pecho toque la silla o mesa.
3. Invertir el movimiento y elevar el cuerpo hasta que los codos estén totalmente estirados.

Músculos implicados

Agonistas primarios: Pectoral mayor, tríceps braquial, fascículo anterior del deltoides.

Agonistas secundarios: Serrato anterior, trapecio, recto abdominal.

Notas al ejercicio

Esta es una excelente variante para principiantes, porque permite realizar el movimiento con la correcta activación de la zona media (segmento somático central) al mismo tiempo que acostumbra al practicante a mantener el cuerpo estirado y recto. A medida que se vaya progresando, realizar la secuencia partiendo de una mesa o silla cada vez más baja, con la finalidad de situarse cada vez más cerca del suelo. Con el tiempo se podrán realizar fondos de brazos apoyándose completamente en el suelo.

VARIANTE

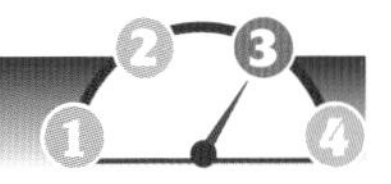

Fondos de brazos con los pies elevados

Los Fondos de Brazos con los Pies Elevados son un ejercicio de nivel avanzado para los pectorales en el que se emplea un mayor porcentaje de peso corporal y se modifica el ángulo de tal forma que logra parecerse más a un *press* inclinado, activando así en mayor medida la musculatura de la parte superior del pecho. Aunque se debe bajar mucho para lograr la máxima eficacia, no hay que tratar de levantar la vista demasiado en el punto inferior del movimiento, para no hiperextender el cuello.

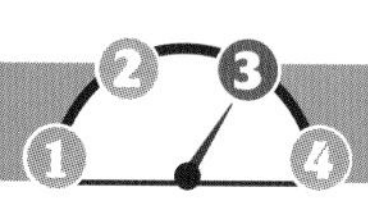

FONDOS DE BRAZOS LATERALES

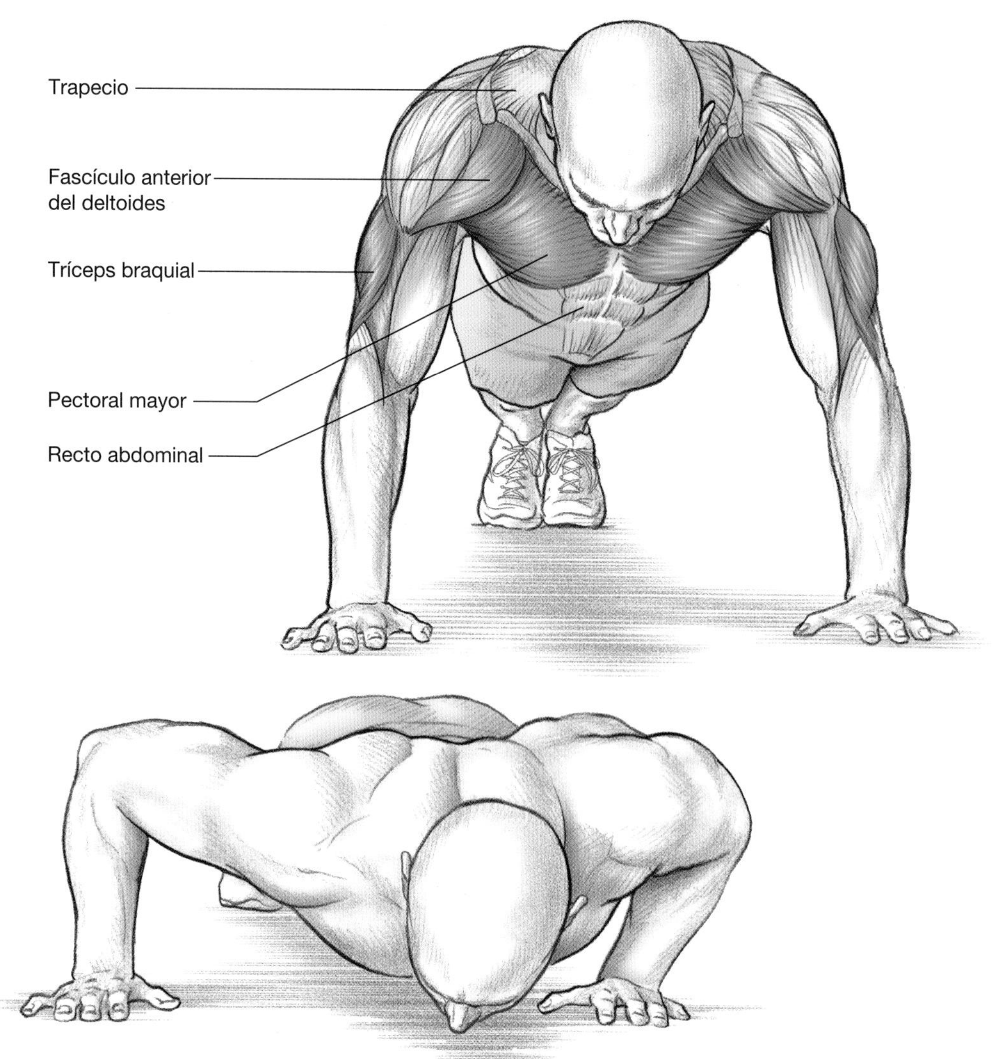

Descender hacia el lado izquierdo.

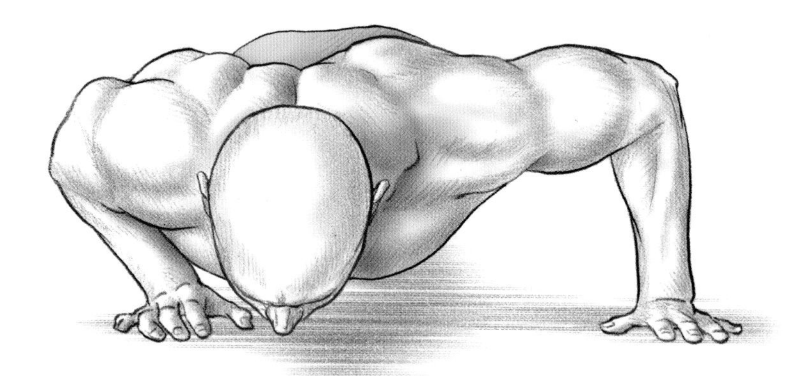

Descender hacia el lado derecho.

Ejecución

1. Empezar en una posición normal para fondo de brazos, con los pies juntos, las puntas en el suelo y las manos en la vertical de los hombros.
2. Durante el descenso, dirigir el peso corporal lateralmente, imponiendo una mayor solicitación sobre ese lado.
3. Empujar para elevarse hasta extender los codos y cambiar de lado.

Músculos implicados

Agonistas primarios: Pectoral mayor, tríceps braquial, fascículo anterior del deltoides.

Agonistas secundarios: Serrato anterior, trapecio, recto abdominal.

Notas al ejercicio

Los Fondos de Brazos Laterales son una variante avanzada que somete a una mayor solicitación al lado en el que nos centramos cada vez, el cual asumirá aproximadamente un 65 por ciento de la carga y el otro el 35. Además, esta variante constituye un exigente entrenamiento para la zona media (segmento somático central), porque es difícil mantener la posición correcta del cuerpo durante todo el ejercicio. Hay que tratar de oponer resistencia al movimiento espinal lateral y rotatorio excesivo durante la serie.

VARIANTE

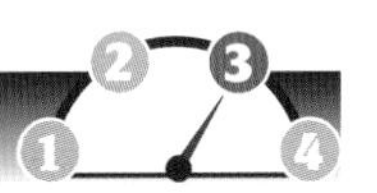

Fondos de brazos laterales con deslizamiento

Pueden usarse dos platos de papel sobre la alfombra o moqueta para realizar los Fondos de Brazos Laterales con Deslizamiento. (También podrían emplearse discos deslizantes de ejercicio, disponibles en tiendas, o, sobre un suelo resbaladizo, toallas pequeñas de mano.) Se trata de un ejercicio muy exigente para los hombros y la zona media. Alternar las manos, realizando un fondo con un brazo mientras se desliza la otra mano por delante del cuerpo. Hay que controlar el segmento somático central y prevenir los desplazamientos y torsiones excesivos.

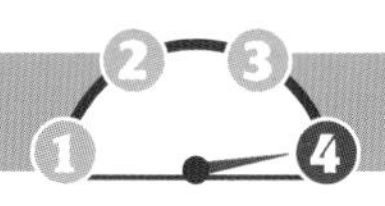

FONDOS CON UN SOLO BRAZO

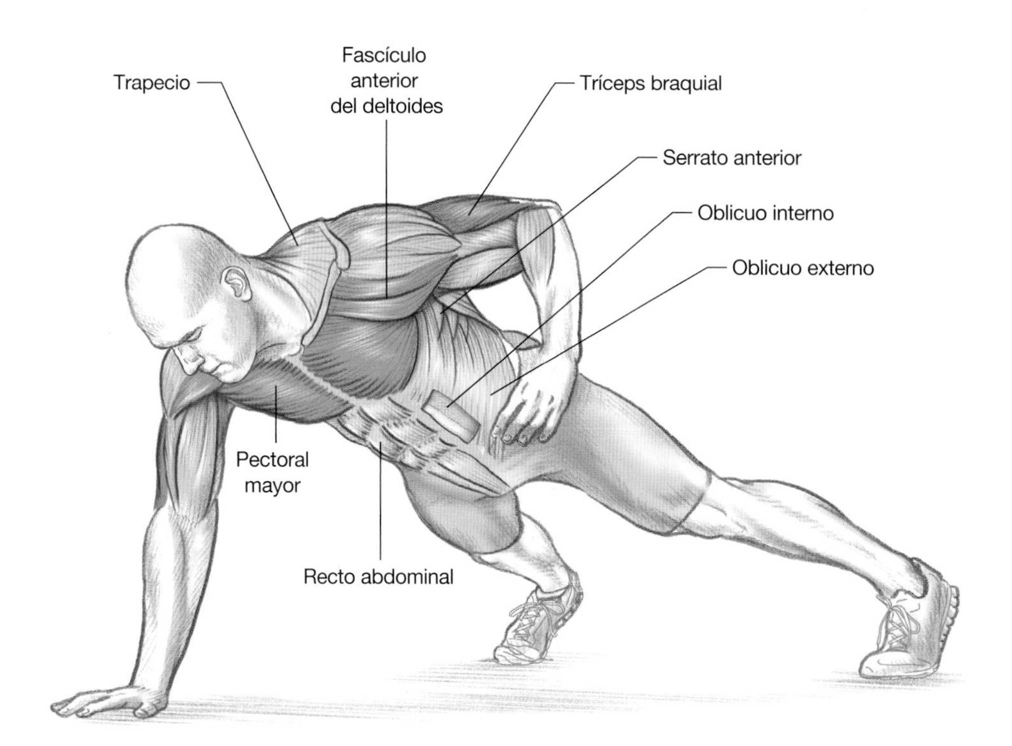

Ejecución

1. Adoptar una posición más abierta de lo normal. Colocar un brazo bajo el cuerpo y agarrarse la parte superior del muslo contrario con el brazo que no trabaje.
2. Bajar el cuerpo manteniendo el brazo de apoyo bien pegado al tronco, el cuerpo estirado, el segmento somático central contraído y las caderas paralelas al suelo.
3. Elevarse hasta extender el codo, impidiendo excesivos movimientos laterales y de torsión.

Músculos implicados

Agonistas primarios: Pectoral mayor, tríceps braquial, fascículo anterior del deltoides.

Agonistas secundarios: Serrato anterior, trapecio, recto abdominal, oblicuo interno, oblicuo externo.

Notas al ejercicio

Este ejercicio es la variante de fondos de brazos más exigente incluida en este libro. Es muy difícil. Hay que ir mejorando progresivamente para llegar a realizar los Fondos con Un Solo Brazo, empezando con una posición de palanca corta apoyado sobre las rodillas o con el tronco elevado apoyando la mano sobre una mesa o silla sólida y resistente. Asimismo, puede sencillamente bajarse el cuerpo realizando flexiones negativas controladas (descender despacio) hasta ser capaz de volver a elevarse correctamente. Hay que controlar los movimientos laterales y rotatorios con fuertes contracciones del segmento somático central.

VARIANTE

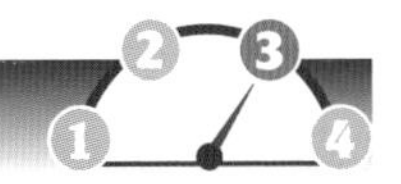

Fondos con un solo brazo autoasistidos

Es posible realizar Fondos con Un Solo Brazo Autoasistidos colocando una mano encima de una silla sólida y resistente, un banco de pesas, o un escalón, y apoyarse en el otro brazo, con la mano en el suelo, todo lo posible para ejecutar el fondo. La mano situada sobre la silla o banco proporciona la cantidad mínima de resistencia para ayudar a lograr realizar la repetición. Se trata de un movimiento eficaz y sirve como valioso ejercicio intermedio entre los Fondos con Dos Brazos y los Fondos con Un Solo Brazo.

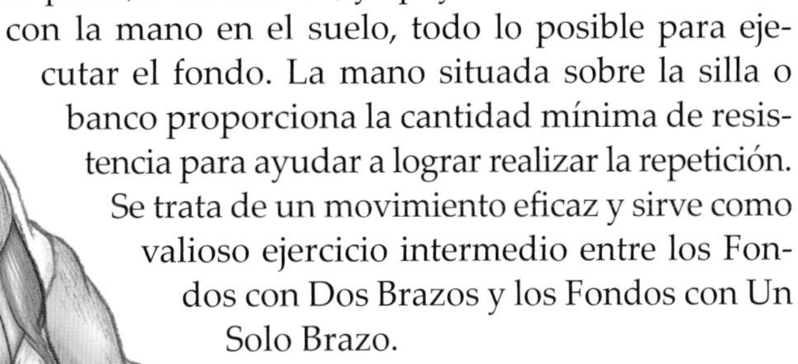

FONDOS DE BRAZOS CON PALMADA

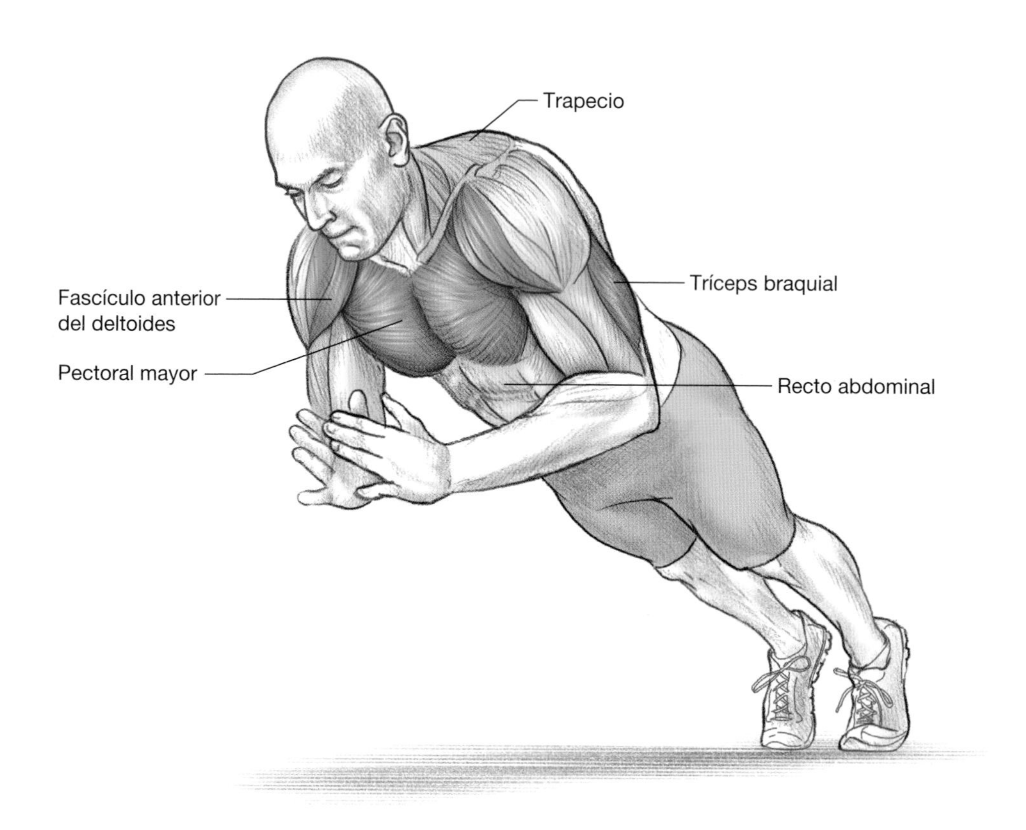

Ejecución

1. Empezar en una posición estándar de fondos de brazos con los pies juntos y los brazos ligeramente más separados que la anchura de los hombros.
2. Bajar el cuerpo y luego impulsarlo hacia arriba con la mayor fuerza posible, manteniendo los pies en el suelo.
3. Una vez en el aire, dar una palmada y, al volver al suelo, caer amortiguando el peso para quedar en posición de fondo de brazos.

Músculos implicados

Agonistas primarios: Pectoral mayor, tríceps braquial, fascículo anterior del deltoides.

Agonistas secundarios: Serrato anterior, trapecio, recto abdominal.

Notas al ejercicio

Los Fondos de Brazos con Palmada son un excelente ejercicio pliométrico para el tren superior que desarrolla potencia y fuerza elástica en los hombros, el pecho y los tríceps. Esto es importante para deportes de golpeo como el boxeo y aquellos en los que se empuja a los adversarios hacia delante, como en fútbol americano. No hay que dejar que la calidad de las repeticiones se vaya menoscabando a medida que la serie progrese. Mantener la técnica y asegurarse de que el ejercicio no deja de ser deportivo ateniéndose a menos de seis repeticiones por serie y centrándose en la máxima generación de potencia.

VARIANTE

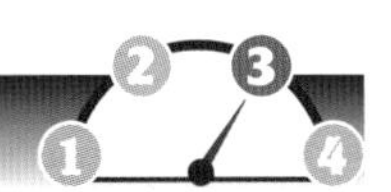

Fondos de brazos con palmada, apoyado sobre las rodillas

A las personas que tienen serias dificultades con los Fondos de Brazos con Palmada les parecerán más fáciles si los realizan apoyados sobre las Rodillas. Esta variante acorta la palanca y simplifica el movimiento, ya que se realiza apoyado en las rodillas en vez de en los pies. Pero no hay que despreciar este ejercicio considerándolo menos efectivo que los Fondos de Brazos con Palmada normales. En ellos se emplea menos peso corporal, lo cual significa que se puede elevar más el cuerpo. Algunas personas son lo bastante potentes como para elevar el cuerpo hasta una posición arrodillada alta.

VARIANTE

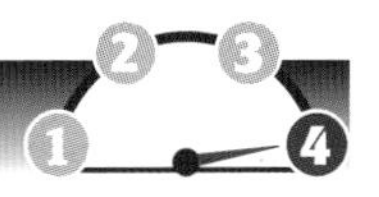

Fondos de brazos con palmada, despegando todo el cuerpo del suelo

Los Fondos de Brazos con Palmada, Despegando Todo el Cuerpo del Suelo, son la variante más avanzada de este grupo de ejercicios, porque requieren una increíble explosividad del tren superior y fuerza en el segmento somático central. El objetivo es aplicar un movimiento de resorte con el cuerpo hacia arriba, como si se tratara de un muelle, con suficiente potencia como para impulsar todo el cuerpo y despegarlo del suelo. Proponerse alcanzar la mayor altura posible y mantener la calidad durante toda la serie. Aterrizar correctamente haciendo que los pies toquen el suelo primero y absorbiendo después el impacto mediante la contracción excéntrica de los músculos del tren superior encargados de los movimientos de *press*.

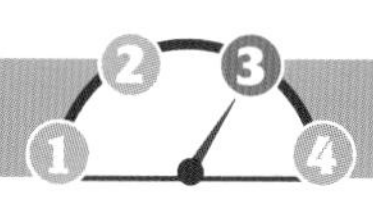

HUNDIMIENTOS DE PECHO (*DIPS*)

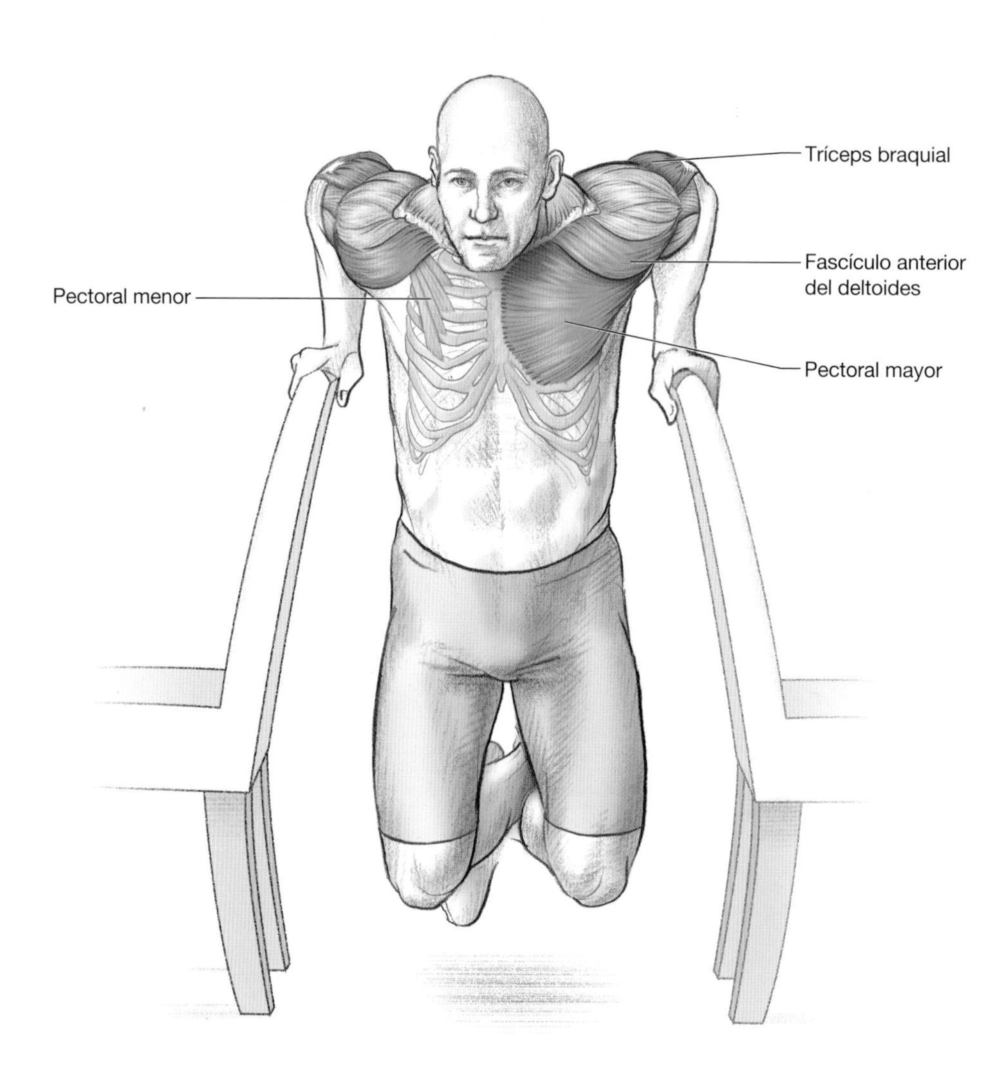

Consejo de seguridad Utilizar accesorios muy sólidos y resistentes o, si se dispone de ellas, barras paralelas.

Ejecución

1. Empezar con las manos colocadas en los respaldos de dos sillas o en sendas mesas, y las rodillas flexionadas de manera que los pies estén separados del suelo. En vez de sillas o mesas, utilizar barras paralelas o unas específicas para hundimientos de pecho (*dips*), si se dispone de ellas.
2. Manteniendo los antebrazos relativamente verticales, bajar el cuerpo hasta sentir un gran estiramiento en los pectorales. Inclinarse ligeramente hacia delante.
3. Invertir el movimiento hasta que los brazos estén totalmente extendidos.

Músculos implicados

Agonistas primarios: Pectoral mayor, tríceps braquial, fascículo anterior del deltoides.

Agonistas secundarios: Pectoral menor, romboides, elevador de la escápula.

Notas al ejercicio

Los Hundimientos de Pecho (*Dips*) son un ejercicio para pectorales de nivel avanzado que requiere una tremenda fuerza en el tren superior, especialmente para las personas más corpulentas. La mayoría de la gente no emplea un rango completo durante este movimiento y, por tanto, no realiza un entrenamiento óptimo. Mantener los antebrazos perpendiculares al suelo mientras el tronco se inclina hacia delante sitúa la tensión en los pectorales y descarga los codos. Hay que conservar estos bien pegados al cuerpo y no dejarles que se abran hacia fuera. Debe descenderse mucho, pero no tanto que se sobrecarguen las articulaciones de los hombros. Han de utilizarse los tríceps en la parte superior del movimiento, para extender los codos.

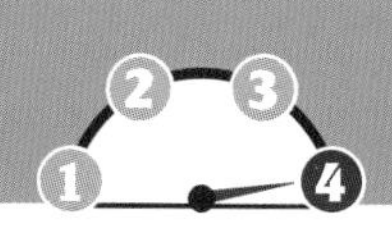

FONDOS DE BRAZOS CON APOYO DESLIZANTE

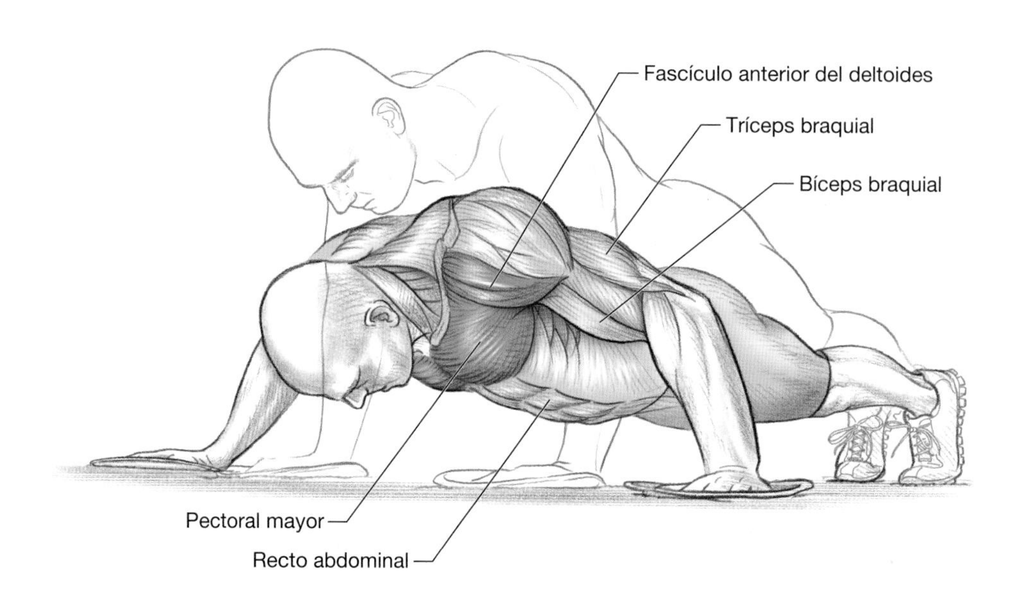

Ejecución

1. Empezar en una posición estándar para fondos de brazos, con ambas manos sobre platos de papel, ligeramente abiertos a los lados. En vez de platos de papel, también podrían usarse discos deslizantes de ejercicio, disponibles en tiendas, o, sobre un suelo resbaladizo, pequeñas toallas de mano.
2. Bajar el cuerpo mientras se deslizan los brazos hacia el exterior apartándolos del cuerpo hasta que el pecho toque el suelo.
3. Empujar para elevar al cuerpo hasta la posición inicial.

Músculos implicados

Agonistas primarios: Pectoral mayor, fascículo anterior del deltoides.

Agonistas secundarios: Bíceps braquial, tríceps braquial, recto abdominal.

Notas al ejercicio

Los Fondos de Brazos con Apoyo Deslizante son una excelente manera de centrarse en los pectorales. Este ejercicio es avanzado, por lo que es posible tener que centrarse en negativas controladas, que implican descender el cuerpo lentamente, antes de poder realizarlas correctamente. En este caso, podría realizarse una fase negativa controlada apoyado en los pies y luego en las rodillas y realizar la fase concéntrica (positiva) hasta poder hacer el ejercicio sobre los pies durante toda la repetición. Hay que asegurarse de estar estirando los pectorales y manteniendo el cuerpo en línea recta. Se debe verificar que este ejercicio se está realizando con un movimiento de deslizamiento fluido y no con movimientos bruscos.

VARIANTE

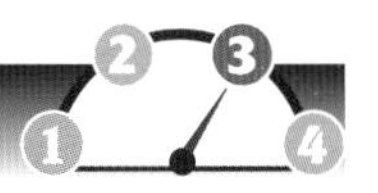

Fondos de brazos con apoyo deslizante y palanca corta

Otra manera de aprender este movimiento es acortando la palanca y realizándolo apoyado en las rodillas en vez de en los pies. Esto permitirá practicar la fase de elevación para llevar a cabo repeticiones normales y emplear una buena técnica desde el principio.

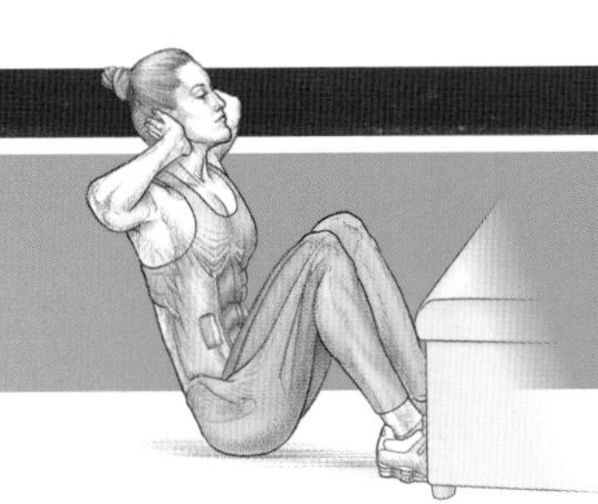

CAPÍTULO 5

SEGMENTO SOMÁTICO CENTRAL (*CORE*)

El entrenamiento del segmento somático central, también llamado zona media y *core,* se ha convertido en una actividad cada vez más popular durante la última década, y por una buena razón. Contar con un funcionamiento de calidad de la zona media del cuerpo es importante para la eficiencia de los movimientos y la salud de las articulaciones, y no digamos la prevención de lesiones. Y, por supuesto, existen los obvios efectos sobre el aspecto físico (después de todo, ¿quién no codicia un buena tableta abdominal?).

Elaborar un óptimo programa de entrenamiento del segmento somático central requiere tres elementos fundamentales: 1) un conocimiento de los músculos que lo constituyen y las acciones articulares realizadas por ellos; 2) conocimiento de la técnica correcta de los ejercicios y prescripción del volumen de entrenamiento, y 3) la sabiduría de darles cohesión a estos conocimientos para lograr el máximo equilibrio estructural, fuerza muscular y estabilidad del segmento somático central. Por consiguiente, con el paso de los años ha habido un cambio en la manera en que los profesionales del *fitness* han enfocado los programas para la zona media del cuerpo. Hemos pasado de realizar los clásicos abdominales, en los que se flexionaba el tronco desde decúbito supino, y los encogimientos, además de pasando por las planchas, a darnos cuenta actualmente de que cualquier tipo de entrenamiento del segmento somático central puede ser beneficioso, dependiendo de los objetivos y capacidades del practicante. La buena noticia es que, a pesar del hecho de que las empresas han hecho un gran negocio a través de la teletienda vendiendo ingeniosos aparatos para ejercitar los abdominales, las investigaciones han demostrado fehacientemente que lo único que se necesita para un entrenamiento excelente del segmento somático central es tu propio cuerpo y un suelo en el que tumbarse. La mayoría de los productos de teletienda no solo no superan en activación muscular a los ejercicios con el propio peso corporal, sino que también suelen ser endebles e incómodos de usar.

LOS MÚSCULOS DEL SEGMENTO SOMÁTICO CENTRAL

La definición de la zona media o segmento somático central es algo nebulosa. Si se pregunta a cinco entrenadores personales qué comprende dicha parte del cuerpo, es posible recibir cinco respuestas distintas. Aunque la mayoría estará de acuerdo en que incluye la columna lumbar (parte inferior de la espalda), la pelvis y las articulaciones de la cadera, hay poco consenso sobre la musculatura específica implicada. Algunos dicen que abarca todos los músculos situados entre las rodillas y los hombros, mientras que a otros les parece que el segmento somático central se limita a los músculos localizados entre la caja torácica y la pelvis. Como se ve, determinar los músculos de la zona media es un proceso complicado.

Yo distingo, dentro del segmento somático central, entre músculos internos y externos. La parte externa de la zona media incluye los músculos grandes, como el recto abdominal, los oblicuos interno y externo, el erector de la columna, el glúteo mayor, el dorsal ancho, el cuadrado lumbar y el psoas (figuras 5.1 y 5.2). Estos músculos se encargan principalmente de generar y oponer resistencia a los movimientos. Por su parte, los músculos de la parte interna del segmento somático central forman un cilindro que se contrae justo antes y durante los movimientos de las extremidades, proporcionando presión intraabdominal para proteger la columna. Estos músculos internos de la zona media consisten principalmente en los múltifidos en la parte posterior, el transverso del abdomen en la anterior y los costados, el diafragma en la superior, y los músculos del suelo pélvico en la inferior (figuras 5.3 y 5.4).

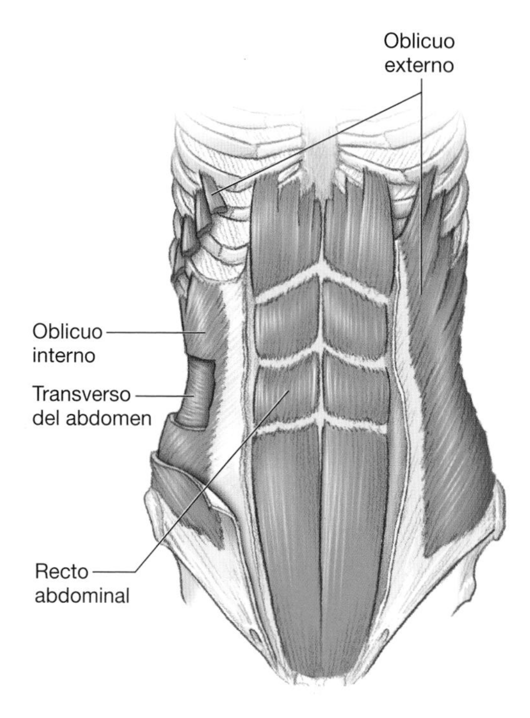

Figura 5.1 Recto abdominal, transverso del abdomen, oblicuos interno y externo.

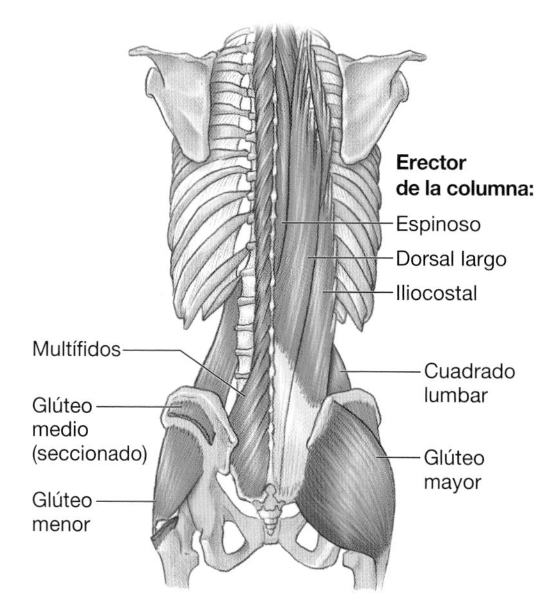

Figura 5.2 Músculos del segmento somático central: (*a*) vista posterior y (*b*) vista anterior.

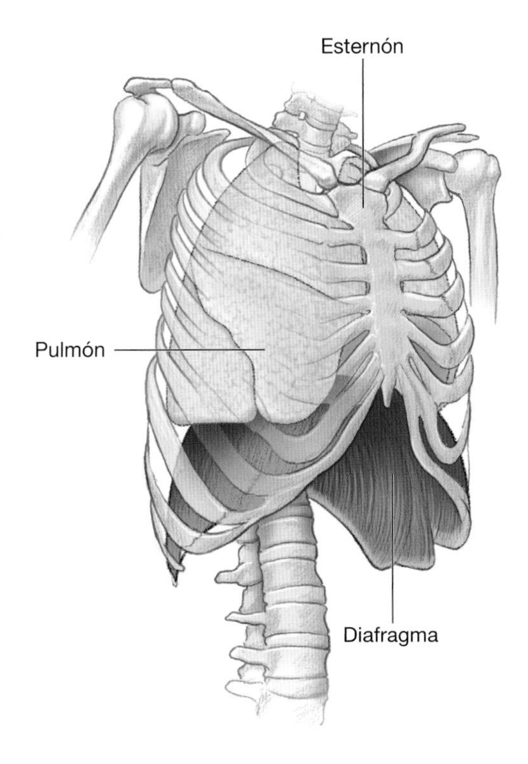

Figura 5.3 Diafragma.

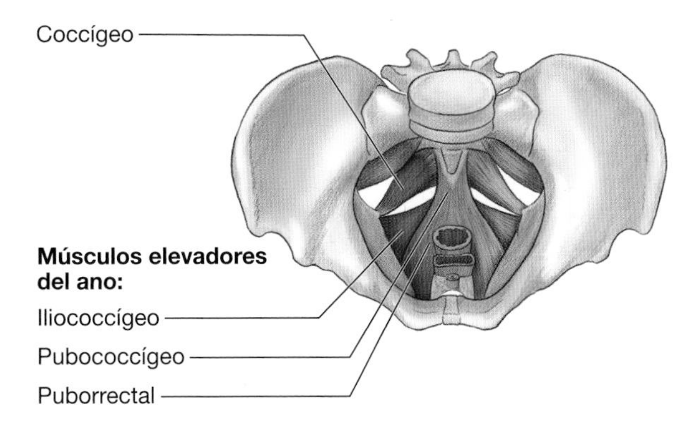

Figura 5.4 Músculos del suelo pélvico.

Los ejercicios dinámicos para el segmento somático central (ejercicios que implican movimientos como la flexión, la extensión, la flexión lateral y la rotación de la columna) son más adecuados para centrarse en músculos individuales y enseñar a generar y reducir fuerza con la zona media. Los ejercicios de estabilidad del segmento somático central (ejercicios que mantienen la columna en una posición estática, o isométrica) son más adecuados para enseñar al cuerpo a oponer resistencia al movimiento y activar la unidad interna de la zona media. Ambos tipos de ejercicios son importantes para un funcionamiento y un rendimiento óptimos del segmento somático central.

ACCIONES Y MOVIMIENTOS DEL SEGMENTO SOMÁTICO CENTRAL

La columna vertebral y la pelvis funcionan en combinación para realizar movimientos. La columna lumbar puede realizar: flexión, extensión, flexión lateral y rotación, mientras que la pelvis puede: bascular hacia delante (anteversión), hacia atrás (retroversión) y lateralmente, y también rotar. Y no nos olvidemos de las caderas, que pueden: flexionar, extender, abducir (apartar la pierna de la línea media del cuerpo), aducir (acercar la pierna a la línea media del cuerpo) y rotar interna y externamente. Estas acciones requieren distintas contribuciones musculares para llevar a cabo las tareas. Como puede imaginarse, durante la actividad muchos músculos están implicados en diverso grado en las múltiples acciones articulares del segmento somático central.

En la práctica deportiva, la zona media está muy implicada en casi todos los movimientos que se realizan. La fuerza se transfiere entre los trenes inferior y superior mediante el segmento somático central, por lo que los músculos que lo componen deben modular su propia rigidez y sincronización a fin de potenciar al máximo la transferencia de energía desde una parte del cuerpo a la siguiente. Un segmento somático central débil no es capaz de controlar el movimiento excesivo, lo cual permite que la energía se pierda en vez de transferirla de un segmento corporal a otro.

La columna vertebral y la pelvis se mueven en diverso grado durante la actividad deportiva. Por ejemplo, durante la fase de apoyo de la zancada, cuando el pie está en contacto con el suelo, la columna lumbar normalmente se extiende, mientras que la pelvis bascula hacia delante (es decir, se coloca en anteversión). Durante las acciones de giro, como al batear (o "abanicar") en béisbol, la parte anterior de la cadera gira internamente, mientras que su parte posterior lo hace externamente, y el oblicuo externo de un lado y el interno del otro se contraen para coadyuvar en esta rotación por medio de un segmento somático central firme. El movimiento amplio de las caderas y la columna torácica (parte superior de la espalda) limita la magnitud de la rotación en la región lumbar durante la transferencia de energía desde las caderas hasta las extremidades superiores. La columna lumbar (parte inferior de la espalda) debe ser lo suficientemente fuerte como para oponer resistencia a ser extendida durante la práctica de deportes de colisión como el fútbol americano o el rugby. El segmento somático central está muy implicado en todos los principales movimientos deportivos, especialmente los que ocurren cuando los pies entran en contacto con el suelo, como ocurre al esprintar, saltar, realizar torsiones, lanzar y driblar con desplazamientos laterales alternativos. También está implicado en otros movimientos deportivos, como por ejemplo nadar.

Unos fuertes músculos del segmento somático central también desempeñan un importante papel en la postura. En particular, el erector de la columna debe ser fuerte para prevenir la hipercifosis torácica (chepa o joroba) y los abdominales deben ser lo suficientemente fuertes como para prevenir la hiperlordosis lumbar (curvatura exagerada de la columna lumbar) y la anteversión excesiva de la pelvis. Mantener una zona media equilibrada ayuda al cuerpo a distribuir correctamente las fuerzas durante los movimientos intensos y explosivos, lo cual descarga la columna vertebral y previene la lumbalgia.

EJERCICIOS PARA EL SEGMENTO SOMÁTICO CENTRAL

Este capítulo contiene diversos ejercicios para el segmento somático central que mejorarán la capacidad para generar movimiento mediante tres parámetros: potencia concéntrica, oponer resistencia al movimiento mediante potencia isométrica, y absorber o desacelerar el movimiento mediante potencia excéntrica. Cada una de estas cualidades es importante en los deportes y en los movimientos funcionales. El capítulo no solo contiene un planteamiento equilibrado de ejercicios dinámicos y estáticos, o isométricos, sino también en lo referente a la variedad desde el punto de vista de los planos y direcciones del movimiento. Por ejemplo, los ejercicios en el plano frontal son adecuados para transferirlos a los movimientos laterales; los realizados en el plano sagital, para los movimientos hacia delante y hacia atrás, y los ejercicios en el plano transversal, para los movimientos de rotación. Por último, el capítulo contiene a su vez un equilibrio de ejercicios para principiantes y de nivel avanzado, a fin de acomodarse a una amplia gama de capacidades y permitir el desarrollo de la potencia, la fuerza y la fuerza-resistencia, además de unos abdominales bien desarrollados.

Hay que comprender la técnica correcta de los ejercicios para las distintas zonas del segmento somático central. Las caderas y la columna torácica (parte superior de la espalda) deben ser flexibles y moverse eficientemente; sin embargo, debe limitarse el movimiento espinal en la región lumbar. Así, por ejemplo, al realizar Encogimientos Abdominales, tanto frontales como laterales, la región torácica de la columna debe moverse en mayor proporción que la lumbar (parte inferior de la espalda). También es esencial mantener una buena postura durante los ejercicios de estabilidad del segmento somático central. La correcta posición corporal mientras se está desarrollando fuerza y resistencia isométricas se transferirá al campo de juego, por lo que hay que ser consciente de la postura durante este tipo de ejercicios mantenidos (isométricos).

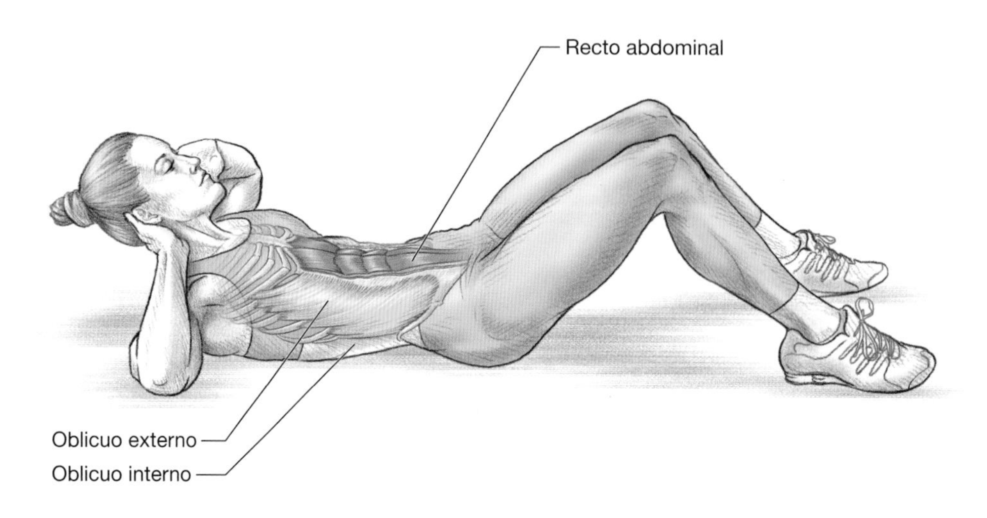

Ejecución

1. Tumbarse en decúbito supino con las rodillas flexionadas, los pies en el suelo y las manos en las orejas. Mantener la cabeza y el cuello en posición neutra, ni flexionada, ni girada.
2. Flexionar la columna vertebral hasta los 30 grados de flexión de tronco, teniendo lugar la mayor parte del movimiento en la columna torácica, y conservando la cabeza y el cuello en posición correcta.
3. Mantener brevemente la posición en el punto más elevado del movimiento y luego descender el tronco de forma lenta, bajo control.

Músculos implicados

Agonista primario: Recto abdominal.

Agonistas secundarios: Oblicuo externo, oblicuo interno.

Notas al ejercicio

Los Encogimientos Abdominales son uno de los ejercicios más básicos para el segmento somático central en todos los libros. Se centran en los músculos de la pared abdominal y fortalecen el papel dinámico de la zona media en la flexión de tronco, que es de importancia fundamental para acciones deportivas como lanzar la pelota en béisbol, realizar un servicio en tenis o rematar en voleibol.

Hay que limitar la flexión de la región lumbar durante el encogimiento y centrar la mayor parte del movimiento en la parte superior de la espalda. Debe elevarse el tronco hasta los 30 grados de flexión total y asegurarse de acentuar la fase isométrica (el mantenimiento estático de la posición, con el cuerpo inmóvil) en el punto más elevado, así como la fase excéntrica (el descenso) de la secuencia.

VARIANTE

Encogimientos abdominales reversos

Mientras que los Encogimientos normales se centran en la porción superior del recto abdominal algo más que en la inferior, si se hacen correctamente los Encogimientos Reversos reclutarán más actividad de la porción inferior de este músculo, así como de los oblicuos, debido a la retroversión pélvica implicada en esta variante. Hay que empezar con las caderas en ángulo recto y las rodillas flexionadas. Tirar de las rodillas hacia la cabeza y separar las nalgas del suelo.

VARIANTE

Encogimientos abdominales laterales

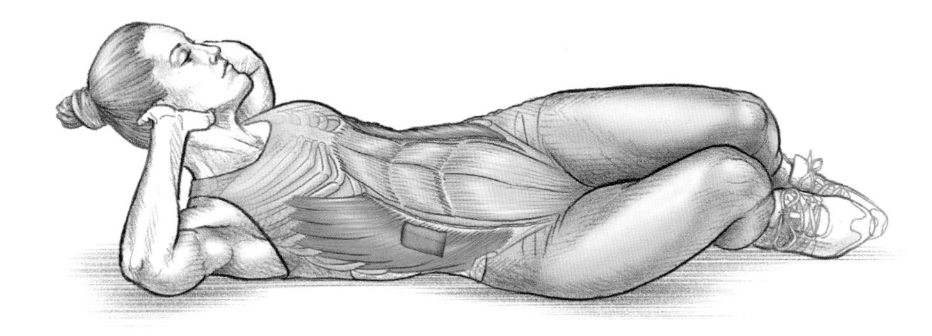

La variante lateral de los Encogimientos se realiza cambiando a una postura en decúbito lateral con las caderas flexionadas y elevando el tronco hasta unos 30 grados de flexión lateral. Realizar así el encogimiento se centra en los oblicuos.

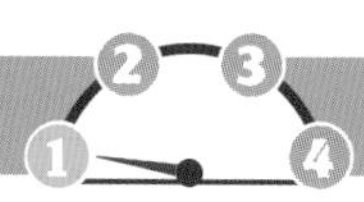

SUPERMÁN

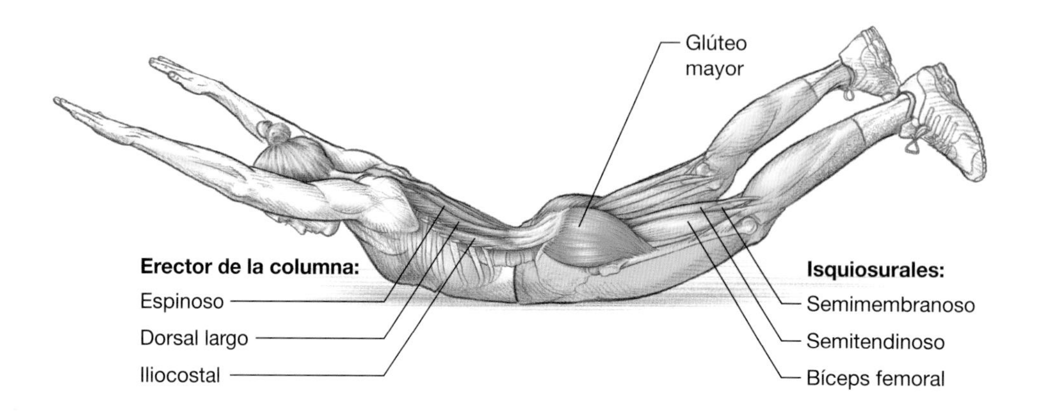

Ejecución

1. Tumbarse en el suelo en decúbito prono con los brazos estirados al frente por delante del cuerpo, las palmas de las manos hacia abajo y las rodillas ligeramente flexionadas y separadas la anchura de los hombros.
2. Elevar simultáneamente del suelo el tronco y las piernas, realizando la hiperextensión en las caderas y no solo en la columna. Centrarse en los glúteos y los isquiosurales, además de en el erector de la columna.
3. Mantener la posición superior brevemente y bajar después el cuerpo a la posición inicial.

Músculos implicados

Agonistas primarios: Glúteo mayor, erector de la columna (espinoso, dorsal largo e iliocostal).

Agonistas secundarios: Isquiosurales (bíceps femoral, semitendinoso y semimembranoso).

Notas al ejercicio

Supermán es un ejercicio formidable para el segmento somático central si se realiza correctamente. Muchas personas emplean una mala técnica hiperextendiendo la región lumbar y tratando de aislar el erector de la columna. No es esto lo ideal. El ejercicio es más productivo si se limita la magnitud de la hiperextensión lumbar y, en vez de eso, se intenta hiperextender las caderas contrayendo los glúteos y los isquiosurales, y separando las piernas del suelo. Hay que elevar las piernas y el tronco hasta un ángulo de unos 20 grados respecto al suelo y depender casi totalmente de los glúteos.

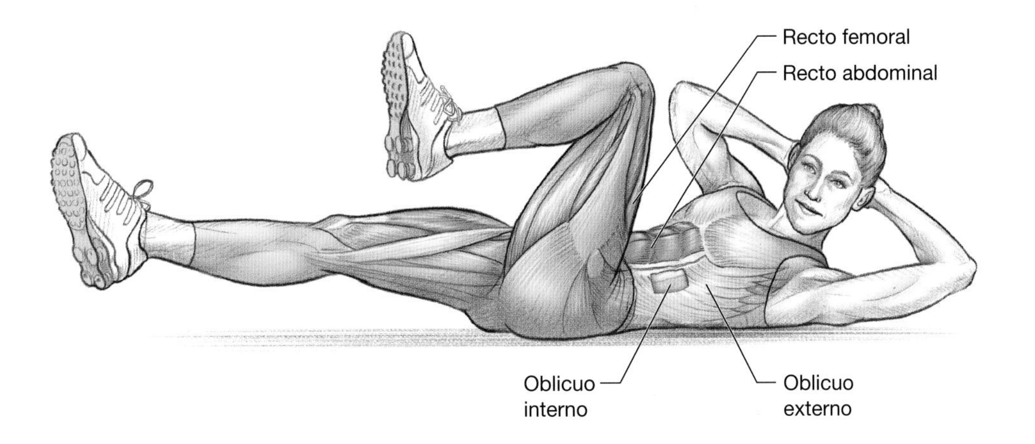

Ejecución

1. Tumbarse en decúbito supino con las caderas flexionadas, manteniendo en el aire un ángulo de 90 grados.
2. Con las manos a la altura de las orejas, flexionar y rotar la columna dorsal elevando el tronco del suelo unos 30 grados al mismo tiempo que se flexiona la cadera del otro lado hasta que el codo y la rodilla contraria se encuentren.
3. Invertir el movimiento y girar hacia el otro lado como si estuviera montando en bicicleta.

Músculos implicados

Agonistas primarios: Recto abdominal, psoas, recto femoral.

Agonistas secundarios: Oblicuo interno, oblicuo externo.

Notas al ejercicio

La Bicicleta es un ejercicio abdominal efectivo que trabaja el segmento somático central en varias acciones, entre las que se incluyen la flexión y la rotación del tronco, así como la flexión de la cadera. El movimiento requiere un equilibrio entre fuerza y coordinación. Una vez se le coja el tranquillo, se sentirá cómo trabaja toda la zona media. No debe moverse demasiado la columna lumbar. Hay que elevarse justo lo suficiente para separar las escápulas del suelo.

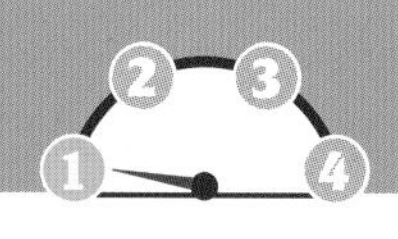

ENCOGIMIENTOS DE RODILLAS SENTADO

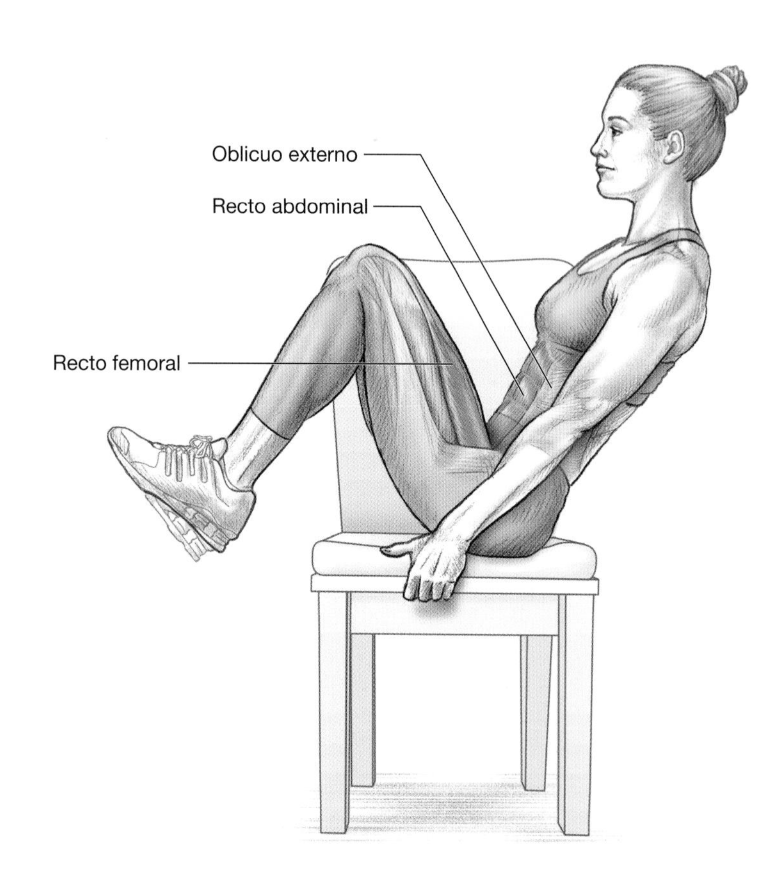

Ejecución

1. Sentado en una silla, inclinarse hacia atrás y agarrar el asiento, manteniendo los pies en el suelo, con el pecho alto y la cabeza y el cuello en posición neutra.
2. Manteniendo las rodillas flexionadas, mover simultáneamente el tronco hacia delante y las piernas hacia arriba, de manera que el tronco y los muslos se acerquen entre sí.
3. Bajar el tronco y los pies a la posición inicial.

Músculos implicados

Agonistas primarios: Recto abdominal, psoas, recto femoral.

Agonistas secundarios: Oblicuo interno, oblicuo externo.

Notas al ejercicio

Tener unos músculos flexores de la cadera fuertes potencia la elevación de las piernas al correr. Aunque el recto femoral esté más activo en rangos menores de flexión de cadera, el psoas cobra mayor importancia cuando las caderas se elevan durante el ejercicio. Las Encogimientos de Rodillas Sentado fortalecen a la vez los abdominales y los flexores de la cadera, para ayudar a generar una fuerte cadena anterior. Hay que conservar una buena postura durante todo este ejercicio manteniendo el pecho alto, y la cabeza y el cuello en posición neutra.

VARIANTE

La Escuadra

La Escuadra es una exigente variante que implica mantener una posición isométrica con las caderas flexionadas en ángulo recto mientras todo el cuerpo se sostiene en el aire sin tocar el suelo (salvo con las manos). Esta variante avanzada puede intentarse después de haber ganado suficiente fuerza en el segmento somático central y flexibilidad en los isquiosurales mediante otros ejercicios. Si se tienen los brazos proporcionalmente más cortos, pueden colocarse dos bloques de madera cerca del cuerpo para apoyar en ellos las palmas de las manos.

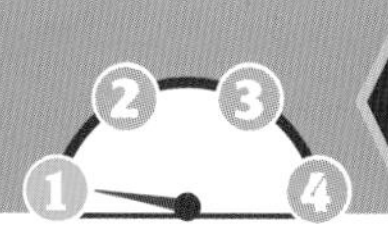

DESCENSO UNILATERAL DE LA PIERNA CON EXTENSIÓN FINAL

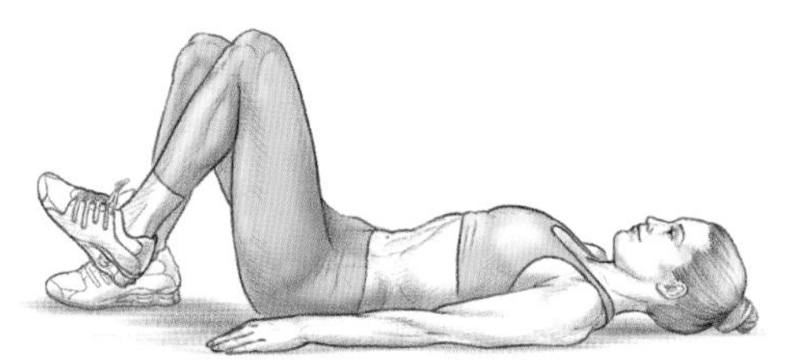

Posición inicial.

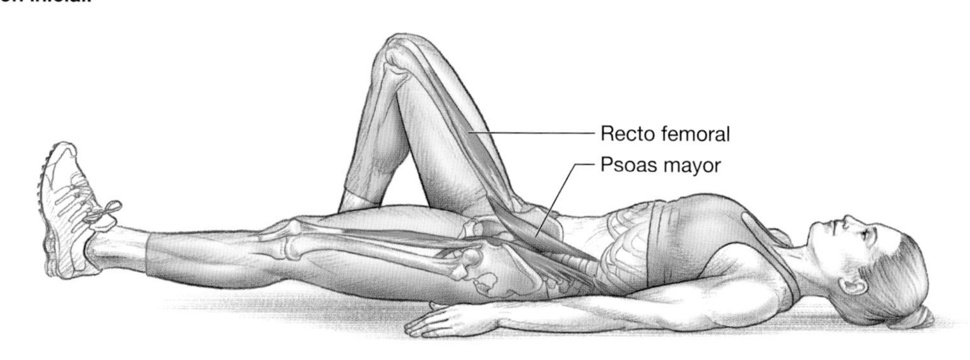

Ejecución

1. Tumbarse en decúbito supino (boca arriba) en el suelo. Flexionar las rodillas. Poner la planta de un pie en el suelo y elevar la otra pierna en el aire, manteniendo la cadera y la rodilla flexionadas en ángulo recto.
2. Bajar hacia el suelo la pierna elevada. Al acercarse a él, estirar la rodilla mientras se continúa bajando la pierna hacia el suelo, deteniéndose justo antes del contacto. Mantener la columna lumbar en posición neutra.
3. Invertir el movimiento y regresar a la posición inicial.

Músculos implicados

Agonistas primarios: Porción inferior del recto abdominal, psoas mayor, recto femoral.

Agonistas secundarios: Porción superior del recto abdominal, oblicuo interno, oblicuo externo.

Notas al ejercicio

El Descenso Unilateral de la Pierna con Extensión Final es un excelente ejercicio para principiantes, ya que incrementa la estabilidad de la región lumbar y la pelvis mediante el fortalecimiento de los flexores de la cadera y los abdominales. Este ejercicio parece fácil, pero, si se hace correctamente, se caerá en la cuenta de que no lo es. Muchas personas no mantienen una alineación adecuada de la región lumbar durante todo el ejercicio. Es de fundamental importancia aprender a estabilizar de forma conveniente la columna vertebral durante este tipo de ejercicios.

VARIANTE

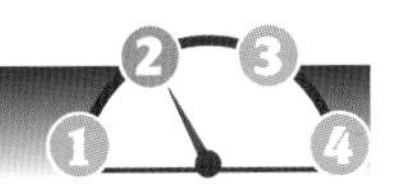

El Insecto Moribundo

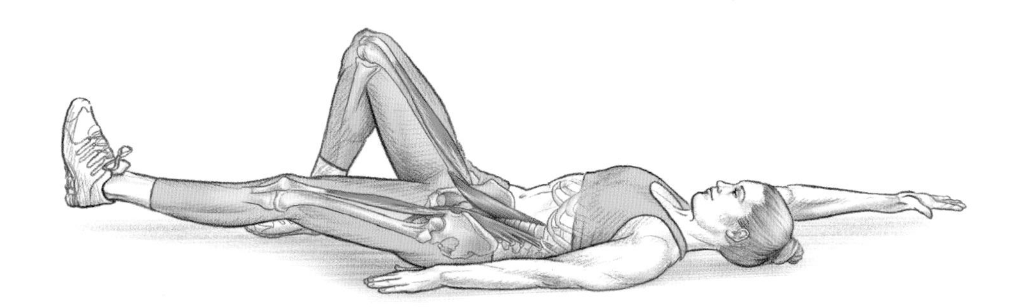

Este ejercicio es una variante más exigente que implica movimientos diagonales de los brazos y las piernas. Hay que empezar en decúbito supino con las caderas, las rodillas y los hombros flexionados en ángulo recto. Se debe bajar hacia el suelo una pierna y el brazo contrario mientras se mantiene la región lumbar en posición neutra. Es mucho más duro de lo que parece.

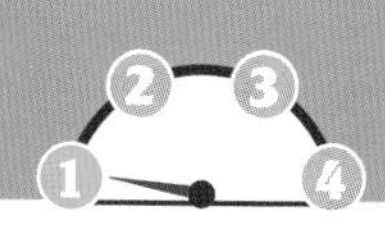

DESCENSO BILATERAL DE PIERNAS CON RODILLAS EN FLEXIÓN

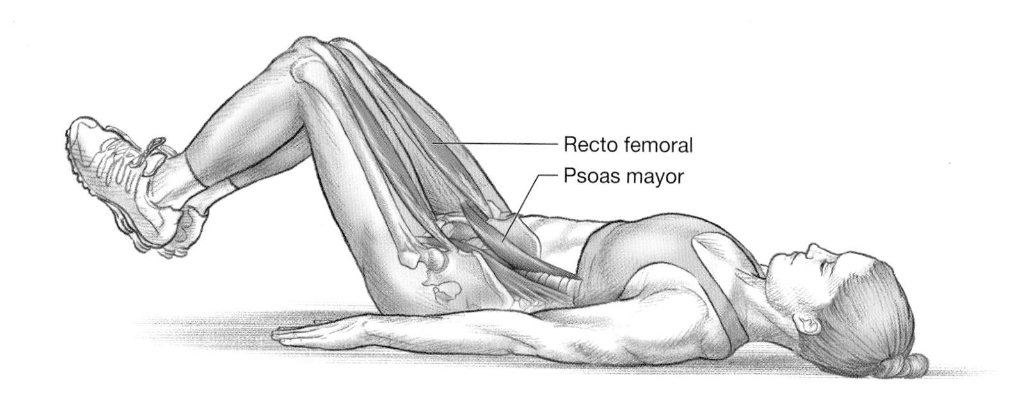

Ejecución

1. Tumbarse en decúbito supino con las palmas de las manos hacia abajo, el cuello en posición neutra, y las caderas y las rodillas flexionadas en ángulo recto.
2. Manteniendo las rodillas en flexión, bajar lentamente los pies al suelo mediante una extensión excéntrica de las caderas. No dejar que la región lumbar se aplane.
3. Invertir el movimiento para regresar a la posición inicial.

Músculos implicados

Agonistas primarios: Porción inferior del recto abdominal, psoas mayor, recto femoral.

Agonistas secundarios: Porción superior del recto abdominal, oblicuo interno, oblicuo externo.

Notas al ejercicio

El Descenso Bilateral de Piernas con Rodillas en Flexión es otro exigente ejercicio para desarrollar la estabilidad del segmento somático central que implica flexionar y extender las caderas manteniendo la columna lumbar en posición neutra. La región lumbar tenderá a arquearse excesivamente y la pelvis a bascular hacia delante para colocarse en anteversión, pero el practicante deberá oponer resistencia a este movimiento y enseñar a la columna vertebral a permanecer estable bajo el fuerte par de torsión de la extensión. Si se realiza este ejercicio lentamente y bajo control, se podrá sentir el trabajo de los músculos correctos.

VARIANTE

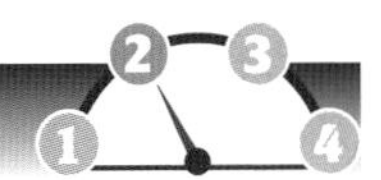

Descenso bilateral de piernas con rodillas en extensión

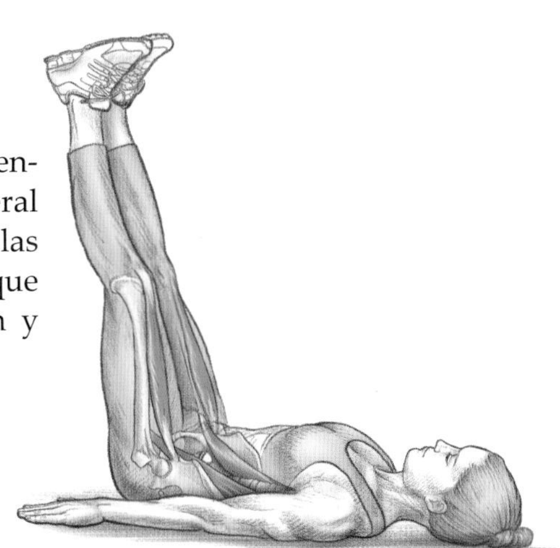

El Descenso bilateral de piernas con rodillas en extensión es una variante avanzada del Descenso Bilateral de Piernas con Rodillas en Flexión. La mayoría de las personas realiza este ejercicio incorrectamente. Hay que mantener una buena postura durante su ejecución y bajar las piernas lentamente y bajo control.

VARIANTE

La Bandera del Dragón

La Bandera del Dragón (ejercicio también conocido como La Libélula) es una variante muy avanzada. Hay que asegurarse de ser capaz de realizar ejercicios más sencillos antes de intentar este. El ejecutante debe tumbarse de espaldas y agarrarse a un objeto situado detrás de él, como por ejemplo un poste o la base de un sillón estable. Rodar el cuerpo hasta quedar apoyado únicamente sobre la parte alta de los hombros, manteniendo el cuerpo en línea recta, conservando una buena postura y contrayendo el segmento somático central.

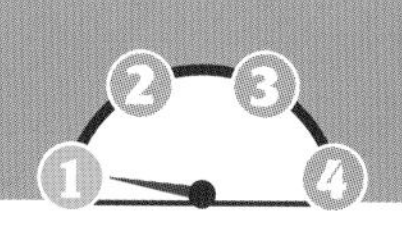

ABDOMINALES CON LAS PIERNAS FLEXIONADAS

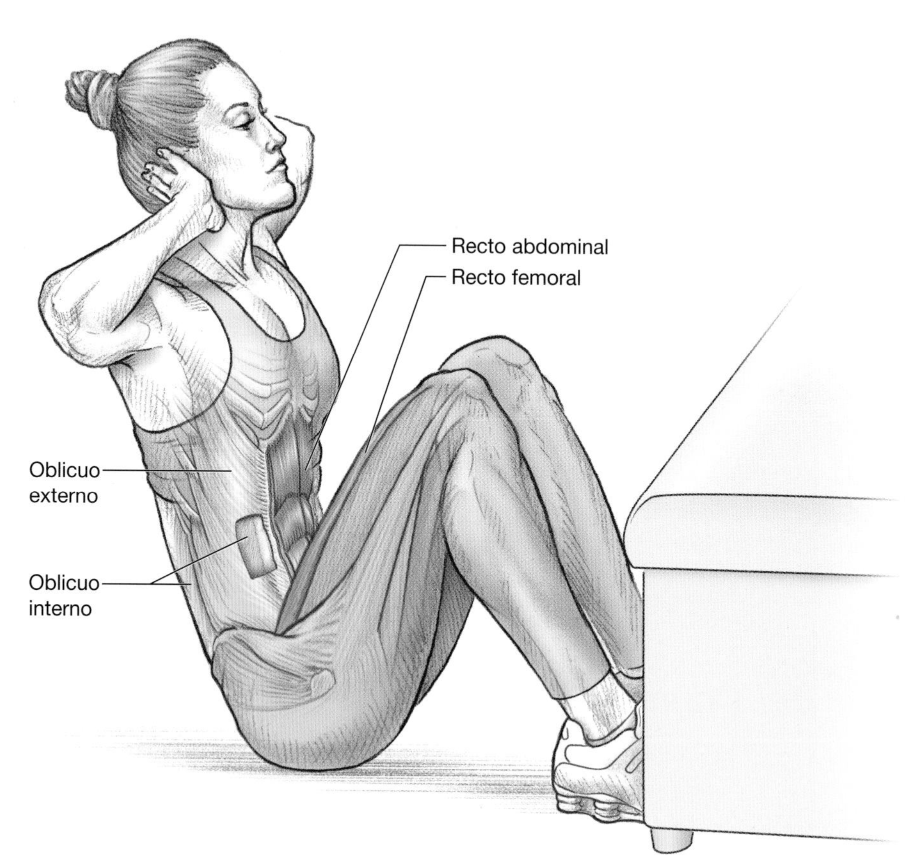

Ejecución

1. Tumbarse en decúbito supino con las caderas flexionadas 45 grados y las rodillas en ángulo recto.
2. Con las manos en las orejas, elevar el tronco flexionando las caderas y la parte superior de la espalda, moviendo solo ligeramente la columna lumbar.
3. Regresar a la posición inicial.

Músculos implicados

Agonistas primarios: Recto abdominal, psoas, recto femoral.

Agonistas secundarios: Oblicuo interno, oblicuo externo.

Notas al ejercicio

Los Abdominales con las Piernas Flexionadas son un ejercicio clásico para el segmento somático central; sin embargo, muchas personas, flexionando excesivamente la columna lumbar, obtienen más perjuicios que beneficios con este movimiento. Hay que mantener la postura lumbar correcta durante todo el ejercicio realizando la flexión de tronco solo con las caderas y la región torácica, y limitando el rango de movimiento de la región lumbar. Para poder generar un mayor par de torsión en las caderas, pueden engancharse los pies por debajo de un sofá o de algo pesado. Debe realizarse el movimiento bajo control y acentuar la fase negativa (el componente de descenso) del ejercicio en vez de hacer mecánicamente 100 repeticiones de manera balística.

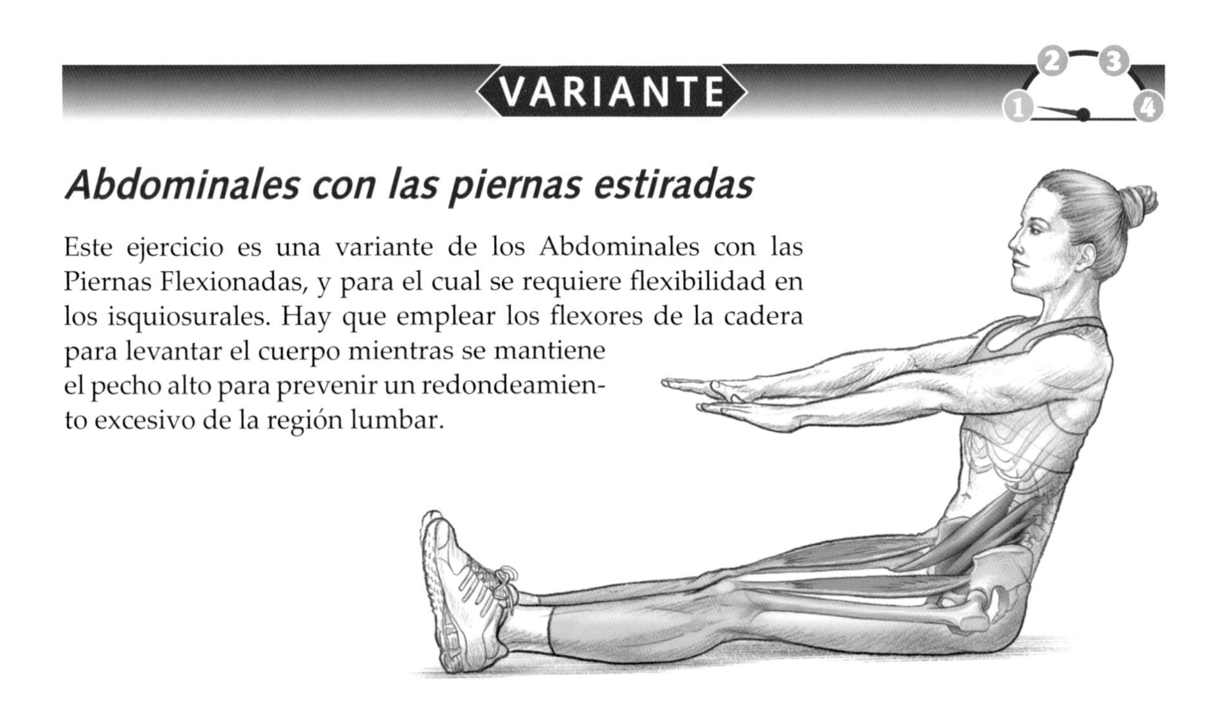

Abdominales con las piernas estiradas

Este ejercicio es una variante de los Abdominales con las Piernas Flexionadas, y para el cual se requiere flexibilidad en los isquiosurales. Hay que emplear los flexores de la cadera para levantar el cuerpo mientras se mantiene el pecho alto para prevenir un redondeamiento excesivo de la región lumbar.

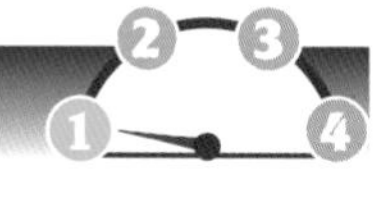

Abdominales con giro

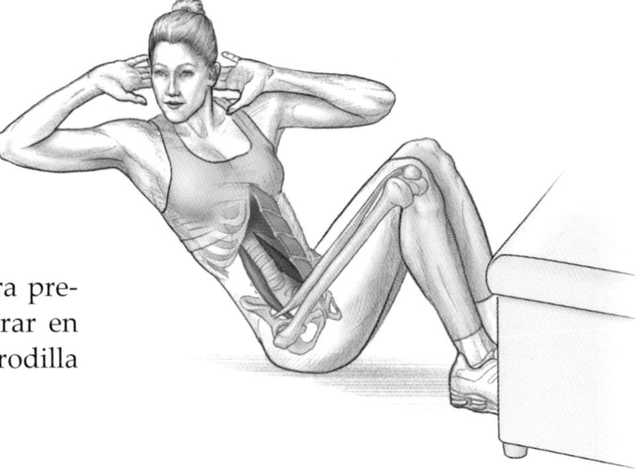

Los Abdominales con Giro son otro ejercicio clásico pero, como sucede en todas las variantes de los abdominales con flexión de tronco, hay que asegurarse de realizar el ejercicio correctamente.

Al elevarse, mantener el pecho alto para prevenir una retroversión excesiva. No girar en exceso. Llevar el codo contrario hacia la rodilla en el punto superior del movimiento.

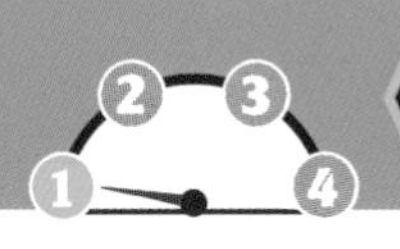

LA PLANCHA FRONTAL CON APOYO DE ANTEBRAZOS

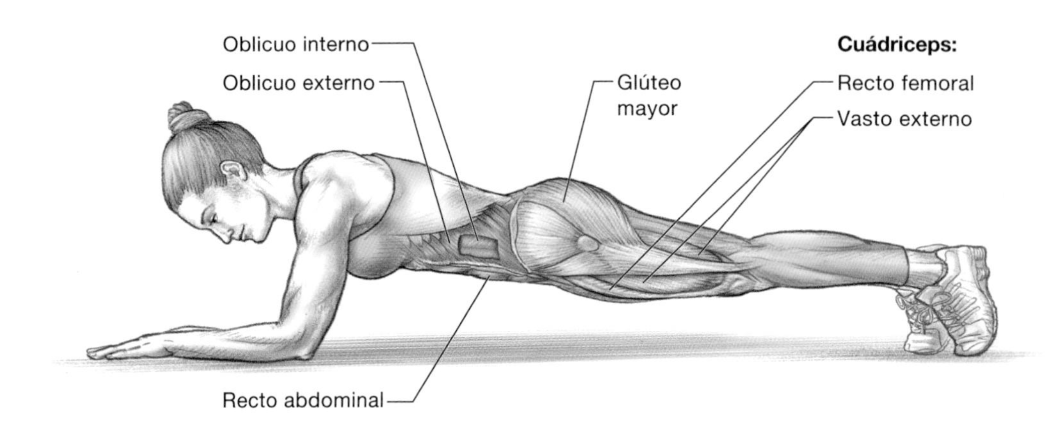

Ejecución

1. Formar una base de apoyo o puente sosteniendo el cuerpo en decúbito prono con tan solo los pies y los antebrazos en contacto con el suelo.
2. Manteniendo el cuerpo en línea recta con los codos en la vertical de los hombros, las manos con las palmas en el suelo o enlazadas, y la cabeza mirando hacia abajo, contraer con fuerza los cuádriceps y los glúteos.
3. Mantener la posición bastante tiempo. Dependiendo del nivel de forma física, permanecer en ella entre 30 segundos y 3 minutos.

Músculos implicados

Agonistas primarios: Recto abdominal, oblicuo interno, oblicuo externo.

Agonistas secundarios: Glúteo mayor, cuádriceps (recto femoral, vasto externo, vasto interno y crural).

Notas al ejercicio

La Plancha Frontal con Apoyo de Antebrazos es el ejercicio más básico para desarrollar la estabilidad del segmento somático central. Desgraciadamente, se suele realizar de forma incorrecta. Hay que contraer los cuádriceps para estirar las rodillas. Se debe mantener el cuerpo en línea recta. Muchas personas dejan que las caderas se hundan o bien que se eleven en una posición de V invertida. Se ha de bajar la vista para evitar hiperextender el cuello. Por último, se han de contraer los glúteos para bascular la pelvis hacia atrás y colocarla en retroversión, lo cual hace que el ejercicio resulte mucho más exigente para los glúteos, abdominales y oblicuos. Cuando se realiza de esta manera, el ejercicio es un auténtico reto. No es raro experimentar sacudidas y temblores después de transcurridos tan solo 15 segundos.

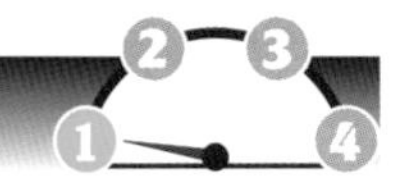

VARIANTE

La Plancha Frontal con apoyo de antebrazos y palanca corta

Es posible practicar la realización correcta de La Plancha con Apoyo de Antebrazos acortando la palanca y llevando a cabo el ejercicio apoyados en las rodillas. Rigen las mismas normas: hay que asegurarse de que el cuerpo esté en línea recta desde los hombros hasta las rodillas y contraer los glúteos.

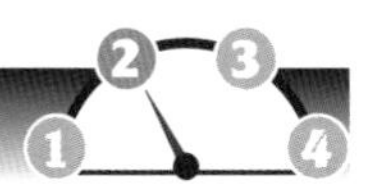

VARIANTE

La Plancha Frontal con apoyo de antebrazos y los pies elevados

Puede hacerse más exigente la contracción estática elevando los pies y apoyándolos sobre un banco de pesas, una silla sólida y resistente o una mesa pequeña. Basta con no elevar el cuerpo excesivamente. Para lograr el máximo desafío, lo ideal es quedar paralelo al suelo.

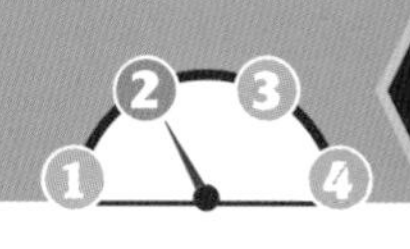

LA PLANCHA FRONTAL ALTERNANDO TRES APOYOS

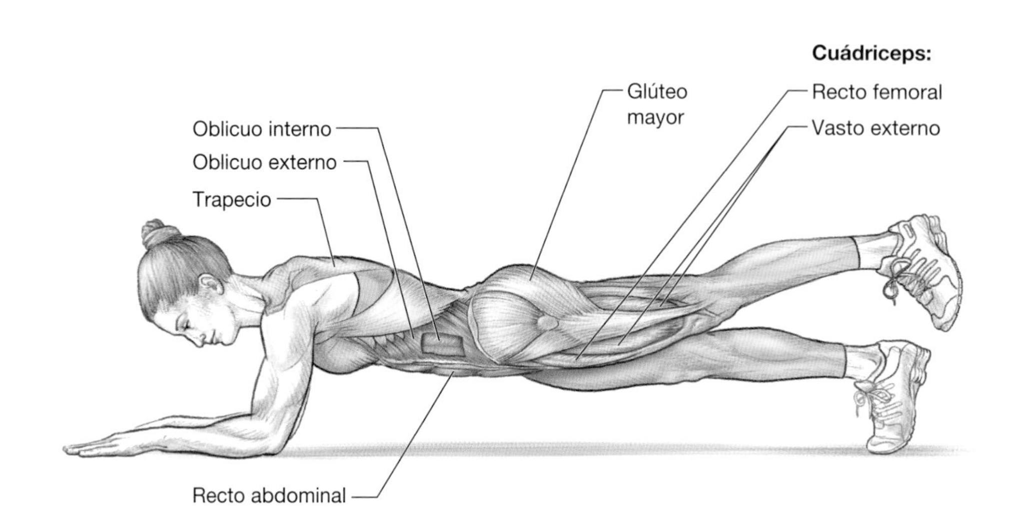

Ejecución

1. Adoptar una posición estándar de plancha. Manteniendo el cuerpo estable, elevar un brazo en el aire y mantener la posición contando hasta 1.
2. Regresar a la posición inicial y elevar después el otro brazo en el aire mientras se mantiene el cuerpo estable.
3. Regresar a la posición inicial y elevar entonces una pierna.
4. Regresar a la posición inicial y luego elevar la otra.
5. Continuar alternando las extremidades de esta manera durante toda la serie.

Músculos implicados

Agonistas primarios: Recto abdominal, oblicuo interno, oblicuo externo.

Agonistas secundarios: Glúteo mayor, cuádriceps (recto femoral, vasto externo, vasto interno y crural), trapecio.

Notas al ejercicio

Es importante poner el cuerpo continuamente a prueba. La Plancha normal, aunque sea un ejercicio excelente para principiantes, resulta demasiado fácil para practicantes de nivel intermedio y más avanzados. Una manera de complicar el ejercicio es separar una extremidad del suelo durante su realización, reduciendo así la estabilidad de la columna vertebral y estableciendo el reto de mantenerla durante los movimientos de rotación. La clave es mantener el cuerpo estable, impidiendo cualquier acción de inclinación o torsión en el tronco al separar las extremidades del suelo. Proponerse realizar una serie de 60 segundos.

VARIANTE

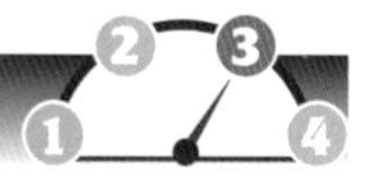

La Plancha Frontal alternando dos apoyos

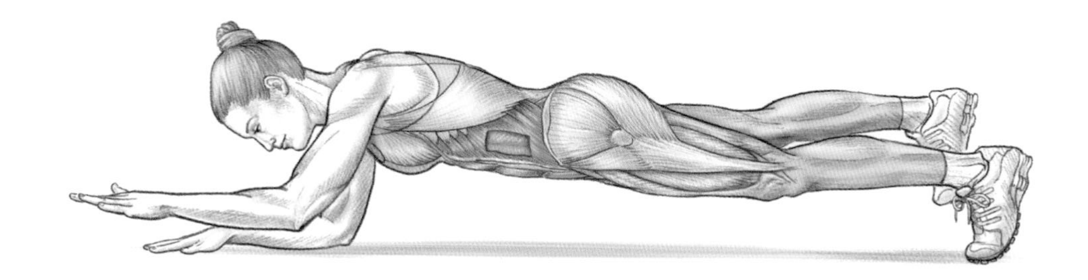

Cuando se domine la Plancha Frontal Alternando Tres Apoyos, es posible complicar aún más el ejercicio realizándolo solo sobre dos. Basta con elevar un brazo y la pierna contraria al mismo tiempo mientras se mantiene el cuerpo estable y se impide el movimiento en la pelvis y la columna vertebral.

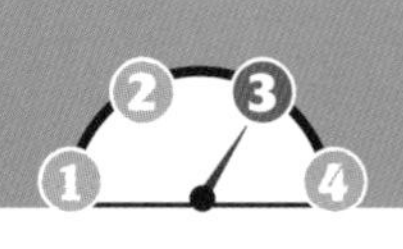

ELEVACIÓN LATERAL DEL TRONCO ASISTIDA (TRABAJO DE OBLICUOS)

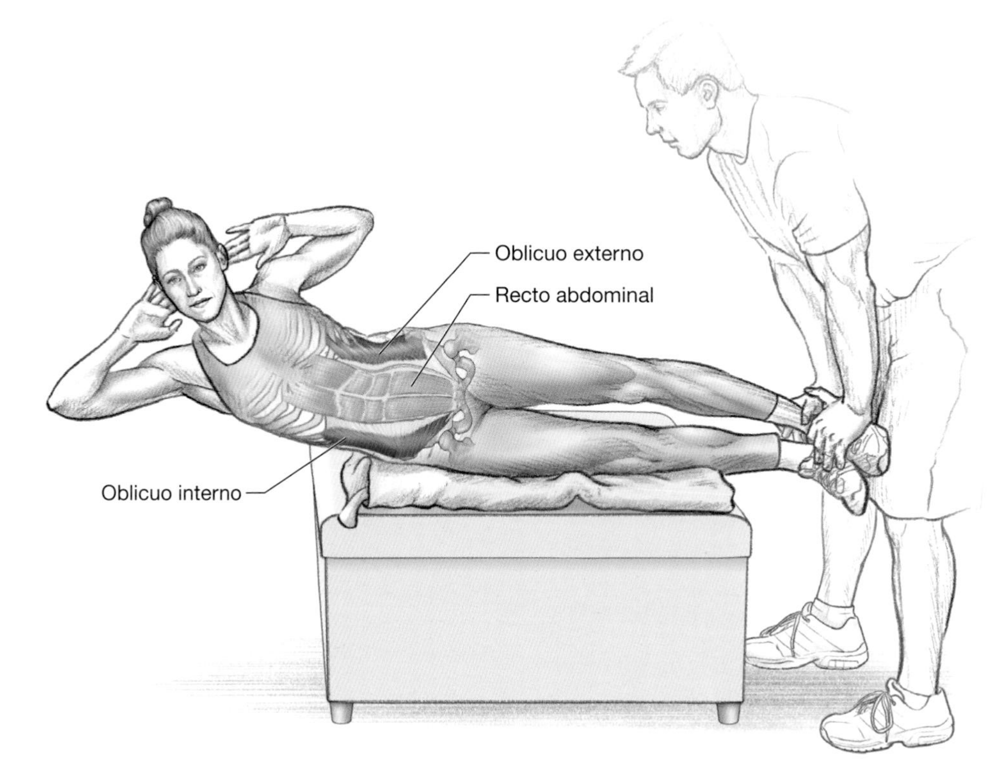

Ejecución

1. Empezar en decúbito lateral con el compañero sujetando los pies, el tren inferior apoyado sobre un banco de pesas, una mesa pequeña o un sofá de dos plazas, y el tren superior en el aire con las manos en las orejas. Las piernas han de estar estiradas.
2. Bajar el tronco hacia el suelo, limitando la flexión en la columna lumbar mientras se recibe un estiramiento en la cadera superior. Evitar rotar durante el movimiento.
3. Elevar el tronco con una fuerte contracción del glúteo medio y los oblicuos.

Músculos implicados

Agonistas primarios: Oblicuo interno, oblicuo externo, glúteo medio, cuadrado lumbar.

Agonistas secundarios: Recto abdominal, erector de la columna (espinoso, dorsal largo e iliocostal), multífidos.

Notas al ejercicio

Este es un ejercicio exigente. El compañero ha de colocarse bien y ser capaz de mantener en el ejecutante la parte inferior del cuerpo en posición y los pies inmóviles. Se debe convertir en un movimiento generado desde las caderas y la zona media en vez de en una mera flexión a nivel lumbar. El movimiento es lateral y medial; durante el ejercicio las caderas no deben girar ni flexionarse. Cruzar los brazos delante del cuerpo y, cuando llegue a resultar fácil, colocar las manos por detrás de la cabeza con los codos abiertos para complicar el ejercicio.

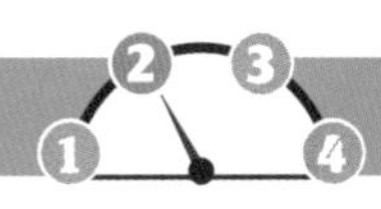

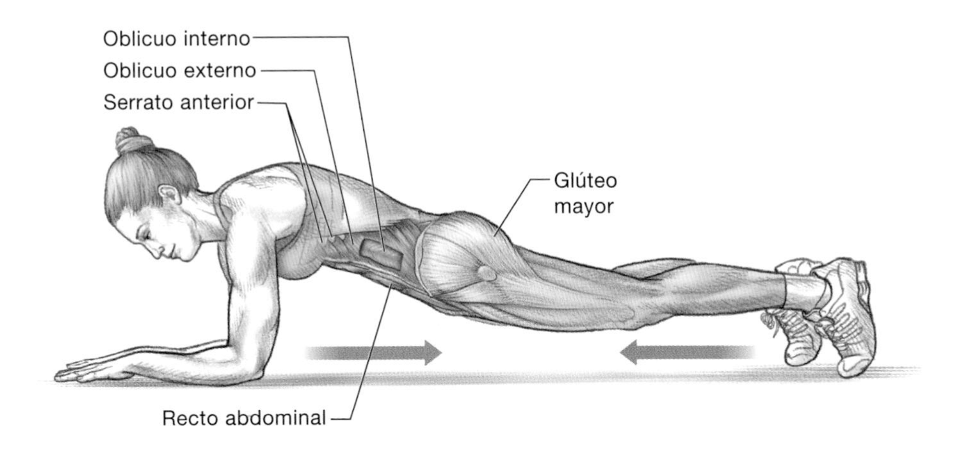

Ejecución

1. Adoptar una posición estándar de la plancha apoyado sobre los antebrazos y las puntas de los pies.
2. Contraer los glúteos lo más posible para bascular la pelvis y colocarla en retroversión, que ha de mantenerse todo lo que dure la serie.
3. Tratar de llevar los codos hacia los pies y viceversa, como si se intentara adoptar una posición carpada, pero manteniendo el cuerpo bien alineado, de la forma que se ha especificado.

Músculos implicados

Agonistas primarios: Recto abdominal, oblicuo externo, oblicuo interno.

Agonistas secundarios: Glúteo mayor, serrato anterior.

Notas al ejercicio

La Plancha RKC es una variante de La Plancha de nivel intermedio que requiere considerable destreza y resistencia muscular. Muchas personas carecen de las destrezas motoras y de la resistencia en los abdominales y los glúteos necesarias para realizar una retroversión pélvica (bascular la pelvis hacia atrás) y mantenerla durante cierto tiempo. Es importante ser capaz de disociar la pelvis de la columna vertebral y poseer unos glúteos fuertes, porque ayudan a prevenir la anteversión o hiperlordosis (bascular la pelvis hacia delante). Esta variante desarrolla resistencia en los glúteos, así como en el recto abdominal y los oblicuos. La clave es mantener la retroversión pélvica mientras se llevan los codos hacia los pies y los pies hacia los codos, lo cual dificulta considerablemente la contracción isométrica. Se tarda tiempo en dominar este ejercicio, por lo que, antes de intentarlo, hay que asegurarse de ser competente en las variantes más sencillas de La Plancha.

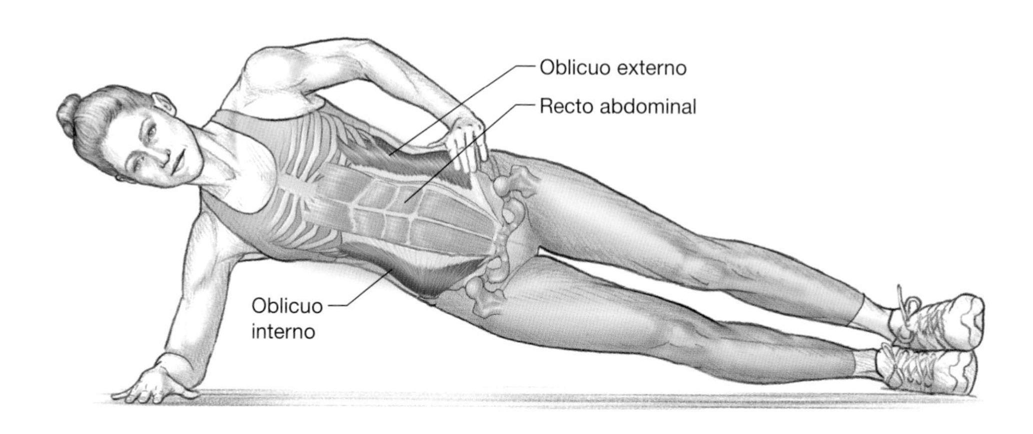

Ejecución

1. Formar una base de apoyo o puente con el costado, sosteniendo el cuerpo en decúbito lateral con tan solo un pie y un antebrazo en contacto con el suelo. Disponer una pierna encima de la otra y colocar la mano del brazo superior sobre la cadera.
2. Mantener el cuerpo formando una línea recta desde la coronilla hasta el pie con una posición neutra de la cabeza y el cuello. Contraer los glúteos y conservar el antebrazo inferior dirigido al frente.
3. Mantener la posición bastante tiempo. Dependiendo del nivel de forma física, permanecer en ella entre 15 y 60 segundos.

Músculos implicados

Agonistas primarios: Oblicuo externo, oblicuo interno, glúteo medio, cuadrado lumbar.

Agonistas secundarios: Recto abdominal, erector de la columna (espinoso, dorsal largo e iliocostal), multífidos.

Notas al ejercicio

La Plancha Lateral es un ejercicio increíblemente funcional que entrena los oblicuos y el glúteo medio de manera isométrica, de la misma forma que actúan como estabilizadores estos grupos musculares durante muchas de las actividades dinámicas que realizamos. Hay que mantener todo el cuerpo en posición neutra y el segmento somático central y los glúteos contraídos. Muchas personas, inadvertidamente, se inclinan hacia delante o hacia atrás, girando o flexionando las caderas. Se trata de un ejercicio para la estabilidad de la zona media, por lo que hay que oponer resistencia al movimiento y mantener el cuerpo en una posición atlética y elongada.

VARIANTE

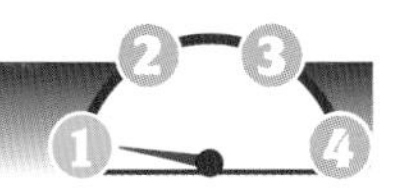

La Plancha Lateral con palanca corta

Las personas que tienen muchos problemas con La Plancha Lateral convencional deben dominar la variante con palanca corta antes de pasar a la normal. Debido a que este ejercicio se realiza apoyado en las rodillas en vez de en los pies, se emplea un menor porcentaje del peso corporal y el ejercicio resulta más fácil de controlar. Rigen las mismas reglas: permanecer alargado e inmóvil.

VARIANTE

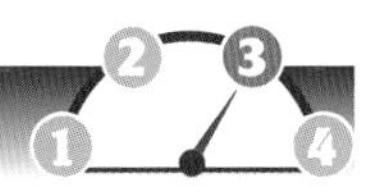

La Plancha Lateral con los pies elevados

La Plancha Lateral con los pies elevados es una variante avanzada de la normal. Apoyar los pies sobre un banco de pesas, una silla pequeña, un cajón o una mesa sólida y resistente. Lo ideal es que el cuerpo quede paralelo al suelo. Puede complicarse aún más el ejercicio combinándolo con una abducción de cadera con la pierna superior (como si se tratase de una Elevación de Cadera en Decúbito Lateral) o bien con una rotación externa de dicha cadera (como el ejercicio conocido como La Pinza) mientras se mantiene la posición.

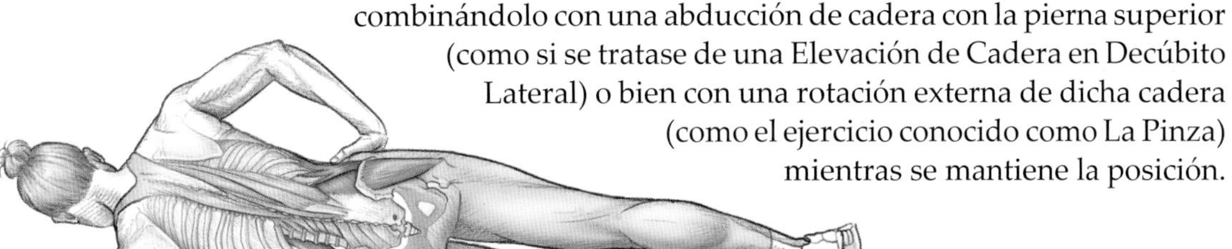

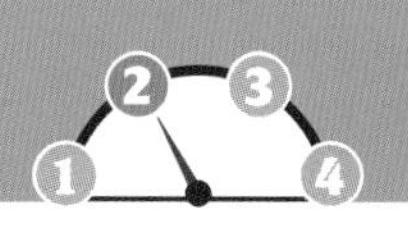

ENCOGIMIENTOS EN SUSPENSIÓN CON RODILLAS FLEXIONADAS

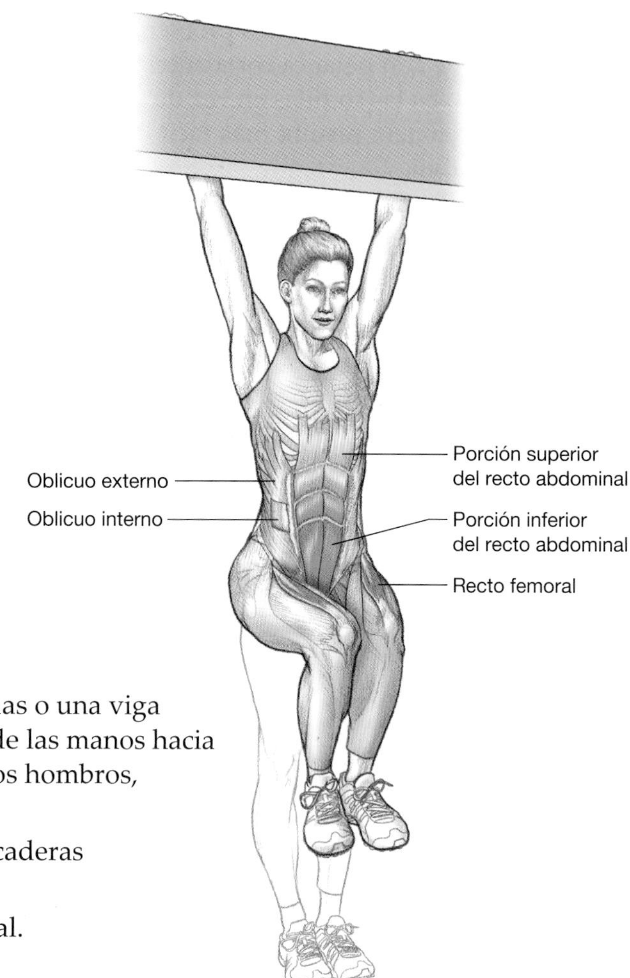

Ejecución

1. Colgarse de una barra de dominadas o una viga sólida y resistente con las palmas de las manos hacia delante, separadas la anchura de los hombros, manteniendo las piernas estiradas.
2. Elevar las piernas flexionando las caderas y las rodillas en ángulo recto.
3. Bajar las piernas a la posición inicial.

Músculos implicados

Agonistas primarios: Psoas, recto femoral, porción inferior del recto abdominal.

Agonistas secundarios: Porción superior del recto abdominal, oblicuo interno, oblicuo externo, músculos de la parte anterior y posterior del antebrazo (como el palmar mayor), porción inferior del trapecio.

Notas al ejercicio

Las Encogimientos en Suspensión con Rodillas Flexionadas es un excelente ejercicio para los flexores de la cadera que debería ayudar a recolocar las piernas más rápidamente al esprintar. Hay que mantener la columna lumbar en posición neutra durante este ejercicio, de tal forma que el movimiento provenga de las caderas y la parte superior de la espalda y no tanto de la región lumbar. Todo el movimiento ocurre en las caderas. Elevar las rodillas tan solo hasta que la parte superior de los muslos esté paralela al suelo, y luego bajar las piernas.

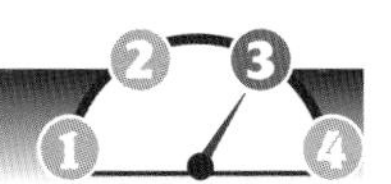

Encogimientos en suspensión con rodillas extendidas

Los Encogimientos en Suspensión con Rodillas Extendidas son una variante avanzada que requiere una fuerza en los flexores de la cadera y una flexibilidad en los isquiosurales excelentes. Rigen las mismas reglas: mantener la columna lumbar estable mientras se mueven exclusivamente las caderas.

VARIANTE

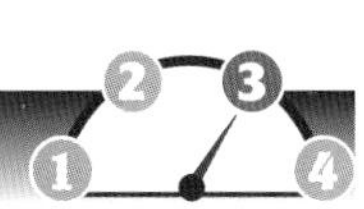

Encogimientos reversos en suspensión con rodillas flexionadas

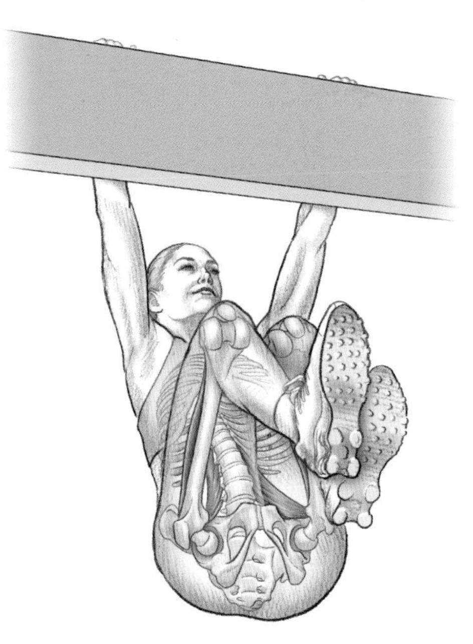

Este ejercicio combina la flexión de cadera, la retroversión pélvica y la flexión lumbar para trabajar los flexores de la cadera y los abdominales. Elevar las rodillas. Al alcanzar los 90 grados, seguir elevándolas basculando la pelvis hacia atrás (retroversión pélvica) y flexionando ligeramente la columna vertebral, lo cual permitirá llegar con las rodillas hasta la altura de los hombros.

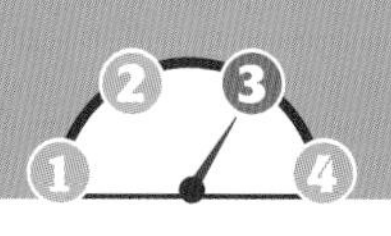

ENCOGIMIENTOS EN SUSPENSIÓN PARA OBLICUOS

Ejecución

1. Colgarse de una barra de dominadas o una viga sólida y resistente con las rodillas flexionadas, las manos separadas la anchura de los hombros y las palmas dirigidas hacia delante. Elevar las rodillas realizando la flexión en las caderas. Al mismo tiempo, llevar las rodillas a un lado flexionando lateralmente la columna vertebral.
2. Elevar las rodillas hasta un ángulo ligeramente superior a los 90 grados respecto al suelo. Bajar las piernas a la posición inicial y después alternar hacia el otro lado.

Músculos implicados

Agonistas primarios: Oblicuo interno, oblicuo externo, psoas, recto femoral, porción inferior del recto abdominal.

Agonistas secundarios: Porción superior del recto abdominal, músculos de la parte anterior y posterior del antebrazo (como el palmar mayor), porción inferior del trapecio.

Notas al ejercicio

Los Encogimientos en Suspensión para Oblicuos son un exigente ejercicio para el segmento somático central que trabaja toda la parte anterior de la zona media, con especial énfasis en los oblicuos del abdomen. Hay que asegurarse de dominar los Encogimientos Abdominales Laterales y otros ejercicios para oblicuos más sencillos antes de intentar este. Controlar el movimiento y comprobar que es fluido.

VARIANTE

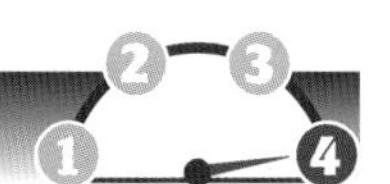

El Limpiaparabrisas

El Limpiaparabrisas es un ejercicio sumamente avanzado. No probarlo hasta haber dominado patrones de movimiento con el segmento somático central más básicos. Para realizar este ejercicio, elevar las piernas hacia los hombros y desplazarlas después de lado a lado, manteniendo contraída la zona media y realizando la torsión principalmente con la región dorsal, no con la lumbar. Controlar el movimiento y limitar el rango giratorio para no implicar a la columna vertebral.

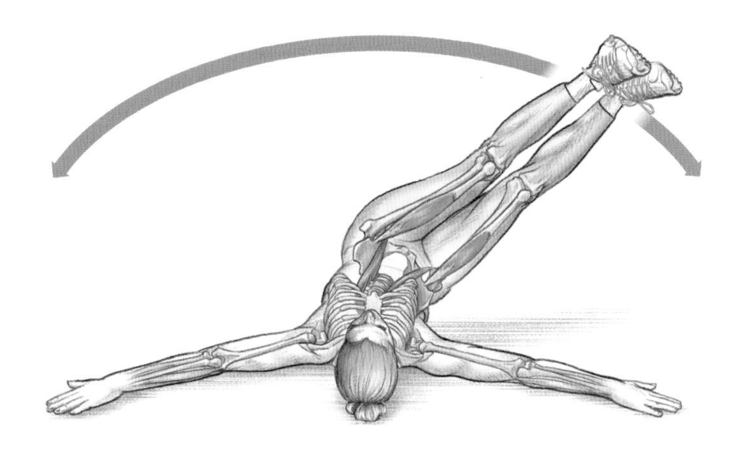

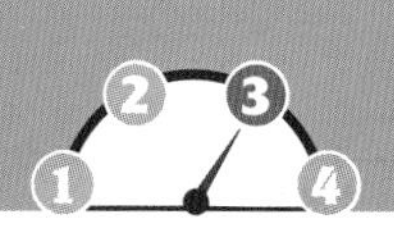

RODILLO ABDOMINAL DESLIZANTE CON LAS RODILLAS APOYADAS

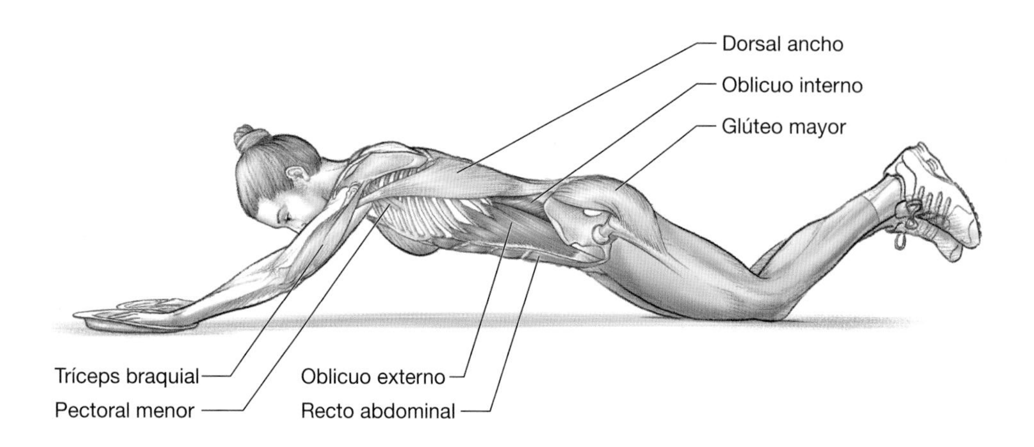

Ejecución

1. Adoptar una posición arrodillada con ambas manos sobre platos de papel. También pueden utilizarse discos deslizantes de ejercicio, disponibles en tiendas, o, sobre un suelo resbaladizo, pequeñas toallas de mano. Contraer los glúteos y mantener la cabeza y el cuello en posición neutra.
2. Bajar el cuerpo de manera controlada extendiendo las caderas y flexionando los brazos hasta que el cuerpo se acerque al suelo. Mantener los glúteos fuertemente contraídos.
3. Volver a elevarse hasta la posición inicial.

Músculos implicados

Agonistas primarios: Recto abdominal, oblicuo interno, oblicuo externo.

Agonistas secundarios: Glúteo mayor, dorsal ancho, tríceps braquial, pectoral menor.

Notas al ejercicio

El Rodillo Abdominal es uno de los mejores ejercicios para la estabilidad del segmento somático central. Si se usa la técnica correcta y se mantienen los glúteos contraídos, impidiendo que la pelvis bascule hacia delante (es decir, que se coloque en anteversión), la porción inferior de los abdominales realizará un trabajo aún mayor, y es probable que se tengan molestias musculares durante bastante tiempo si no se está acostumbrado a este ejercicio. Profundizar en este movimiento gradualmente y asegurarse de mantener el cuerpo en línea recta en el punto inferior del movimiento. Muchas personas hunden las caderas o permiten una anteversión excesiva durante el ejercicio de Rodillo Abdominal.

Rodillo abdominal de pie

Una vez se haya dominado el Rodillo Abdominal con las Rodillas Apoyadas, puede progresarse pasando a la variante de pie, uno de los ejercicios para el segmento somático central más exigentes que existen. Partiendo de una posición erguida de pie, alargar los brazos hacia abajo y colocar las manos sobre platos de papel u otro artefacto deslizante. Deslizarse separando las manos de los pies hasta que el cuerpo esté paralelo al suelo, y luego volver a elevarse. Esto parece mucho más fácil de lo que es en realidad. Profundizar en este ejercicio gradualmente realizando fases negativas controladas hasta ser capaz de realizar la fase concéntrica correctamente. No permitir que las caderas se hundan, la región lumbar se arquee o la pelvis se coloque en anteversión. Mantener los glúteos contraídos durante todo el ejercicio. Si no se dispone de platos de papel ni de ningún otro elemento deslizante, también puede caminarse con las manos, poniendo toda la palma en el suelo.

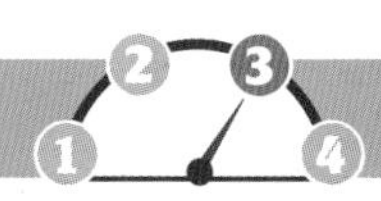

LA SIERRA DESLIZANTE

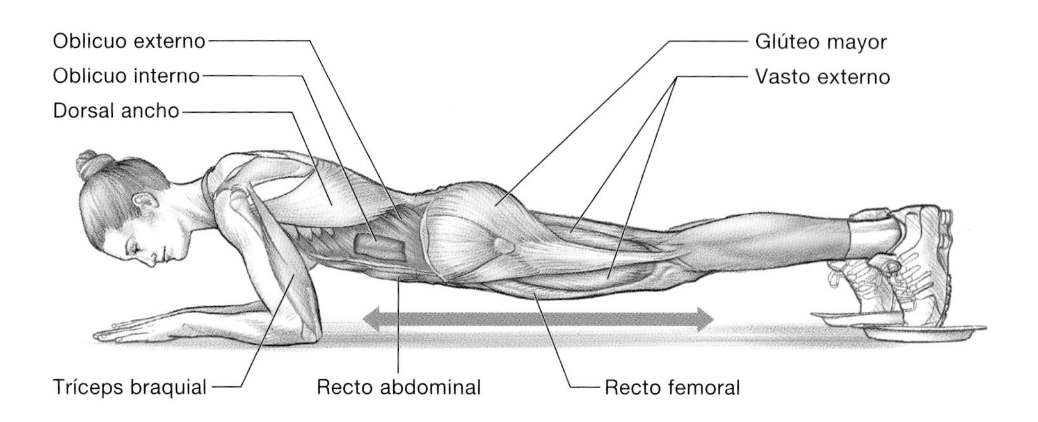

Ejecución

1. Formar una base de apoyo con el cuerpo en el suelo y sosteniéndose sobre los codos y los pies. Estos últimos se encuentran sobre platos de papel. También pueden utilizarse discos deslizantes de ejercicio, disponibles en tiendas, o, sobre un suelo resbaladizo, pequeñas toallas de mano.
2. Mantener los glúteos y los cuádriceps contraídos y la cabeza en posición neutra, de modo que el cuerpo forme una línea recta.
3. Mover el cuerpo adelante y atrás mediante la flexión y extensión de los hombros. Los pies se deslizarán, sirviendo los antebrazos como punto de giro.

Músculos implicados

Agonistas primarios: Recto abdominal, oblicuo interno, oblicuo externo.

Agonistas secundarios: Glúteo mayor, cuádriceps (recto femoral, vasto externo, vasto interno y crural), dorsal ancho, tríceps braquial.

Notas al ejercicio

La Sierra Deslizante es una variante dinámica de La Plancha Frontal con Apoyo de Antebrazos. Con los pies sobre platos de papel u otro artefacto deslizante y el cuerpo en la posición de plancha, deslizarse adelante y atrás para permitir al cuerpo girar en torno a los codos. Asegurarse de que las caderas no se hundan y de que se mantienen los glúteos contraídos al máximo durante todo el ejercicio. Bajar la vista para prevenir la hiperextensión del cuello. Se trata de un exigente ejercicio para el segmento somático central y requiere el domino de otros ejercicios para la zona media, como por ejemplo La Plancha Frontal con Apoyo de Antebrazos.

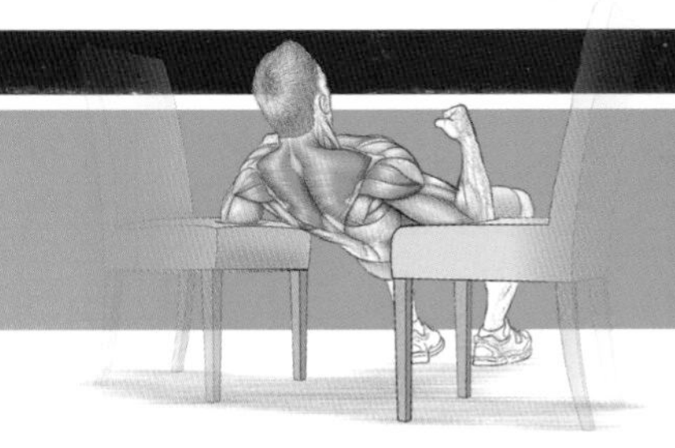

CAPÍTULO 6

ESPALDA

La musculatura de la espalda es compleja y reviste una importancia fundamental en la generación de movimientos. Esta parte del cuerpo comprende todo tipo de músculos y tejidos conjuntivos, incluyendo el erector de la columna, los dorsales anchos, los trapecios, los romboides y la fascia toracolumbar, que a veces se denomina lumbodorsal. Cada músculo desempeña un papel capital en la generación, reducción o transferencia de fuerza desde un segmento corporal a otro. Antes de profundizar en las funciones de los músculos y fascias, quiero primero ocuparme de la importancia de una espalda fuerte.

A muchos hombres les encanta entrenar los músculos playeros (los pectorales, los bíceps y los abdominales). Debido a que estos músculos se encuentran en la parte anterior del cuerpo, son los más habitualmente venerados por las ratas de gimnasio del mundo entero. Es natural querer desarrollar los músculos playeros, porque existe la idea de que todo el mundo admira a los hombres con pectorales, brazos y abdominales bien definidos. Dicho esto, una espalda fuerte y musculosa es esencial para un físico agradable y un cuerpo que funcione correctamente. No se verá a luchadores ni a jugadores de fútbol americano con espaldas debiluchas. Los levantadores de potencia, los halterófilos olímpicos y quienes participan en pruebas de fuerza (*strongman*) tienen, todos ellos, también poderosas espaldas.

Si crees que entrenar la espalda es solo cosa de hombres, estás muy equivocado. Además de la importancia de la fuerza y estabilidad de la espalda en deportes como la natación y la gimnasia, una espalda bien torneada es un increíble atractivo estético también para las mujeres. No puedes brillar con un vestido escotado o en bikini sin unos músculos dorsales correctamente desarrollados. Habiendo entrenado a cientos de mujeres durante mi carrera como entrenador personal, no sé cómo describir la euforia que la mayoría de ellas experimenta cuando realizan su primera repetición de dominadas recorriendo todo el rango de movimiento. Les hace ilusión, porque la mayoría creían que no serían capaces de hacer ni una.

LOS MÚSCULOS DE LA ESPALDA

El dorsal ancho es uno de los músculos más versátiles del cuerpo (figura 6.1). Se encarga de la extensión (como en las Dominadas), de la aducción (como en una Tracción Doble en Polea Baja) y de la abducción transversa (como en las Elevaciones Posteriores (de Pie)) del hombro. Tiene inserciones por todo el tronco. Si se considera que el dorsal ancho llega hasta la fascia toracolumbar, se inserta en las vértebras, la pelvis, el sacro, las costillas, la escápula y el húmero. Además, desempeña un papel en la respiración, estabilizando la columna lumbar, coadyuvando al movimiento escapular y transfiriendo fuerzas entre el tren superior y el inferior. Aunque todos los movimientos de remo y dominada fortalecen el dorsal ancho y los músculos escapulares, la aducción del hombro se centra en mayor medida en su porción inferior, mientras que la extensión del hombro lo hace en la porción superior y en el redondo mayor.

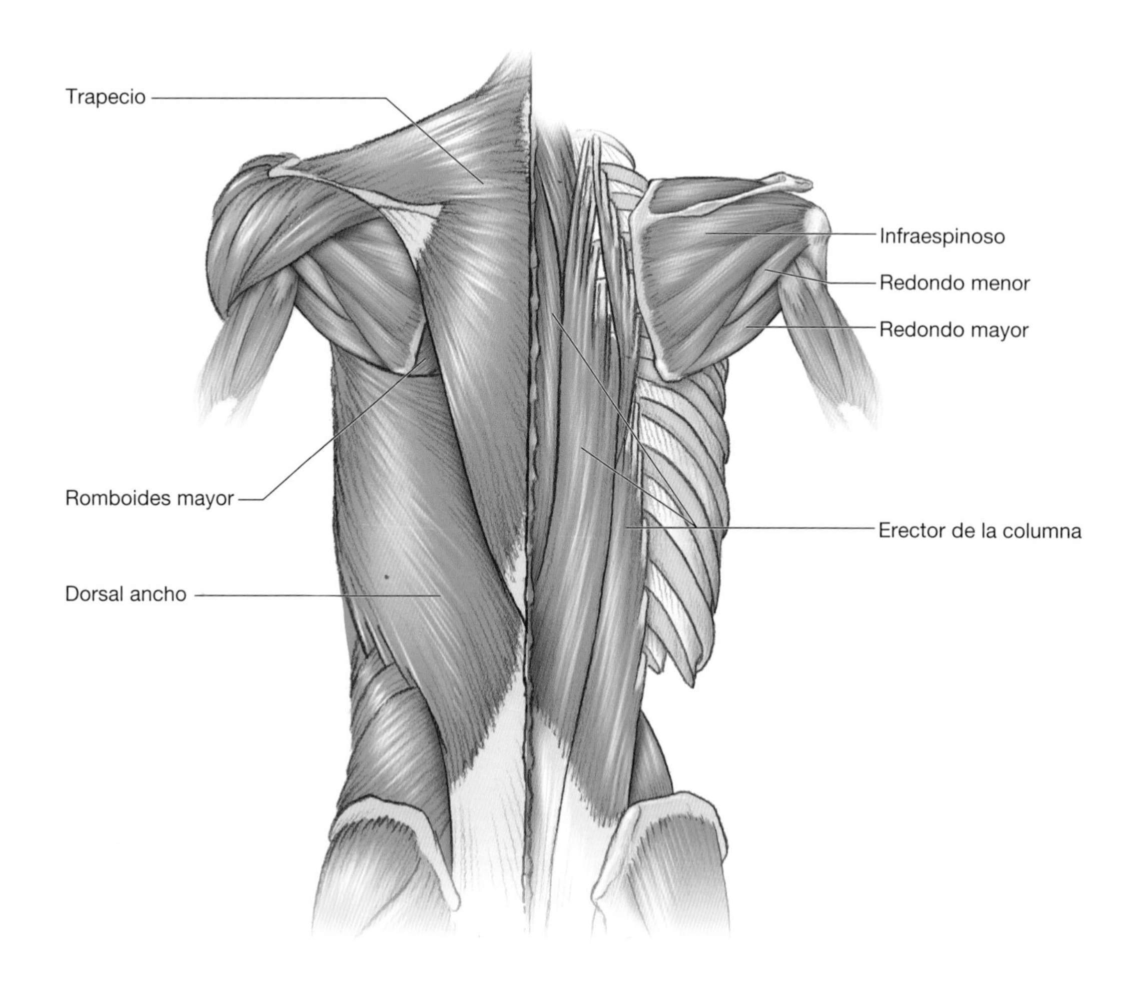

Figura 6.1 Músculos de la espalda: trapecio, romboides mayor, dorsal ancho, infraespinoso, redondo menor, redondo mayor, erector de la columna.

Hay que darse cuenta, no obstante, de que una espalda fuerte y musculosa no consiste solo en tener un amplio despliegue de dorsales anchos. Para poseer una espalda impresionante se necesitan fortalecer todos los músculos que comprende esta región. El trapecio es un importante agonista y estabilizador del hombro. Contiene tres porciones funcionales: superior, media e inferior. La superior está implicada en la elevación y la rotación ascendente de la escápula e incluso en la extensión, la flexión lateral y la rotación del cuello. La porción media coloca la escápula en aducción, así como en ligera elevación y en rotación. La porción inferior es depresora y rotadora ascendente de la escápula. Cuando las porciones superior e inferior se contraen al unísono, ayudan a la porción media en la aducción de la escápula. El romboides actúa conjuntamente con el trapecio para realizar esta acción, lo cual explica por qué a ambos músculos se les denomina colectivamente retractores de la escápula. Las juntan. El romboides es también rotador descendente de la escápula.

El desarrollo del erector de la columna (figura 6.2) es de fundamental importancia para mantener a largo plazo la habilidad en los levantamientos. Estos músculos se encargan de muchas funciones. Junto con los multífidos extienden el raquis, ayudan a prevenir que la columna se flexione (se redondee) durante el Peso Muerto y las Sentadillas, y junto con músculos tales como el cuadrado lumbar flexionan lateralmente y rotan la columna.

He dejado en último lugar, pero no por carecer de importancia, la mención del papel de la fascia toracolumbar en la función espinal. Esta aponeurosis envuelve las fibras de muchos músculos del segmento somático central y transfiere fuerza entre las mitades superior e inferior del cuerpo. Además, la fascia toracolumbar, cuando se ve sometida a tensión proveniente de ciertos músculos de la zona media, como el dorsal ancho y los glúteos, puede servir, en la extensión de la columna, como par de torsión que ayuda a prevenir la flexión espinal (el redondeo de la región lumbar, al colocarse la pelvis en retroversión). Muchas personas no son conscientes del papel del dorsal ancho como estabilizador de la columna lumbar.

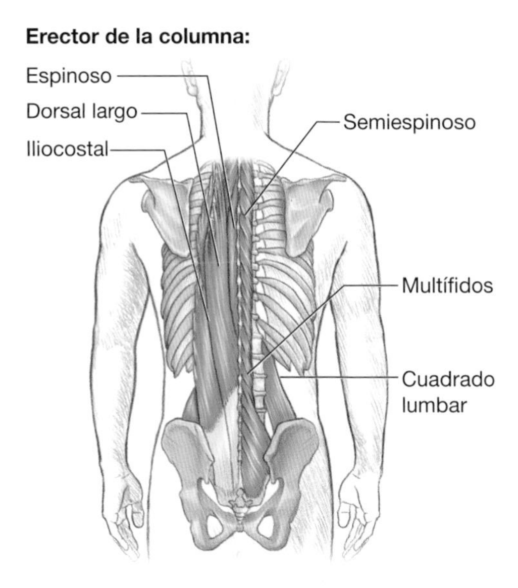

Figura 6.2 Erector de la columna, multífidos, cuadrado lumbar.

ACCIONES DE LOS MÚSCULOS DE LA ESPALDA

Los músculos de la espalda están implicados en casi todas las acciones deportivas. El erector de la columna es el grupo muscular principal para mantener el cuerpo en una posición atlética, como la que se adopta para un ejercicio de Remo en Flexión de Tronco. Estos músculos tienen también una importancia fundamental en los deportes de levantamiento, como el de potencia, la halterofilia olímpica y las pruebas de fuerza (*strongman*), así como en remo y artes marciales mixtas. El dorsal ancho está muy implicado en remo, además de en gimnasia, natación y escalada en roca. Durante los *sprints,* los pares antagonistas de los dorsales anchos y los glúteos colaboran para transferir fuerza y mantener el cuerpo equilibrado. A este patrón diagonal de dorsal ancho derecho con glúteo izquierdo, y viceversa, algunos expertos en *fitness* lo han denominado *efecto sarape* (*serape effect*), debido a la acción de envolver el cuerpo de manera parecida a un sarape. Además, el dorsal ancho está muy implicado en las acciones de lanzar, servir en deportes de raqueta y rematar en deportes como el voleibol. El trapecio y el romboides estabilizan la escápula durante muchas acciones deportivas que implican movimientos dinámicos de las extremidades superiores.

A título personal, no se me ha concedido una buena genética para desarrollar unas anchas espaldas impresionantes. Aunque tengo la musculatura de esta parte del cuerpo muy desarrollada por los muchos años de levantar peso muerto, no puedo lograr el codiciado realce en los dorsales anchos, por muchos jalones en polea alta y baja que haga. Esto no se debe tampoco a falta de fuerza. Soy capaz de realizar dominadas con 45 kg sujetos a un cinturón de cadera, y puedo levantar en peso muerto más de 500 libras (227 kg). Un impresionante realce en el dorsal ancho da la ilusión de una sección media más estrecha y ayuda a lograr un físico de aspecto atlético; así que, desgraciadamente, nunca pareceré estéticamente tan agradable como alguien con una genética ideal. No obstante, he mejorado considerablemente la anchura de mi región dorsal a través de un entrenamiento de base científica. Creo que es más sensato realizar solamente un par de series de diversos ejercicios para la espalda que meterte para el cuerpo cuatro o más series de solo uno o dos ejercicios de espalda. Esta parte del cuerpo contiene muchos músculos y lo que conviene es lograr el máximo desarrollo de cada uno de ellos para que funcione del mejor modo posible. La variedad de ejercicios de espalda asegura que no se deje piedra sin mover y se dedique la adecuada atención a los numerosos componentes de su musculatura.

En el capítulo 2 mencioné que los antebrazos se fortalecen mediante los movimientos de tracción. Al progresar en fuerza de tracción, tu agarre recibirá un potente estímulo de entrenamiento. No encontrarás a muchas personas con un nivel avanzado de fuerza en Jalón en Polea Alta y Remo Invertido que posean una musculatura poco desarrollada en los antebrazos. Ponte fuerte y gana resistencia a través de los ejercicios para la espalda incluidos en este capítulo y tus antebrazos enteros, tanto su musculatura anterior como posterior, se densificarán y se volverán más musculosos.

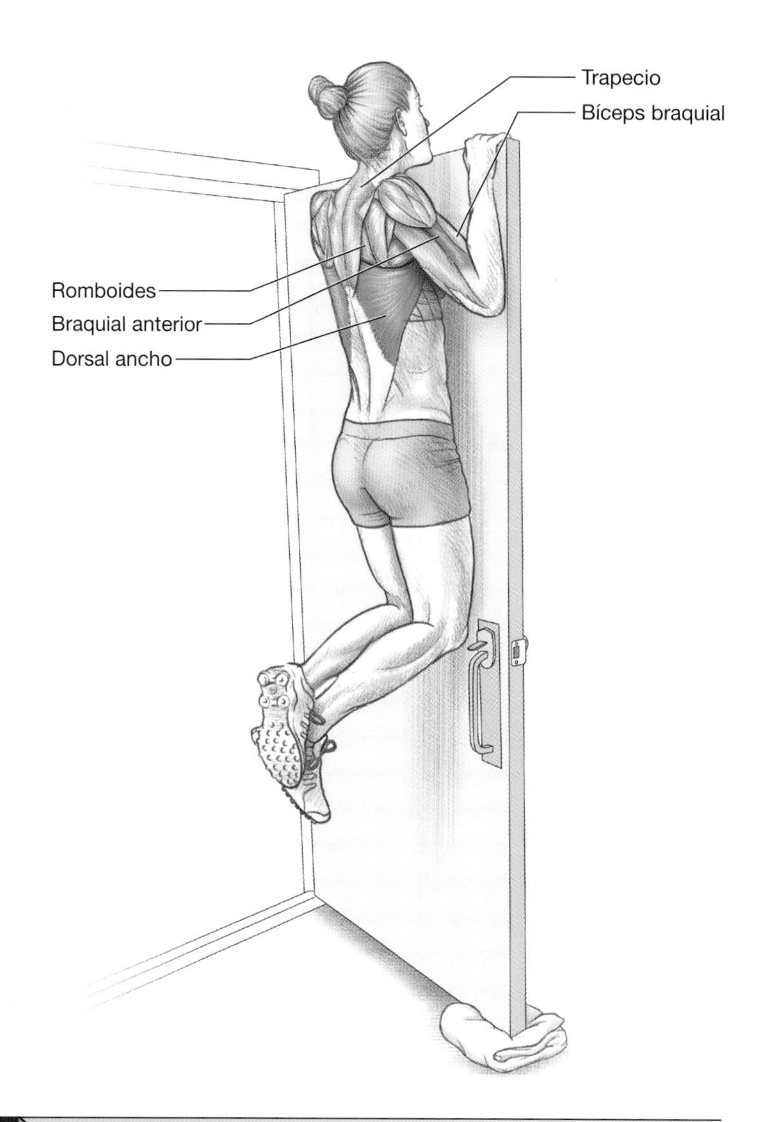

Consejo de seguridad Utilizar para este ejercicio una puerta muy segura, sólida y resistente, o una barra estándar de dominadas.

Ejecución

1. Con un agarre en pronación (palmas en dirección contraria al cuerpo), colocar las manos sobre el borde superior de una puerta sólida y resistente y disponer el cuerpo bien pegado a ella. (Para evitar que la puerta se mueva, emplear como cuña un libro metido debajo de ella.) El cuerpo está bien pegado a la base de la puerta, pero se apartará de ella al elevarse, debido al apoyo de los codos. Si se dispone de barra estándar de dominadas, puede ser la opción preferida.
2. Elevar el cuerpo lo más alto que se pueda mientras se mantiene el mismo en línea recta de los hombros a las rodillas.
3. Descender hasta la posición inicial y repetir.

Músculos implicados

Agonistas primarios: Dorsal ancho, braquial anterior.

Agonistas secundarios: Trapecio, romboides, bíceps braquial.

Notas al ejercicio

Las Dominadas son un exigente ejercicio para el dorsal ancho; pero, si se opta por usar una puerta, tienen que tenerse presentes consideraciones especiales para evitar dañarla. Las he realizado sin problemas durante años en puertas sólidas y resistentes, como la maciza puerta principal de una casa; pero, debido a que soy un tipo grandote, soy reacio a intentar hacerlas sobre puertas huecas interiores, como la del baño o las de los dormitorios. ¡Estoy seguro de que sacaría la puerta de los goznes! Hay que asegurarse de realizarlas en una puerta gruesa, sólida y resistente con fuertes goznes o, mejor aún, en una pared. Algunos practicantes han tenido éxito empleando como cuña algún objeto, como por ejemplo un libro grande, bajo puertas menos sólidas y resistentes, para reducir la carga sobre los goznes, pero debe hacerse por cuenta y riesgo del practicante; no me gustaría nada que el lector dañase su propia casa. En todo caso, las dominadas hacen que el practicante eleve su cuerpo sobre la bisagra de las articulaciones del codo mientras su cuerpo sube y baja deslizándose sobre la puerta, lo cual hace de ellas una variante aún más difícil que las normales.

VARIANTE

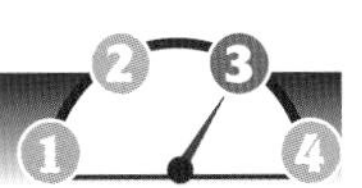

Dominadas sobre una viga

Es importante averiguar cómo hacer dominadas en casa, y una alternativa a las realizadas en puertas es llevarlas a cabo en vigas. Basta con agarrarse de la parte superior de una viga lisa y sin astillas con un agarre en pronación y elevar el cuerpo lo más alto posible. Mantener contraído el segmento somático central y no permitir que la región lumbar se hiperextienda ni que la pelvis bascule.

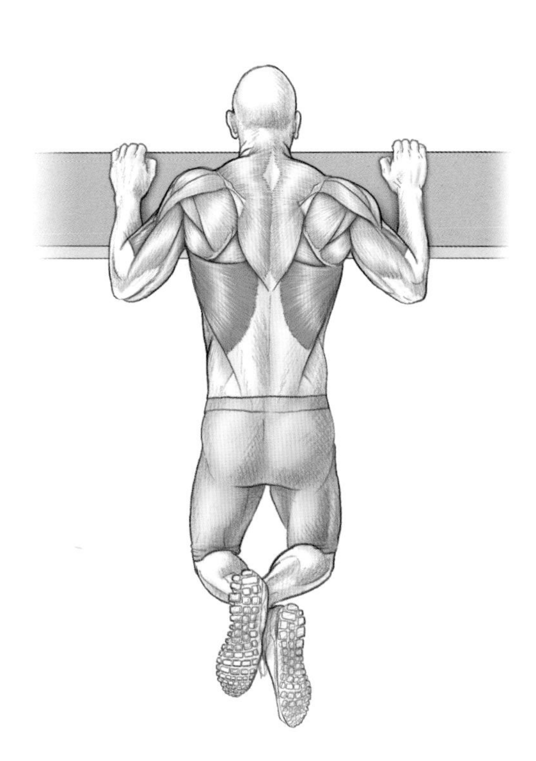

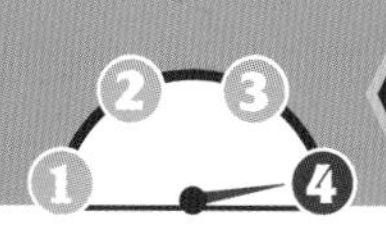

DOMINADAS CON DESPLAZAMIENTO LATERAL

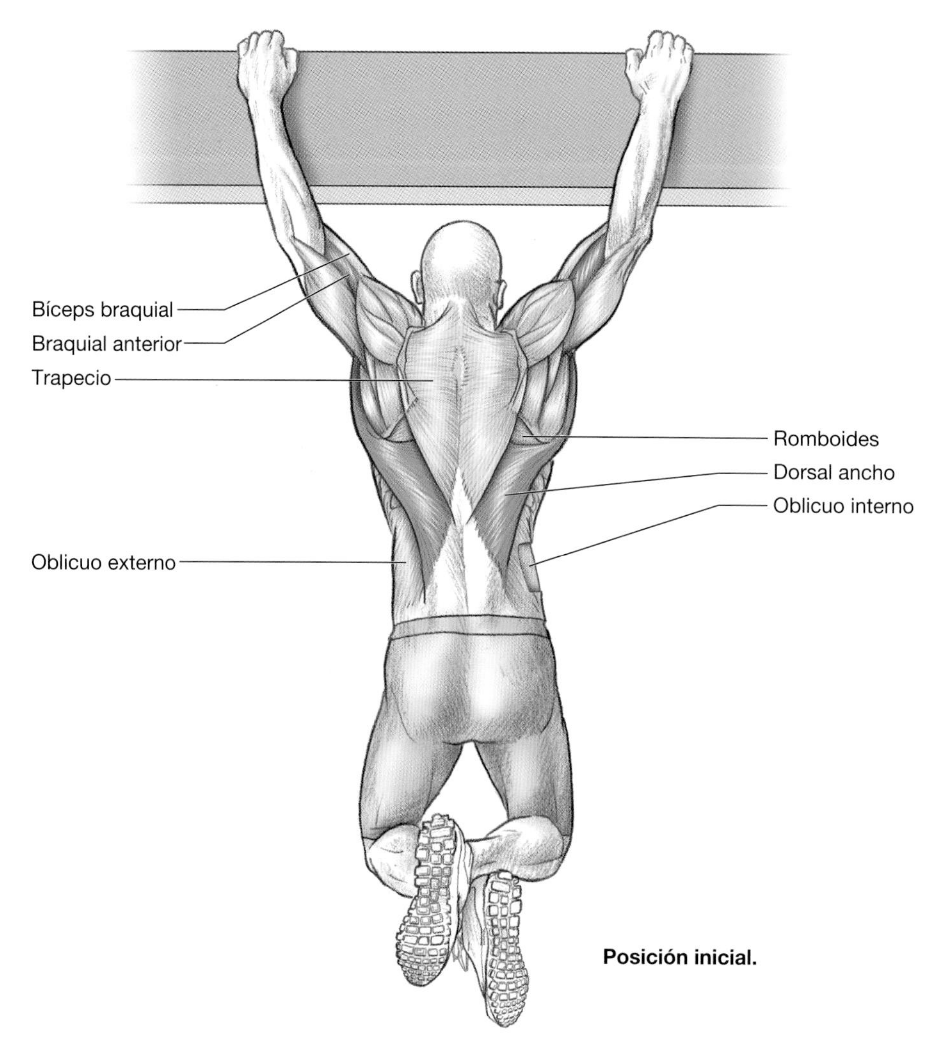

Posición inicial.

Ejecución

1. Colgarse de una barra de dominadas o de una viga con las manos en pronación y ligeramente más separadas que la anchura de los hombros. Las rodillas pueden flexionarse ligeramente o permanecer relativamente estiradas.
2. Manteniendo el pecho bien abierto y el segmento somático central contraído, elevar el cuerpo hacia un lado, hasta que la barbilla se encuentre por encima de la viga.
3. Descender hasta la posición inicial y repetir, alternando los lados.

Músculos implicados

Agonistas primarios: Dorsal ancho, braquial anterior, recto abdominal.

Agonistas secundarios: Trapecio, romboides, bíceps braquial, oblicuo externo, oblicuo interno.

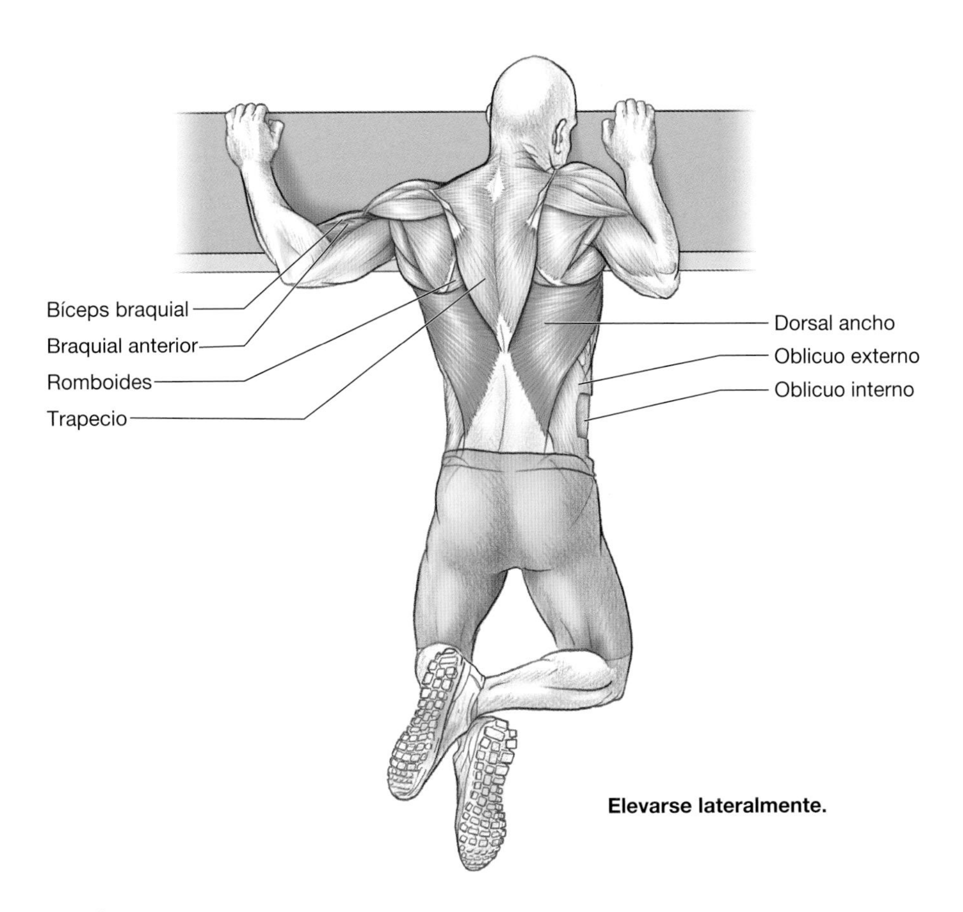

Elevarse lateralmente.

ESPALDA

Notas al ejercicio

Las Dominadas con Desplazamiento Lateral son un ejercicio avanzado que hace recaer aproximadamente el 70 por ciento de la carga en el lado del cuerpo sobre el que se está trabajando y el 30 por ciento restante sobre el otro. Constituye un ejercicio más exigente para el dorsal ancho y otros músculos tractores. Hay que mantener el segmento somático central en posición neutra. Tenderá a contorsionarse, ya sea con hiperextensión de la columna lumbar o con flexión de las caderas. Debe concebirse como una Plancha en movimiento (conviene pensar también así en los Fondos de Brazos) y mantener una línea recta desde los hombros hasta las rodillas durante todo el ejercicio.

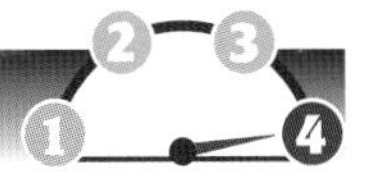

Dominadas con deslizamiento lateral

Las Dominadas con Deslizamiento Lateral incluyen una maniobra avanzada que pocas personas son capaces de realizar. Este ejercicio requiere primero elevar la barbilla por encima de la barra, como se haría en una dominada normal. Después hay que deslizarse recorriéndola por entero, primero hacia un lado y luego hacia el otro, antes de volver deslizándose al medio y, por último, descender a la posición inicial. Eso constituye una repetición. No se podrán realizar muchas repeticiones de este ejercicio, suponiendo que se pueda hacer en absoluto.

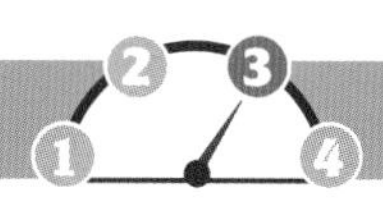

DOMINADAS CON TOALLA

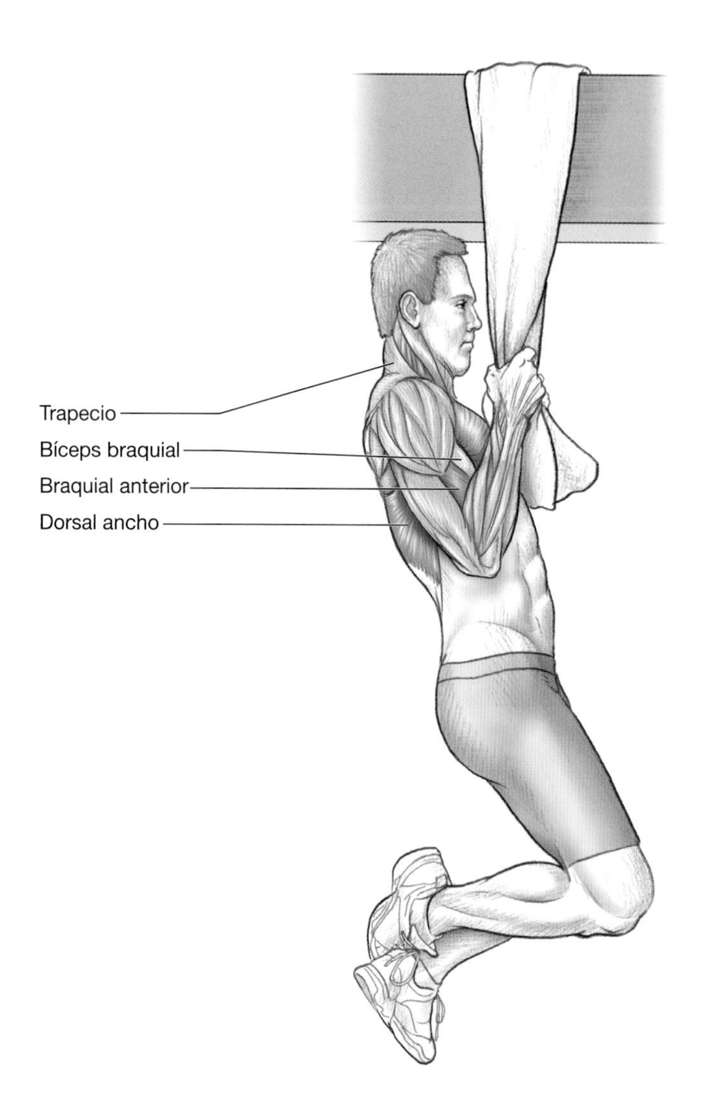

Ejecución

1. Pasar una toalla por encima de una barra de dominadas o una viga. Agarrarla con ambas manos.
2. Desde una posición estirada, elevar el cuerpo mientras se mantiene el segmento somático central en posición neutra y tirando hasta que las manos se junten con la parte superior del pecho.
3. Descender hasta la posición inicial y repetir.

Músculos implicados

Agonistas primarios: Dorsal ancho, braquial anterior, músculos del antebrazo, como el palmar mayor.

Agonistas secundarios: Trapecio, romboides, bíceps braquial.

Notas al ejercicio

Las Dominadas con Toalla son un increíble ejercicio para los antebrazos que desarrolla una fuerza de agarre considerable. Hay que mantener una técnica correcta: no dejar que el segmento somático central se hiperextienda, que las caderas se flexionen, ni que el cuello se derrumbe. Debe tratarse de separar los extremos de la toalla en el punto más elevado del movimiento, para activar al máximo los retractores de la escápula. Este ejercicio es necesario si se participa en deportes de lucha y de raqueta, que requieren una fuerza de agarre máxima.

VARIANTE

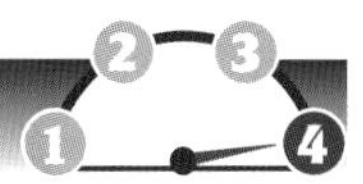

Dominadas a un brazo autoasistidas

Las Dominadas a un Brazo Autoasistidas son una maniobra muy exigente que solo personas con la fuerza del tren superior más avanzada serán capaces de dominar. Sin embargo, siempre puede emplearse el brazo inactivo para hacer un poco de asistencia, y llegar un día a ser capaz de realizarla con un brazo sin ayuda del otro. Si es posible, hay que encontrar una viga más estrecha que un cabrio, porque este ejercicio requiere un agarre en pronación (palmas orientadas en dirección contraria al cuerpo) o en supinación (palmas orientadas en dirección al cuerpo). Un agarre neutro es también posible si se alinea el cuerpo para quedar orientado en la misma dirección que el largo de la viga y el practicante se sujeta a algo situado junto a ella.

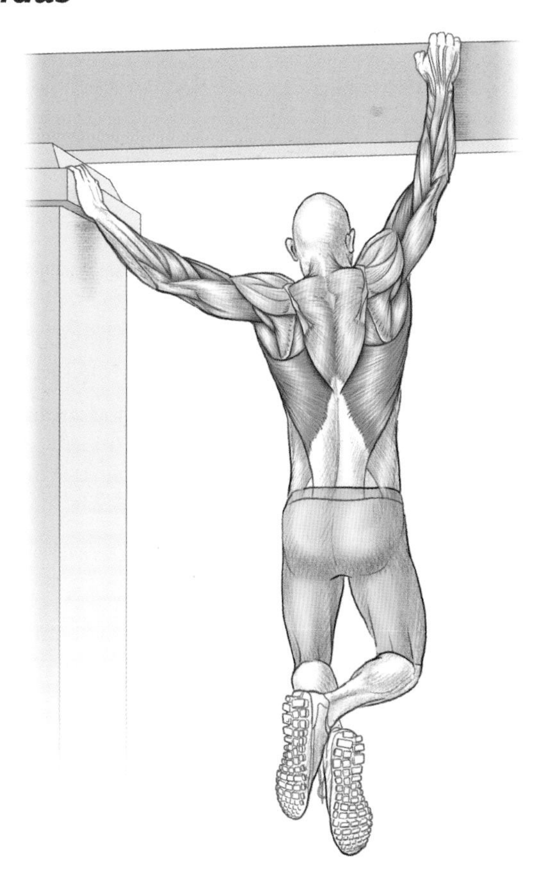

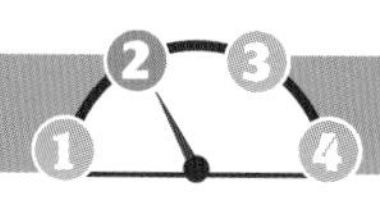

REMO INVERTIDO MODIFICADO

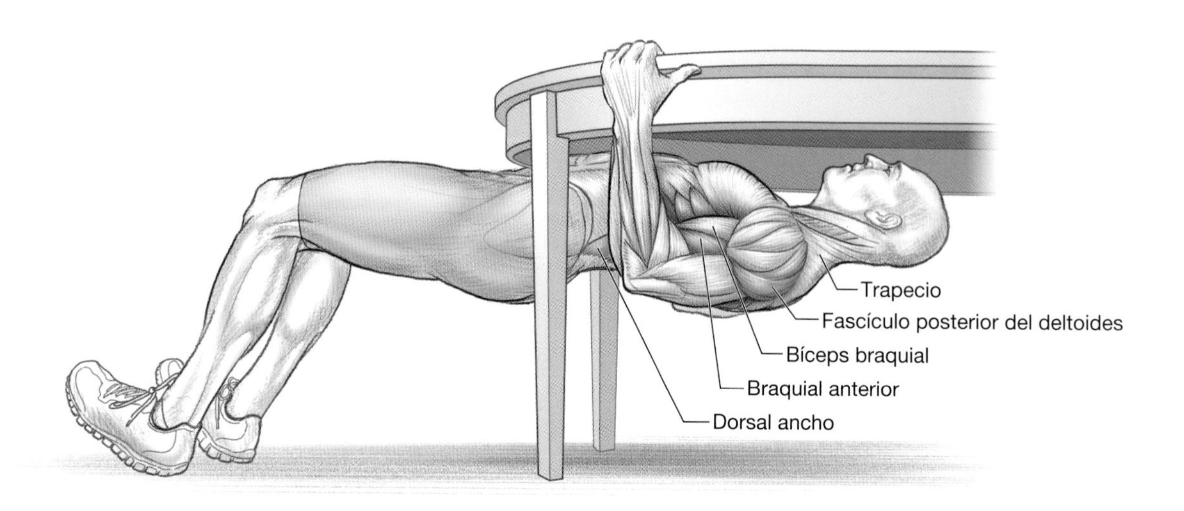

Ejecución

1. Agarrar los laterales de una mesa sólida y resistente, manteniendo las rodillas flexionadas en unos 90-135 grados y los talones firmemente plantados en el suelo. Es buena idea realizar este ejercicio sobre una superficie no peligrosa, como por ejemplo, moqueta o una alfombra blanda.
2. Manteniendo el cuerpo en línea recta desde las rodillas hasta los hombros, elevar el cuerpo hasta que el pecho llegue a la mesa.
3. Bajar el cuerpo hasta la posición inicial con control.

Músculos implicados

Agonistas primarios: Dorsal ancho, braquial anterior, fascículo posterior del deltoides.

Agonistas secundarios: Trapecio, romboides, bíceps braquial.

Notas al ejercicio

El Remo Invertido es un ejercicio básico de tracción con el tren superior utilizando el propio peso corporal. Si no se tiene acceso a una barra estándar de ejercicios o un sistema de suspensión, puede realizarse de varias maneras. En primer lugar, si se dispone de una mesa de la anchura correcta y espacio suficiente, puede emplearse para agarrarse a los lados. En segundo lugar, si se tiene un palo de escoba macizo y resistente, puede suspenderse entre dos sillas y utilizarlo como barra de remo. En tercer lugar, pueden usarse los bordes de dos sillas colocando los brazos cerca de sus extremos y envolviendo con las manos el asiento en una posición neutra. En estas variantes hay que asegurarse de mantener el pecho bien abierto y utilizar un rango completo de movimiento. Cuando se vaya dominando, pueden elevarse los pies sobre una silla para complicar el ejercicio. Cuanto más pronunciado sea el ángulo, más fácil resulta el ejercicio. El ángulo más exigente de realización se logra cuando el cuerpo está paralelo al suelo.

VARIANTE

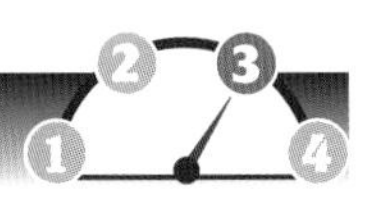

Remo invertido con los pies elevados

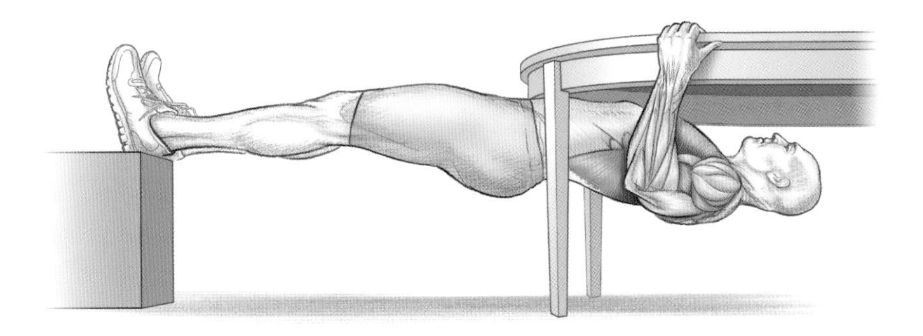

Una vez se logre dominar el Remo Invertido Modificado, puede hacerse que resulte más exigente progresando a la variante con los pies elevados. Hay que acordarse de mantener el cuerpo en línea recta y juntar las escápulas en la posición superior.

VARIANTE

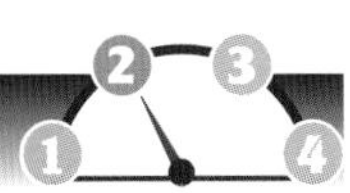

Remo invertido con toalla

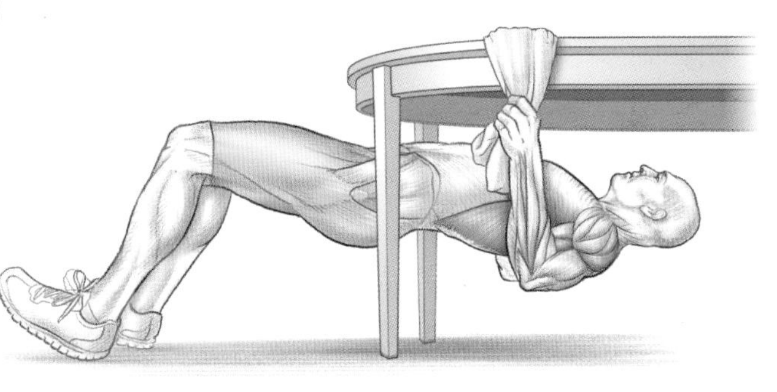

Otra opción es el Remo Invertido con Toalla. Probablemente se sea capaz de concebir una manera de pasar una toalla sobre el tablero o la esquina de una mesa, dos sillas altas o incluso una puerta si se dispone de una toalla muy larga. Puede lograrse un ejercicio eficiente colocando el cuerpo en una pendiente más pronunciada. Hay que centrarse en mantener los codos a los lados y el pecho alto, y contraer las escápulas para atrasarlas y bajarlas.

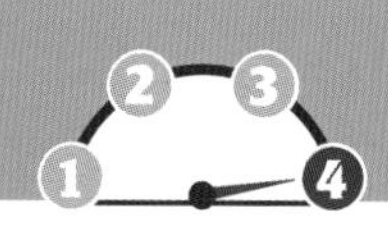

REMO INVERTIDO CON DESPLAZAMIENTO LATERAL

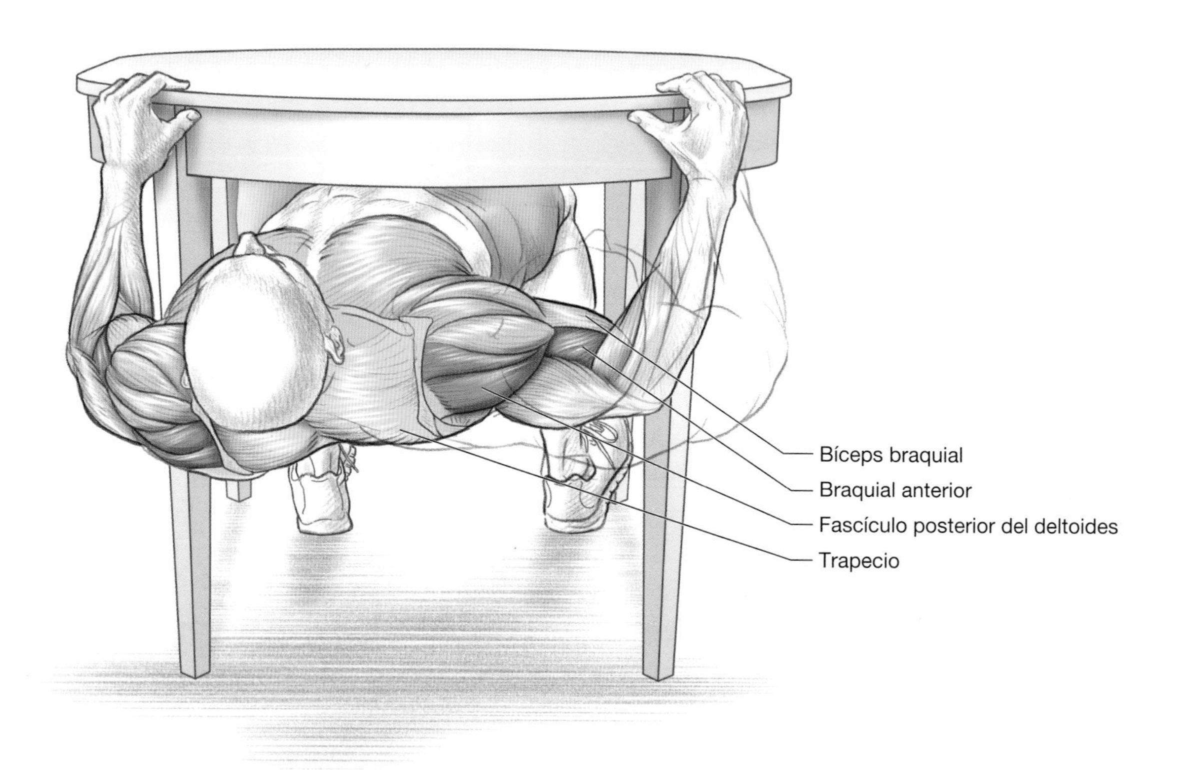

Ejecución

1. Empezar suspendido en una posición estirada con el cuerpo en línea recta y el segmento somático central contraído, con las piernas estiradas, los talones contra el suelo y las palmas de las manos orientadas hacia delante.
2. Elevar el cuerpo hacia un lado.
3. Bajar el cuerpo hasta la posición inicial y repetir, alternando los lados.

Músculos implicados

Agonistas primarios: Dorsal ancho, braquial anterior, fascículo posterior del deltoides.

Agonistas secundarios: Trapecio, romboides, bíceps braquial.

Notas al ejercicio

El Remo Invertido con Desplazamiento Lateral es un ejercicio avanzado y, al igual que las Dominadas con Desplazamiento Lateral, hace recaer aproximadamente el 70 por ciento de la carga sobre el lado que se está trabajando y un 30 por ciento sobre el otro. Este constituye un ejercicio mucho más exigente para el dorsal ancho y los músculos escapulares. La fuerza de tracción es de fundamental importancia para la salud del hombro a largo plazo, por lo que no debe infravalorarse su importancia. Aunque no tengan el *glamour* de las dominadas, son exactamente igual de importantes para la estabilidad escapular y la salud del hombro.

VARIANTE

Remo invertido con deslizamiento lateral

El Remo Invertido con Deslizamiento Lateral es una maniobra muy avanzada. Como en el caso de las Dominadas con Deslizamiento Lateral, no muchas personas serán capaces de realizar este ejercicio de buenas a primeras. Si es posible, empezar con el cuerpo con una inclinación pronunciada, para aprender a realizar el movimiento correctamente, porque es fácil desperdiciar energía tratando de mantener el cuerpo estable tratando de compensar con movimientos rotatorios o contorsiones. Desde una posición relajada, elevar el cuerpo por tracción de brazos y luego deslizarlo todo lo posible, primero hacia un lado y luego hacia el otro, después hasta el centro y por último volver a bajar. Felicidades, acabas de realizar una repetición. Hay que alternar el primer lado en cada repetición.

VARIANTE

Remo invertido a un brazo

Una vez dominadas las variantes del remo con dos brazos, es momento de empezar a practicar el Remo Invertido a un Brazo. Si se puede empezar con una inclinación del cuerpo sustancial, se podrá realizar el ejercicio con buena técnica de buenas a primeras. No hay ningún problema en rotar un poco al principio; pero, con el tiempo, tratar de limitar la rotación durante todo el movimiento. Este ejercicio es muy adecuado para usar una toalla.

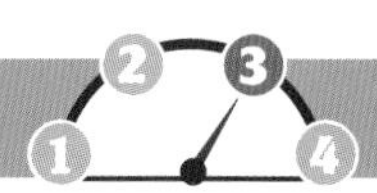

ENCOGIMIENTO ESCAPULAR

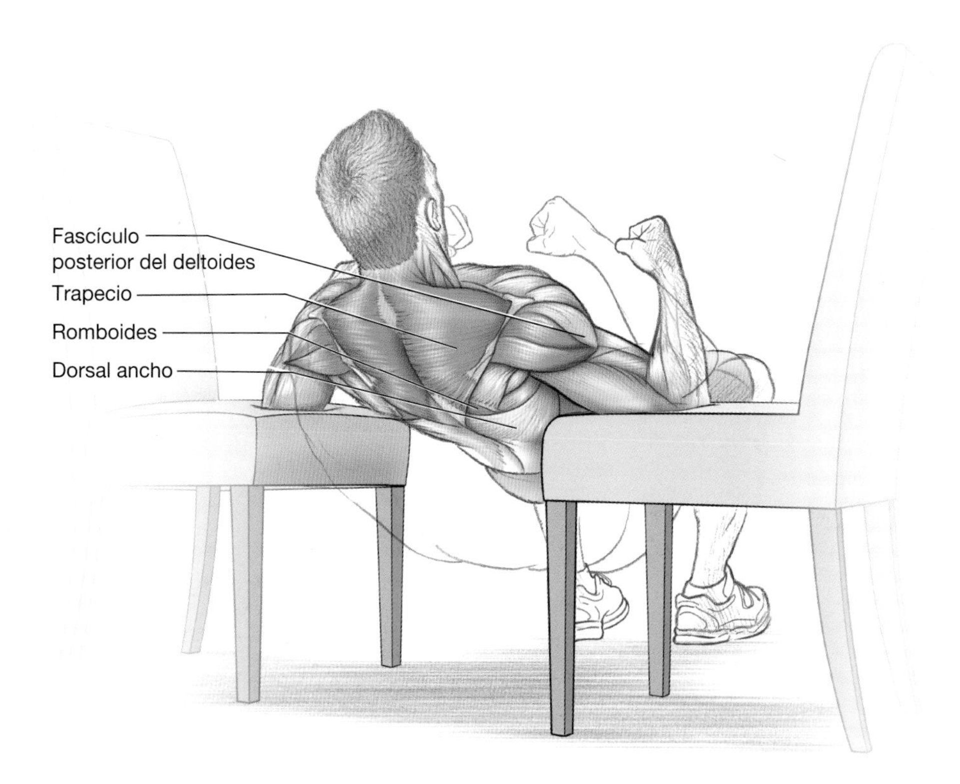

Ejecución

1. Colocar el cuerpo entre dos sofás, sillas o bancos de pesas con los pies en el suelo, las caderas extendidas alineadas con los hombros y el dorso de los brazos apoyados en la plataforma, formando un ángulo de 45 grados respecto al tronco.
2. Clavar los codos en la plataforma y, con una contracción, juntar las escápulas, lo cual provocará que el pecho se eleve con un rango corto de movimiento.
3. Bajar el cuerpo hasta la posición inicial con control y repetir.

Músculos implicados

Agonistas primarios: Trapecio, romboides, fascículo posterior del deltoides.

Agonistas secundarios: Dorsal ancho, glúteo mayor, cuádriceps (recto femoral, vasto externo, vasto interno, crural), erector de la columna (espinoso, dorsal largo e iliocostal), isquiosurales (bíceps femoral, semitendinoso y semimembranoso).

Notas al ejercicio

Durante este ejercicio hay que mantener el cuerpo en un movimiento de puente mientras se permanece suspendido entre dos sillas. Clavando los codos en ellas y juntando las escápulas con una contracción se realizará un movimiento de rango corto que se centra en los retractores de la escápula. Mantener el pecho bien abierto y las caderas altas, y controlar el movimiento de descenso.

VARIANTE

Encogimiento escapular en una esquina

Colocarse con la espalda hacia una esquina, los brazos en posición apoyados en las dos paredes y los pies a unos 30-60 cm delante de la esquina. Juntando las escápulas con una contracción, adelantar el cuerpo, apartándolo de la esquina. Se trata de un movimiento de rango corto que se centra en los retractores de la escápula. Ajusta la posición de los pies para encontrar la distancia apropiada que da lugar a la dificultad correcta.

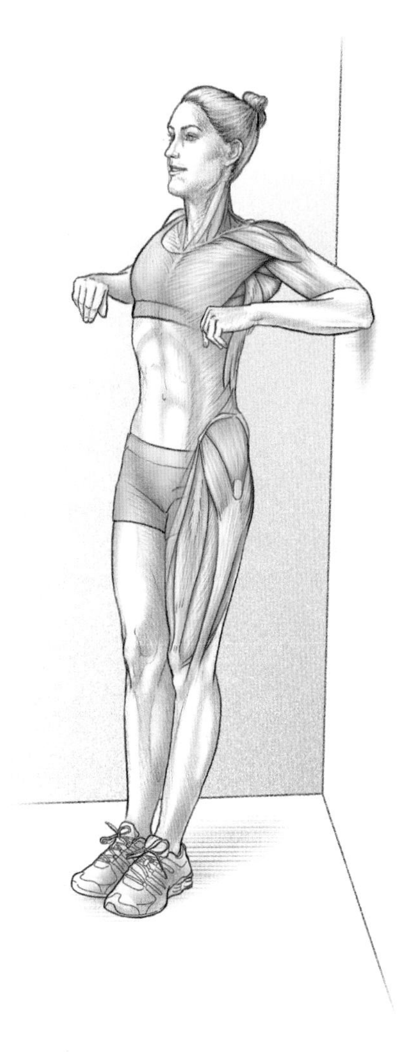

TRACCIONES FRONTALES CON TOALLA

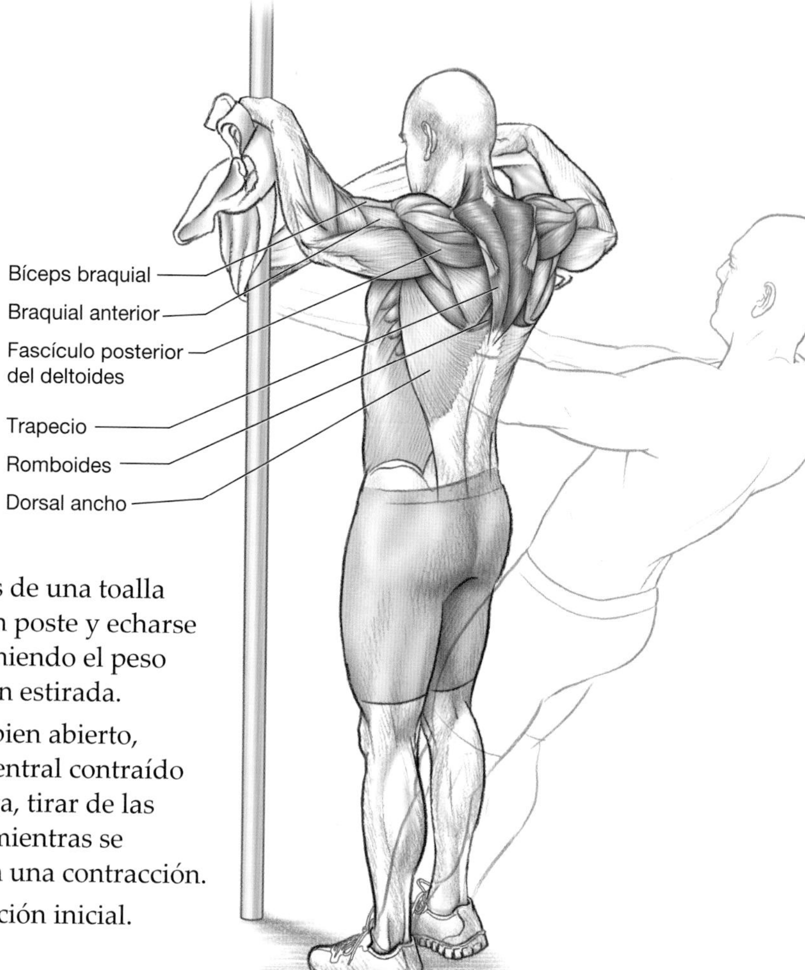

Ejecución

1. Sujetarse a los extremos de una toalla pasada por detrás de un poste y echarse atrás con la toalla sosteniendo el peso corporal en una posición estirada.
2. Manteniendo el pecho bien abierto, el segmento somático central contraído y el cuerpo en línea recta, tirar de las manos hacia las orejas mientras se juntan las escápulas con una contracción.
3. Descender hasta la posición inicial.

Músculos implicados

Agonistas primarios: Trapecio, romboides, fascículo posterior del deltoides.

Agonistas secundarios: Dorsal ancho, braquial anterior, bíceps braquial.

Notas al ejercicio

Las Tracciones Frontales con Toalla son un ejercicio excelente que realizar de vez en cuando para desarrollar estabilidad escapular y mejorar la salud del hombro. Trabaja los músculos escapulares de manera ligeramente distinta que los movimientos de remo y ofrece variedad. No se podrán realizar Tracciones Frontales con Toalla desde el mismo ángulo que se realizan en el Remo Invertido, porque no se tendrá tanta fuerza en este patrón de movimiento y, por lo tanto, requerirá un ángulo corporal más inclinado. Hay que mantener el pecho bien abierto y emplear un rango completo de movimiento. Este ejercicio no requiere un gran ángulo para poner a prueba los músculos si se mantiene el cuerpo contraído y se juntan las escápulas al final del rango.

CAPÍTULO 7

MUSLOS

Si se acude a cualquier gimnasio, se verá que hay trenes superiores bien desarrollados a montones. Incluso las personas que se entrenan solamente con el propio peso corporal normalmente tienen unos pectorales, hombros, dorsales anchos y brazos impresionantes. Pero la mayoría de los levantadores de pesas padecen el síndrome de la bombilla, con unas piernas que parecen patitas de pollo. Muchos practicantes de pesas trabajan como burros su tren superior solo para saltarse el entrenamiento de las piernas o, como mucho, realizar un simbólico par de series de *press*, extensión y *curl* de piernas el día que dedican al miembro inferior. Aunque sea mucho mejor que evitar por completo el entrenamiento de las piernas y hacerlo a pasos agigantados asegurando que tocan las piernas al correr en tapiz rodante, esta sesión abreviada para piernas deja mucho espacio para la mejora. Y como ya he dicho antes, el entrenamiento efectivo del tren superior solamente con el propio peso corporal es intuitivo para muchos levantadores de pesas, porque la mayoría son muy conscientes de los fondos de brazos, las dominadas y los abdominales, pero no tienen ni la más remota idea de cómo trabajar las piernas con eficacia solamente con su propio peso. La buena noticia es que, con algo de ingenio, es fácil desarrollar una impresionante musculatura en el tren inferior usando como resistencia tan solo el peso del propio cuerpo.

Estoy muy orgulloso del desarrollo de mis piernas, porque es indicativo de muchos años de duro trabajo. Y no es que esté genéticamente predispuesto para tener los muslos musculosos, todo lo contrario; pero, a través de muchos años de regularidad y esfuerzo, los he desarrollado hasta niveles apreciables. Y aunque me entreno con pesas, estoy seguro de que podría mantener la musculatura de los muslos y bastante posiblemente desarrollarla, pasando a hacer exclusivamente entrenamiento con autocargas para el tren inferior. ¿Cómo puedo estar tan seguro? Porque, como veremos enseguida, hay decenas de ejercicios con el propio peso corporal exigentes y efectivos para las piernas.

Los levantadores de pesas necesitan enorgullecerse del desarrollo de su tren inferior y aprender a apreciar los desafíos asociados con el entrenamiento de esa parte del cuerpo. Tras años de intentarlo, acabé convenciendo a mi hermanastro de empezar a entrenar sus piernas. Previamente trabajaba el pecho y los brazos dos veces a la semana y la espalda y los hombros otras dos, y no hacía nada de entrenamiento de piernas en absoluto. Le obligué a añadir una día a la semana de piernas y comentó que "el día de piernas es igual de duro que todos los del tren superior juntos". Tiene razón; los ejercicios para el tren superior no te ponen tan a prueba como los ejercicios compuestos para el tren inferior, fundamentalmente debido a la enorme cantidad de masa muscular que se trabaja durante cada serie. Por ejemplo, una Sentadilla Búlgara implica al cuádriceps, el glúteo mayor y los isquiosurales como agonistas primarios, pero muchos otros músculos contribuyen también al movimiento, incluidos los gemelos, el sóleo, los aductores, el glúteo medio, el glúteo menor, el cuadrado lumbar y los multífidos.

El entrenamiento de piernas para mujeres es totalmente ineludible. Unos muslos de aspecto atlético mejoran enormemente la apariencia al llevar vaqueros, falda o un vestido, traje de baño, o nada en absoluto. Pero el entrenamiento del tren inferior no consiste solo en desarrollar la forma. Debido a que estos ejercicios se centran sobre todo en la masa muscular, requieren una considerable cantidad de energía para realizarlos y, por tanto, son estupendos para perder grasa corporal. De hecho, una intensa sesión de piernas hace más por la definición de los abdominales que los ejercicios tradicionales para el segmento somático central. Y aunque se estén entrenando las piernas, se está provocando una poscombustión metabólica que mantiene la máquina a plena potencia durante más de 24 horas después del entrenamiento mismo. A la larga, se quemarán calorías extras constantemente, lo que ayudará a mantener sin grasa todo el cuerpo.

LOS MÚSCULOS DEL MUSLO

El muslo está formado por muchos músculos. En los que primero piensan muchas personas es en el cuádriceps y los isquiosurales. Aquel está formado por cuatro músculos: el recto femoral (que es también flexor de la cadera), el crural, el vasto externo y el vasto interno (figura 7.1*a*). Su función es extender la articulación de la rodilla. Tenemos tres músculos isquiosurales: el bíceps femoral, el semitendinoso y el semimembranoso (figura 7.1*b*). Se encargan de extender la cadera y de flexionar la rodilla. El bíceps femoral tiene dos cabezas, una larga y otra corta. Esta última es la única porción muscular del muslo que no cruza la articulación de la cadera y, por tanto, no la extiende.

También contamos con el grupo de los aductores, formado por el aductor mediano (o largo), el aductor menor (o corto) y el aductor mayor. Estos músculos constituyen una considerable porción del muslo y no deben descuidarse. Aunque su papel principal sea la aducción (mover la pierna hacia el centro del cuerpo), también contribuyen a la flexión y la extensión de la cadera, especialmente la porción isquiosural del aductor mayor, dependiendo de la posición del muslo. Afortunadamente, los aductores reciben un buen estímulo de entrenamiento durante los ejercicios con una sola pierna.

Hay muchos otros músculos en el muslo, entre los que se incluyen el psoas (un importante flexor de la cadera), el recto interno, el pectíneo y el sartorio; pero no es obligatorio conocer la función precisa de cada uno. Sí lo es, no obstante, saber cómo entrenar efectivamente las piernas con la técnica correcta.

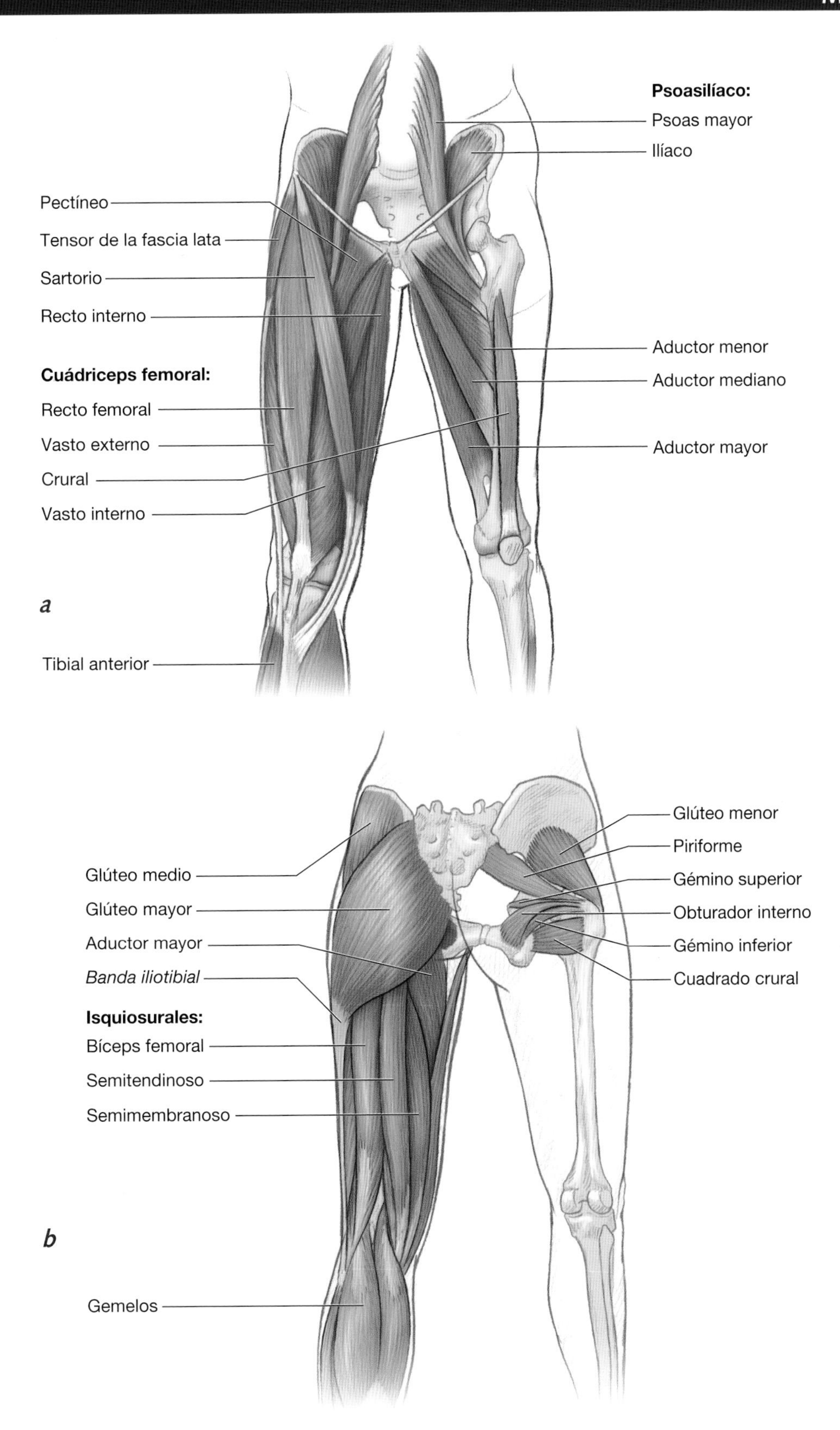

Figura 7.1 Músculos de la parte superior de la pierna: (*a*) cara anterior y (*b*) cara posterior.

ACCIONES Y MOVIMIENTOS DEL MUSLO

La musculatura del muslo está intensamente implicada en deportes y movimientos funcionales. Puede que el cuádriceps sea el músculo más importante en el salto vertical, y los cuatro músculos que lo forman son fundamentales también para correr, cambiar de dirección, aterrizar y desacelerar. Posiblemente los isquiosurales sean los músculos más importantes al esprintar. En el entrenamiento con pesas, el cuádriceps contribuye considerablemente al ejercicio de Sentadilla y los isquiosurales al de Peso Muerto. No podré nombrar todas las acciones deportivas que requieren una considerable fuerza y potencia de piernas; sencillamente, son demasiadas para mencionarlas todas. Todos los deportes de suelo que requieren velocidad, potencia y agilidad se basan predominantemente en los músculos de la pierna, e incluso la natación, el remo y la escalada emplean para la propulsión una combinación de extensión de cadera y de pierna. Debido a que los isquiosurales cruzan tanto la articulación de la rodilla como de la cadera, desempeñan papeles cruciales en la transferencia de potencia desde la articulación de la rodilla hasta la coxofemoral durante los movimientos explosivos. Considerando que la mayoría de deportes se realizan pisando alternativamente primero con una pierna y luego con la otra, es lógico incluir en tu rutina muchos ejercicios para el tren inferior sobre un solo apoyo. Estos ejercicios desarrollan destrezas sensoriomotoras (equilibrio) al mismo tiempo que mejoran la fuerza y la potencia.

En muchos deportes se considera que predomina el cuádriceps, porque este grupo muscular de sus participantes predomina sobre el de los isquiosurales. Estos deportistas normalmente no logran saltar, correr, aterrizar ni cambiar de dirección de manera óptima, predisponiéndose así a las lesiones. Por esta razón es importante desarrollar unos fuertes isquiosurales. Tener fuerza en el cuádriceps es clave para la práctica deportiva, pero también hay que tener fuertes los isquiosurales tanto por su condición de extensores como de flexores de la rodilla. Los ejercicios de flexión de rodilla trabajan más sobre la parte distal de los isquiosurales (la más cercana a la rodilla), mientras que los de extensión de cadera actúan más sobre su parte proximal (la más cercana a la cadera). Este capítulo incluye diversos ejercicios de isquiosurales, para poder fortalecerlos en todas sus funciones y recorriendo todos sus rangos de movimiento, cubriendo así toda posible debilidad.

Muchos de los patrones de movimiento descritos en este capítulo sientan las bases para el éxito deportivo. Los patrones motores fundamentales implicados en las sentadillas, la flexión de tronco, la extensión de columna y la posición de puente, todos ellos con el propio peso corporal, desempeñan un gran papel en la determinación de cómo moverse, transferir cargas y absorber impactos durante acciones deportivas de mucha fuerza o a gran velocidad. Por eso, hay que dominar los fundamentos y aprender la técnica correcta antes de pasar a variantes del ejercicio más exigentes.

SENTADILLA DE SUMO

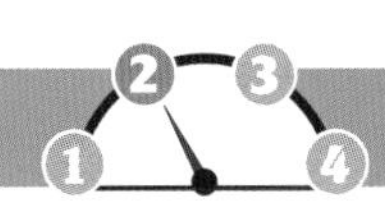

Ejecución

1. Adoptar una postura muy amplia y orientar las puntas de los pies hacia el exterior, colocando los brazos en la posición de momia, cruzados delante del pecho.
   La mayoría tenderá hacia una apertura de pies de 45 grados, pero algunos prefieren un ángulo de pies más recto, dependiendo de la anatomía de sus caderas.

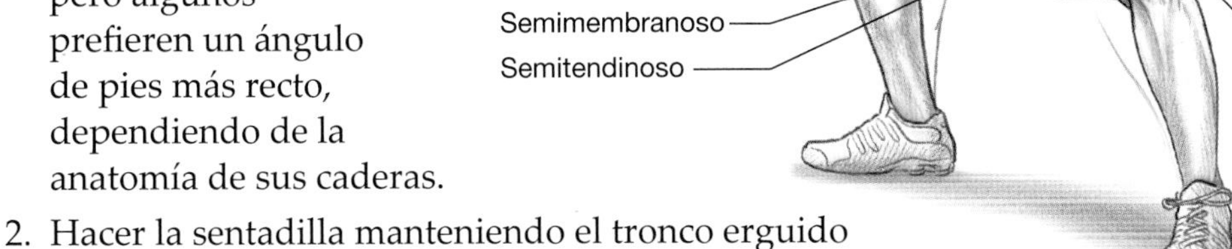

2. Hacer la sentadilla manteniendo el tronco erguido y forzando las rodillas hacia el exterior durante todo el movimiento.
3. Descender hasta que los muslos estén paralelos al suelo. Elevarse hasta la posición erguida de pie.

Músculos implicados

Agonistas primarios: Cuádriceps (recto femoral, vasto externo, vasto interno y crural).

Agonistas secundarios: Glúteo mayor, glúteo medio, glúteo menor, isquiosurales (bíceps femoral, semitendinoso y semimembranoso), aductor mayor, aductor mediano, aductor menor, erector de la columna (espinoso, dorsal largo e iliocostal), rotadores externos profundos de la cadera.

Notas al ejercicio

La Sentadilla de Sumo es un ejercicio excelente, porque enseña a ponerse en cuclillas usando más músculos que los cuádriceps exclusivamente. En este caso, los aductores y abductores de la cadera entran en juego más debido a la biomecánica del ejercicio. Hay que mantener abierto el pecho y lograr un buen estiramiento en los extensores de la cadera en el punto inferior del movimiento.

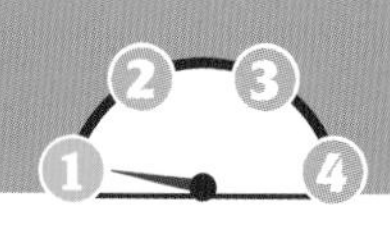

SENTADILLA EN PARED CON CONTRACCIÓN ISOMÉTRICA

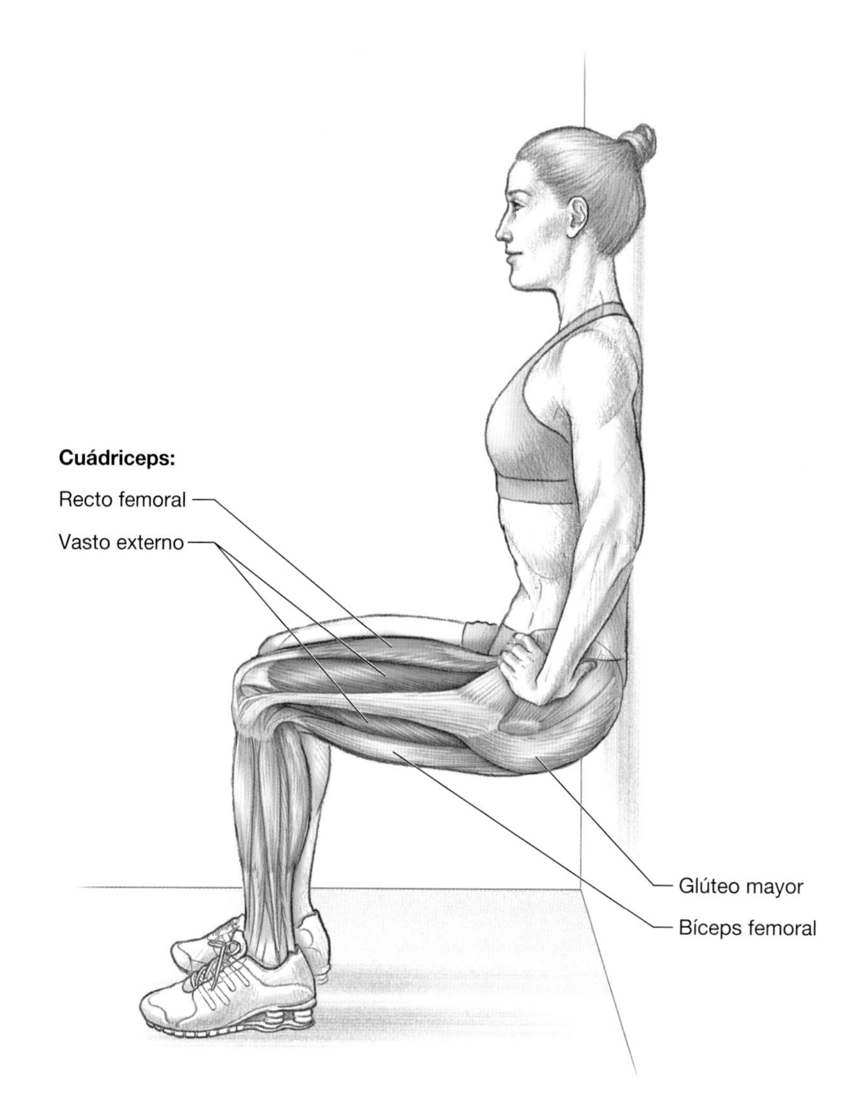

Ejecución

1. Apoyar la espalda contra una pared, con los pies adelantados y las manos en las caderas.
2. Bajar el cuerpo hasta que las caderas alcancen un ángulo de 90 grados y los muslos estén paralelos al suelo. Las rodillas se encuentran en ángulo recto con las espinillas perpendiculares al suelo y las plantas de los pies totalmente apoyadas en él.
3. Mantener la posición durante el tiempo necesario: desde 30 segundos para principiantes hasta 2 minutos para avanzados.

Músculos implicados

Agonistas primarios: Cuádriceps (recto femoral, vasto externo, vasto interno y crural).

Agonistas secundarios: Glúteo mayor, isquiosurales (bíceps femoral, semitendinoso y semimembranoso).

Notas al ejercicio

La Sentadilla en Pared con Contracción Isométrica es un ejercicio fundamental de resistencia del cuádriceps. Pueden realizarse en cualquier sitio en que haya una pared. Hay que mantener una postura perfecta durante todo lo que dure la serie manteniendo el pecho abierto y sentándose bien erguido. Puede añadirse variedad a este ejercicio cambiando el ángulo de las caderas durante la serie. Por ejemplo, empezar a un ángulo coxal más difícil que sitúe las caderas más bajas que las rodillas, y luego pasar a una posición con los muslos paralelos al suelo cuando la serie se vuelva más exigente, para por último acabar en una posición con las caderas más altas que las rodillas.

VARIANTE

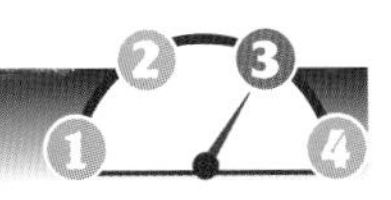

Marcha en posición de sentadilla en pared

Cuando la Sentadilla en Pared con Contracción Isométrica llegue a resultar fácil, complicar el ejercicio realizando marchas. Probablemente haya que empezar con las caderas más altas que las rodillas, porque esta no es una variante sencilla. Con el tiempo, se podrán realizar los movimientos partiendo de un ángulo de cadera de 90 grados. Basta con levantar una pierna del suelo y mantenerla elevada durante cierto tiempo, y luego cambiar a la otra. Alternar de una pierna a la otra varias veces para fatigar el cuádriceps.

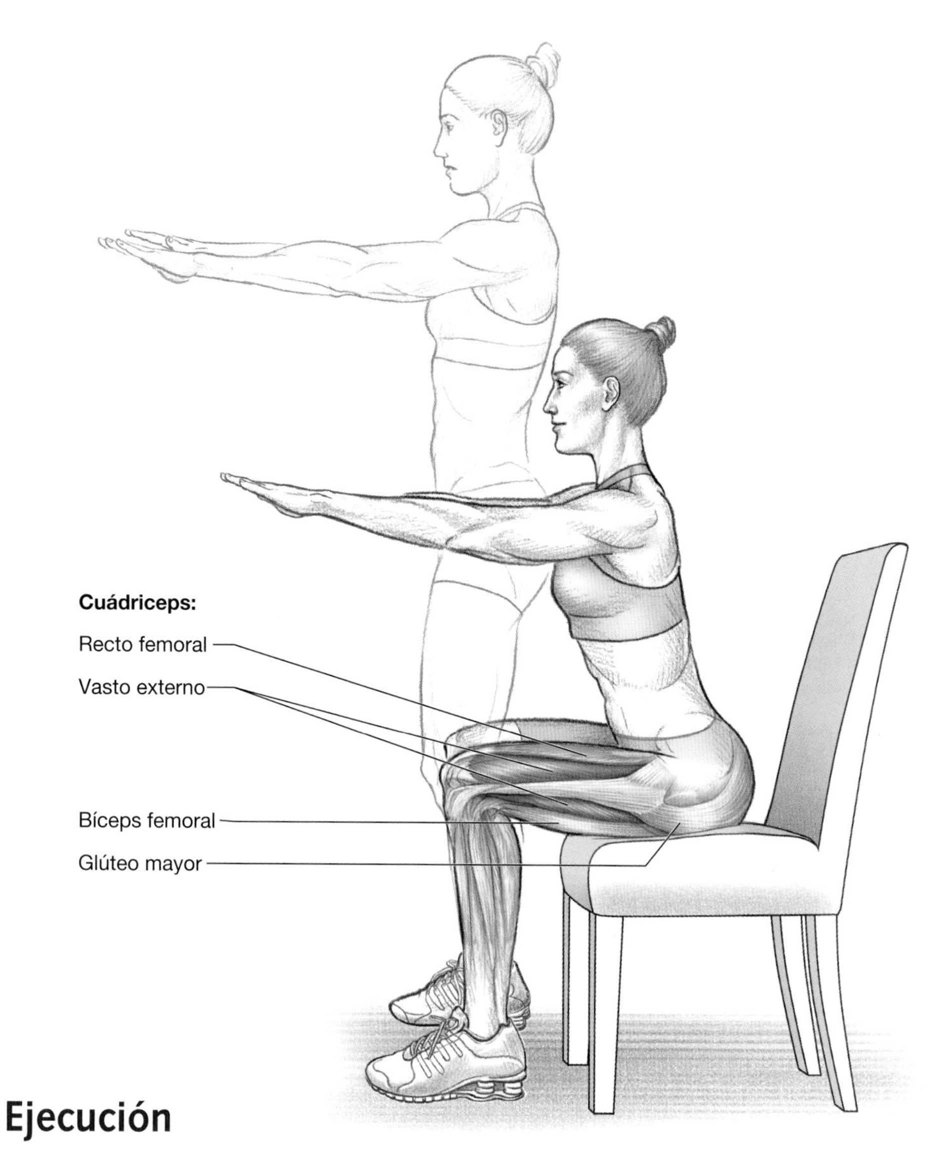

Ejecución

1. Ponerse de pie con los pies más separados que la anchura de los hombros y sus puntas más o menos orientadas hacia el exterior según se prefiera. Situarse muy cerca del borde de una caja, banco, silla, peldaño o taburete sólidos y resistentes.
2. Iniciar el movimiento flexionando las caderas y sentándose, manteniendo el pecho bien abierto, las rodillas hacia el exterior, de manera que se encuentren alineadas con la punta de los pies, y las espinillas perpendiculares al suelo. Acordarse de presionar con los talones.
3. Hacer una breve pausa al sentarse en el cajón y luego elevarse, asegurándose de contraer los glúteos para fijar la posición.

Músculos implicados

Agonistas primarios: Cuádriceps (recto femoral, vasto externo, vasto interno y crural).

Agonistas secundarios: Glúteo mayor, glúteo medio, glúteo menor, isquiosurales (bíceps femoral, semitendinoso y semimembranoso), erector de la columna (espinoso, dorsal largo, iliocostal).

Notas al ejercicio

La Sentadilla en Cajón es el patrón fundamental de esta clase de ejercicio que hay que dominar antes de intentar otros tipos de sentadilla. Este patrón de sentadilla enseña a sentarse atrasando los glúteos y a usar las caderas. También enseña a mantener las rodillas hacia el exterior para impedir que se hundan hacia dentro durante el movimiento. Hay que mantener el pecho bien abierto y empujar con los talones durante todo el ejercicio. La mayoría de la gente puede empezar con una altura del cajón que sitúe sus muslos paralelos al suelo al estar sentado. Las personas menos en forma tienen que empezar con un cajón algo más alto, y las atléticas podrán pasar directamente a la Sentadilla en Cajón Bajo. Es crucial aprender a usar las caderas durante la realización de la sentadilla, porque esta práctica se transferirá a la realización de saltos y la agilidad en el campo de juego, lo cual evitará que las rodillas trabajen en exceso y permitirá una mayor explosividad.

VARIANTE

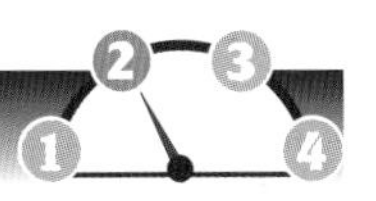

Sentadilla en cajón bajo

La Sentadilla en Cajón Bajo se realiza con un cajón sólido y resistente de una altura aproximada de 30 cm. Aunque las rodillas se adelanten ligeramente y convenga mantener la tibia vertical (la pantorrilla perpendicular al suelo), el objetivo sigue siendo sentarse atrasando los glúteos y usar para la realización del movimiento los músculos extensores de la cadera, más fuertes, en vez de confiar más en el cuádriceps.

VARIANTE

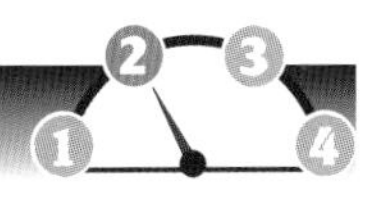

Sentadilla en cajón con salto

La Sentadilla en Cajón con Salto es un explosivo ejercicio pliométrico que implica sentarse sobre un cajón (o silla sólida y resistente), como se haría en una típica Sentadilla en Cajón, y luego levantarse con fuerza para dar un salto. Hay que aterrizar suavemente y absorber correctamente el impacto distribuyendo la carga entre todas las articulaciones en juego, especialmente las caderas.

SENTADILLA COMPLETA

Ejecución

1. Colocarse de pie con los pies no muy separados y las puntas orientadas hacia el exterior. A la mayoría de la gente el ángulo de apertura de los pies más cómodo les parece el de 30 grados, pero esto depende de la anatomía de las caderas de cada persona. Hay que poner las manos en posición de momia, cruzadas delante del cuerpo.

Vasto externo
Vasto interno
Recto femoral
Semimembranoso
Semitendinoso
Glúteo medio
Glúteo mayor
Bíceps femoral

2. Iniciar el movimiento flexionando simultáneamente las rodillas y las caderas y descendiendo en vertical. Hay que mantener el peso corporal sobre todo el pie, conservar el pecho bien abierto y forzar las rodillas a orientarse hacia el exterior en el punto inferior del movimiento, de manera que queden alineadas con el centro de los pies.
3. Descender lo más abajo posible manteniendo plana la región lumbar. Levantarse hasta la posición erguida de pie.

Músculos implicados

Agonistas primarios: Cuádriceps (recto femoral, vasto externo, vasto interno y crural).

Agonistas secundarios: Glúteo mayor, glúteo medio, glúteo menor, isquiosurales (bíceps femoral, semitendinoso y semimembranoso), erector de la columna (espinoso, dorsal largo, iliocostal).

Notas al ejercicio

La Sentadilla Completa es un ejercicio aparentemente simple, pero en realidad requiere una considerable flexibilidad tanto en la dorsiflexión del tobillo como en la flexión de la cadera y en la extensión torácica. Esto quiere decir que las rodillas tienen que ser capaces de adelantarse mucho en el punto inferior del movimiento sin alzarse sobre los dedos de los pies, las caderas han de poder descender sin redondear la región lumbar o colocar la pelvis en retroversión, y la parte superior de la espalda, mantenerse contraída para evitar cargarse de hombros. Por esta razón, a muchas personas les parece que no pueden realizar este movimiento hasta mejorar su elasticidad. La Sentadilla Completa también requiere suficiente estabilidad del segmento somático central y activación de los glúteos, por lo que se debe tener paciencia y centrarse en la calidad, no en la cantidad. Con el tiempo, la Sentadilla Completa acabará resultando más fácil, pero tómate tu tiempo profundizando en ella y desarrollando la flexibilidad y la estabilidad requeridas para realizar correctamente el movimiento. Las caderas descenderán entre las rodillas, que se fuerzan para orientarlas hacia el exterior durante una Sentadilla Completa correcta.

VARIANTE

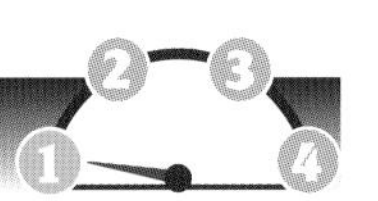

Sentadilla completa con contrapeso

Las personas que tienen serias dificultades con la Sentadilla Completa pueden elevar los brazos durante el descenso, generando así un efecto de contrapeso que aparta el énfasis en la articulación de la rodilla, más débil, y lo concentra en la coxal, más fuerte. Basta con flexionar los hombros y alzar los brazos hasta que estén paralelos al suelo mientras las caderas se flexionan durante el descenso del movimiento de sentadilla.

VARIANTE

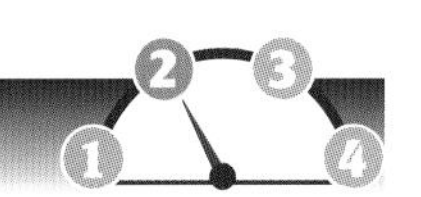

Sentadilla completa con salto

Cuando la Sentadilla Completa se vuelva demasiado fácil, aumentar la estimulación de la musculatura del muslo elevándose con fuerza en un salto. Acordarse de llegar hasta abajo en la sentadilla, porque este no es un salto vertical normal. Hay que hacer la sentadilla, mantener el pecho bien abierto y las rodillas orientadas hacia el exterior, saltar todo lo posible y emplear después las caderas para absorber el aterrizaje.

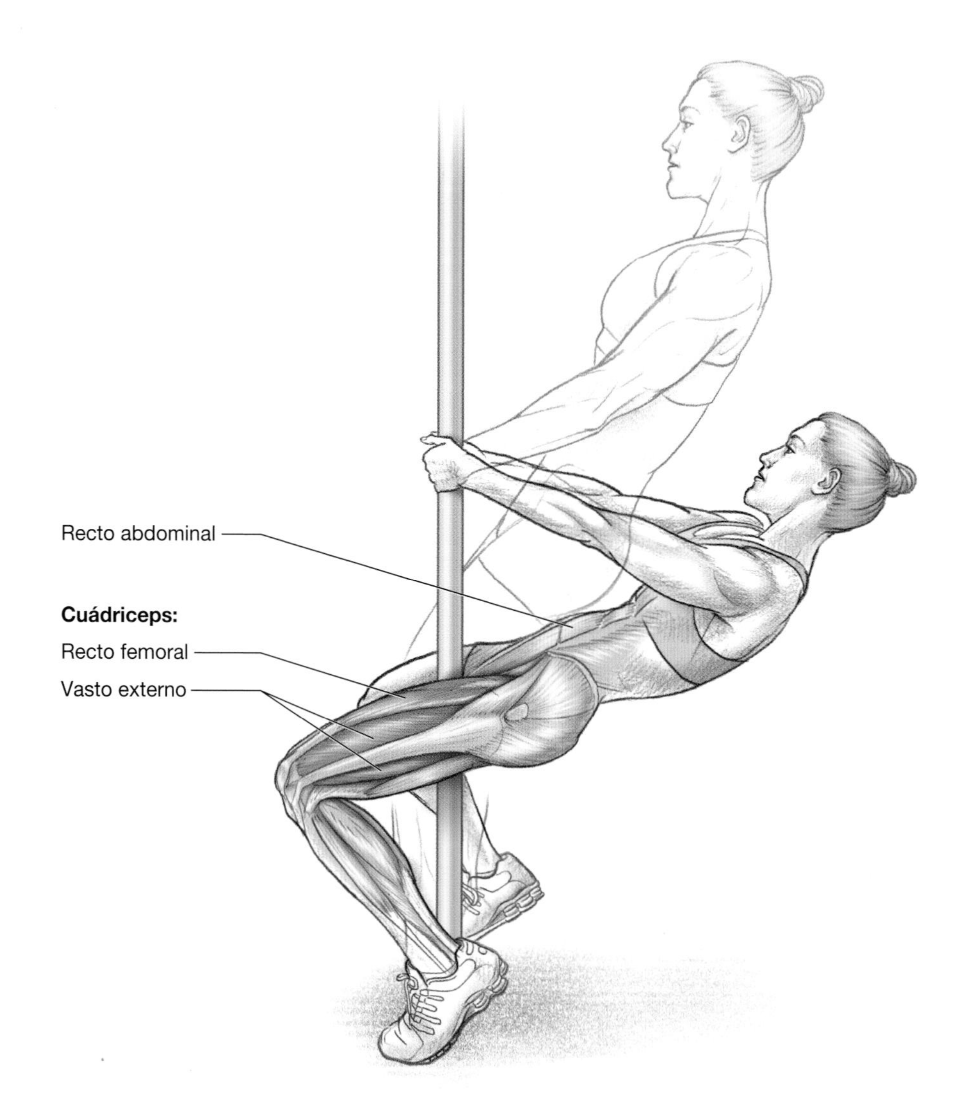

Ejecución

1. Empezar en posición erguida de pie con los pies no muy separados. Agarrar algún objeto situado al frente para mantener el equilibrio.
2. Descender flexionando las rodillas y adelantándolas mientras se inclina el tronco hacia atrás y se alzan los talones para acabar situado sobre las puntas de los pies.
3. Descender hasta alcanzar la altura deseada y elevarse después para regresar a la posición inicial.

Músculos implicados

Agonistas primarios: Cuádriceps (recto femoral, vasto externo, vasto interno y crural).

Agonistas secundarios: Recto abdominal.

Notas al ejercicio

La Sentadilla Sissy puede concebirse como una extensión de pierna con autocarga, porque se centra en los cuádriceps y elimina la implicación de los extensores de la cadera. A muchas personas este ejercicio les parece problemático, porque somete a la articulación de la rodilla a una presión considerable, razón por la que hay que extremar la seguridad y profundizar en él poco a poco. Debe descenderse solamente hasta una altura que se sienta cómoda en las rodillas e ir aumentando gradualmente el descenso con el paso del tiempo. Tratar de sentir cómo los cuádriceps controlan el movimiento durante toda la serie.

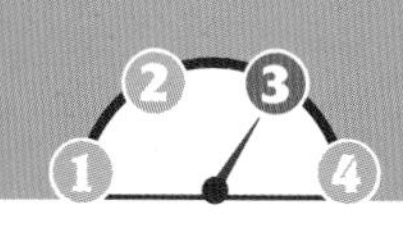

SENTADILLA EN CAJÓN A UNA PIERNA

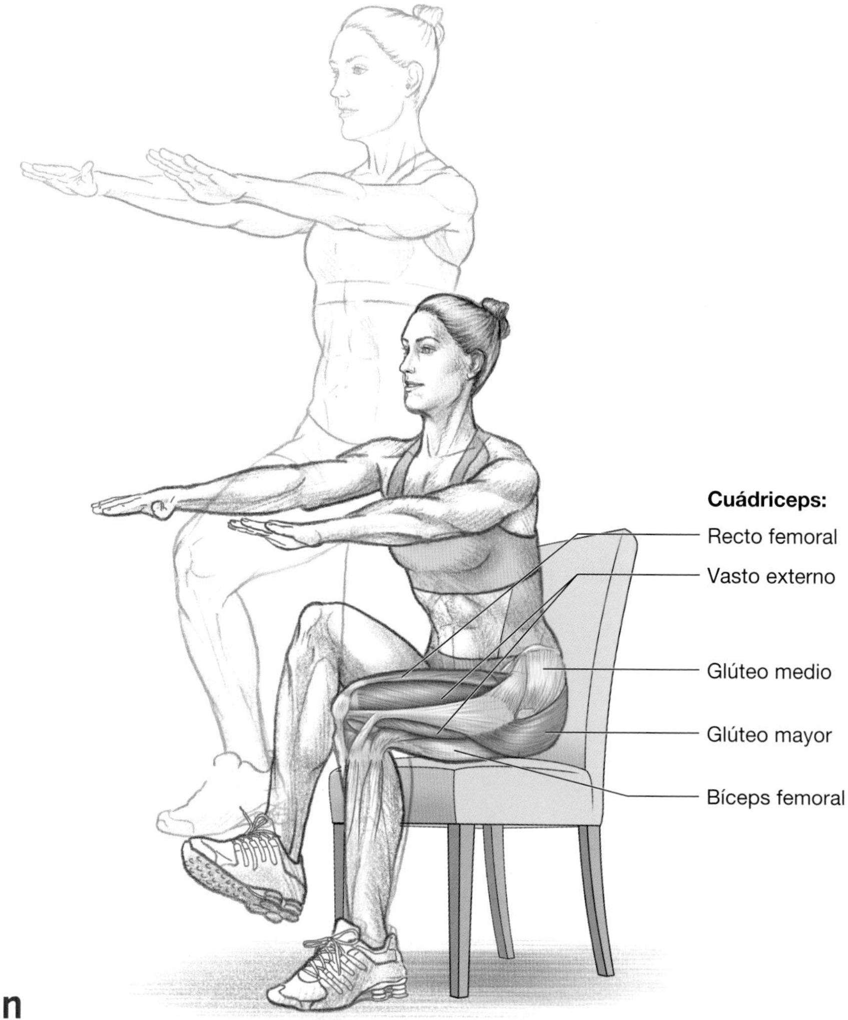

Ejecución

1. Colocarse de pie delante de una caja, banco, silla, peldaño o taburete sólidos y resistentes, con las manos extendidas al frente.
2. Colocándose sobre una sola pierna, sentarse atrasando y bajando los glúteos sobre la superficie, manteniendo el pecho bien abierto y la columna vertebral rígida. Al presionar con el talón, la rodilla debe encontrarse en la vertical del mediopié (parte central del pie).
3. Alzar los brazos como contrapeso. Hacer una pausa sobre el cajón durante un momento, y luego elevarse para regresar a la posición inicial, asegurándose de contraer los glúteos.

Músculos implicados

Agonistas primarios: Cuádriceps (recto femoral, vasto externo, vasto interno y crural), glúteo mayor.

Agonistas secundarios: Isquiosurales (bíceps femoral, semitendinoso y semimembranoso), aductor mayor, aductor mediano, aductor menor, glúteo medio, glúteo menor, rotadores externos profundos de la cadera.

Notas al ejercicio

La Sentadilla en Cajón a una Pierna es un eficaz ejercicio sobre un apoyo que permite ajustar la dificultad simplemente cambiando la altura del cajón. Antes de pasar a esta variante, los principiantes necesitan dominar la versión a dos piernas. Una vez se logre dominar el patrón de movimiento con las dos piernas, empezar a realizar la versión a una sola con un cajón alto para que sea posible aprender la técnica correcta. No dejar que la rodilla se hunda ni hacia el interior ni hacia el exterior. Elevar los brazos durante el movimiento sirve como efectivo contramovimiento, ya que retira la carga de las rodillas y la sitúa sobre las caderas.

VARIANTE

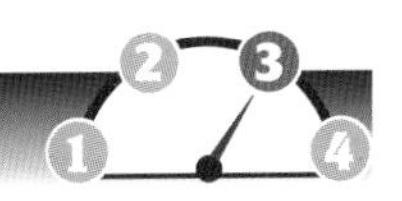

Sentadilla en cajón bajo a una pierna

Al progresar en la Sentadilla en Cajón a una Pierna, se podrá reducir la altura de este para continuar aumentando la efectividad del ejercicio. Al pasar a alturas de cajón más bajas, no se podrán atrasar tanto los glúteos al sentarse y habrá que dejar que la rodilla se adelante un poco para mantener el equilibrio. Se debe mantener la región lumbar arqueada y contraer con fuerza el erector de la columna para evitar que la pelvis se coloque en retroversión.

VARIANTE

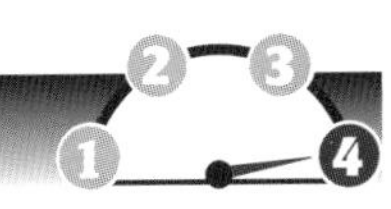

Sentadilla en cajón a una pierna con salto

La Sentadilla en Cajón a una Pierna con Salto es un ejercicio avanzado que requiere una estabilidad de caderas, un equilibrio y una fuerza considerables. Basta con añadir un salto al movimiento acelerando el cuerpo hacia arriba durante la fase concéntrica con suficiente potencia para abandonar el suelo, y asegurarse de que el salto parezca fluido y natural. Si no lo es, no se está listo para esta variante. Los movimientos sobre un solo apoyo ponen a prueba las destrezas sensoriomotoras del cuerpo, favoreciendo mejoras en el equilibrio que son cruciales, especialmente al envejecer.

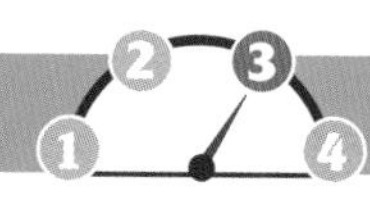

SENTADILLA DE PATINADOR

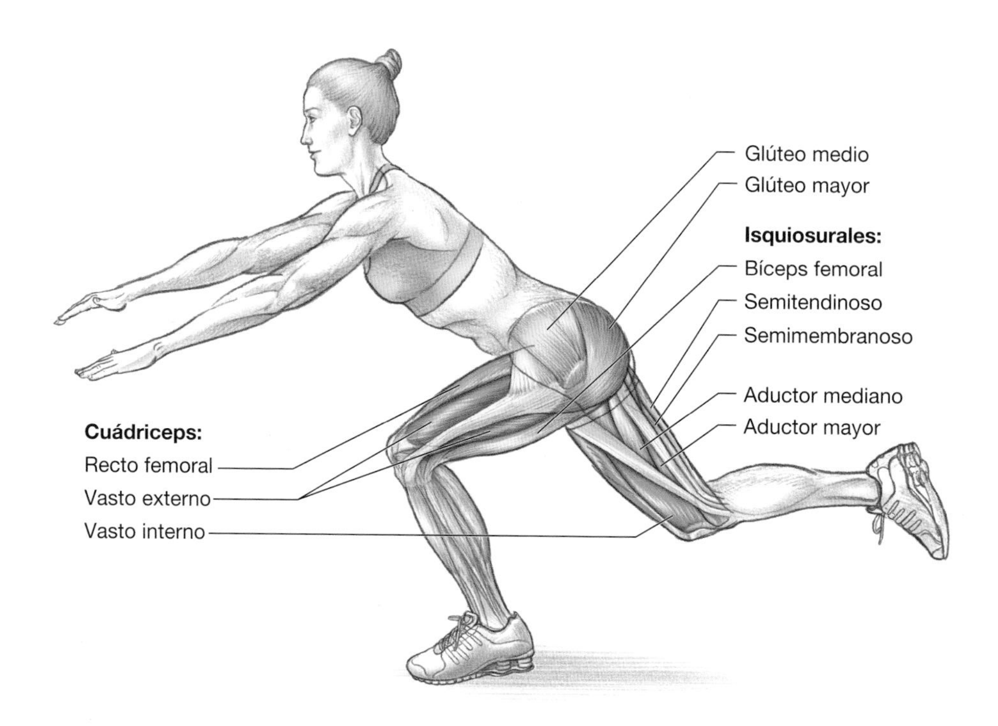

Ejecución

1. Colocarse sobre un solo pie y extender las manos al frente.
2. Atrasar y bajar los glúteos, flexionando las caderas y las rodillas mientras el tronco se inclina hacia delante.
3. Descender hasta que la rodilla de la pierna no activa se acerque o toque el suelo. Incorporarse para regresar a la posición inicial. Realizar todas las repeticiones primero con la pierna más débil y luego cambiar y repetir con la más fuerte.

Músculos implicados

Agonistas primarios: Cuádriceps (recto femoral, vasto externo, vasto interno y crural), glúteo mayor.

Agonistas secundarios: Isquiosurales (bíceps femoral, semitendinoso y semimembranoso), aductor mayor, aductor mediano, aductor menor, glúteo medio, glúteo menor, rotadores externos profundos de la cadera.

Notas al ejercicio

La Sentadilla de Patinador es un ejercicio fenomenal para el tren inferior que trabaja los muslos y las caderas a conciencia. Hay que flexionar los hombros como contrapeso y descender totalmente, hasta que la rodilla atrasada toque o roce el suelo. Puede ponerse un cojín o toalla en este para que la rodilla no golpee contra él.

Dado que la mayoría de los deportes se juegan sobre un solo apoyo cambiante, es lógico incluir muchos ejercicios a una sola pierna en el programa. En general, los ejercicios sobre un solo apoyo ponen a prueba la estabilidad lateral y en rotación de las caderas y requieren coordinación de músculos como los aductores, abductores y rotadores de la cadera, el cuadrado lumbar y los multífidos, para evitar el desplazamiento lateral y la torsión durante este movimiento.

VARIANTE

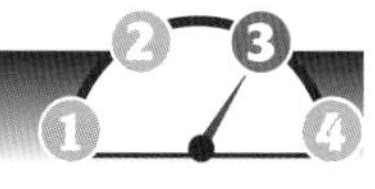

Sentadilla de patinador con elevación de rodilla

Añadir una elevación de rodilla pone aún más a prueba la estabilidad sobre un solo apoyo, porque se estará sobre una sola pierna durante todo el tiempo, cambiando la pierna no activa de una posición de extensión a otra de flexión de cadera. Hay que contraer los glúteos correspondientes a la pierna activa y erguirse bien cuando la cadera de la pierna libre esté en su punto de flexión más elevado.

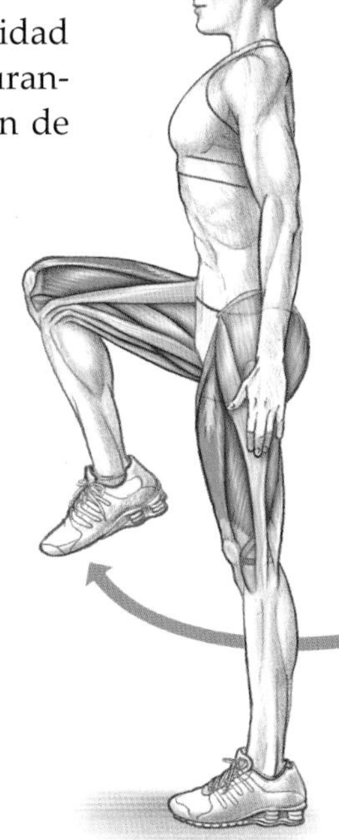

VARIANTE

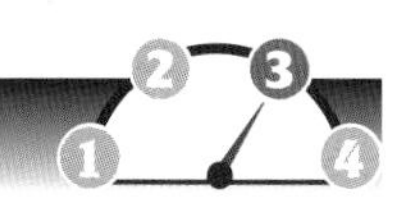

Sentadilla de patinador con salto

La Sentadilla de Patinador con Salto es un ejercicio avanzado que requiere una estabilidad de las caderas, un equilibrio y una fuerza considerables. Basta con añadir un salto al movimiento acelerando el cuerpo hacia arriba de manera fluida con suficiente potencia para abandonar el suelo. Si el salto no parece fluido y natural, es señal de que no se está listo para esta variante.

SENTADILLA PISTOLA

Ejecución

1. Colocarse sobre una sola pierna.
2. Descender flexionando las caderas y las rodillas simultáneamente. Elevar los brazos, flexionar la cadera de la pierna que no está trabajando, mantener el pecho bien abierto y presionar con el talón.
3. Descender hasta alcanzar la altura deseada y luego regresar a la posición erguida de pie.

Músculos implicados

Agonistas primarios: Cuádriceps (recto femoral, vasto externo, vasto interno y crural), glúteo mayor.

Agonistas secundarios: Isquiosurales (bíceps femoral, semitendinoso y semimembranoso), aductor mayor, aductor mediano, aductor menor, glúteo medio, glúteo menor, rotadores externos profundos de la cadera.

Notas al ejercicio

La Sentadilla Pistola, o a Una Pierna, es probablemente el ejercicio con autocarga para el tren inferior más exigente. Requiere niveles descabellados de estabilidad de caderas y lumbopélvica, fuerza en los glúteos y los cuádriceps de la pierna que trabaja, fuerza y flexibilidad de los flexores de la cadera en la pierna que no actúa, equilibrio y coordinación. Muchas personas descienden todo el recorrido de este movimiento hasta que los glúteos tocan la parte posterior de la pantorrilla. No hay mayor problema; pero, si se aprecia que se redondea excesivamente la espalda durante este movimiento y que la pelvis se coloca demasiado drásticamente en retroversión, detenerse antes e invertir el movimiento en cuanto la flexibilidad de las caderas se agote. Permanecer erguido y mantener el pecho bien abierto. Si no puede llegarse hasta el suelo sin redondear la espalda, no pasa nada por hacer lo antes indicado.

VARIANTE

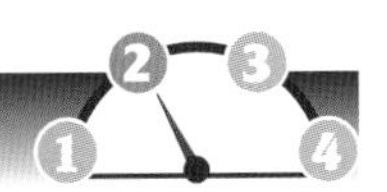

Sentadilla pistola con toalla

La mayoría de las personas no poseen la fuerza ni bastante coordinación como para poder realizar Sentadillas Pistola. Se trata de un ejercicio para el tren inferior muy exigente, y la mayoría necesitamos asistencia para poder realizar el movimiento correctamente. Es posible enganchar una toalla en una puerta o alrededor de un pilar a fin de lograr la ayuda necesaria para realizar el levantamiento.

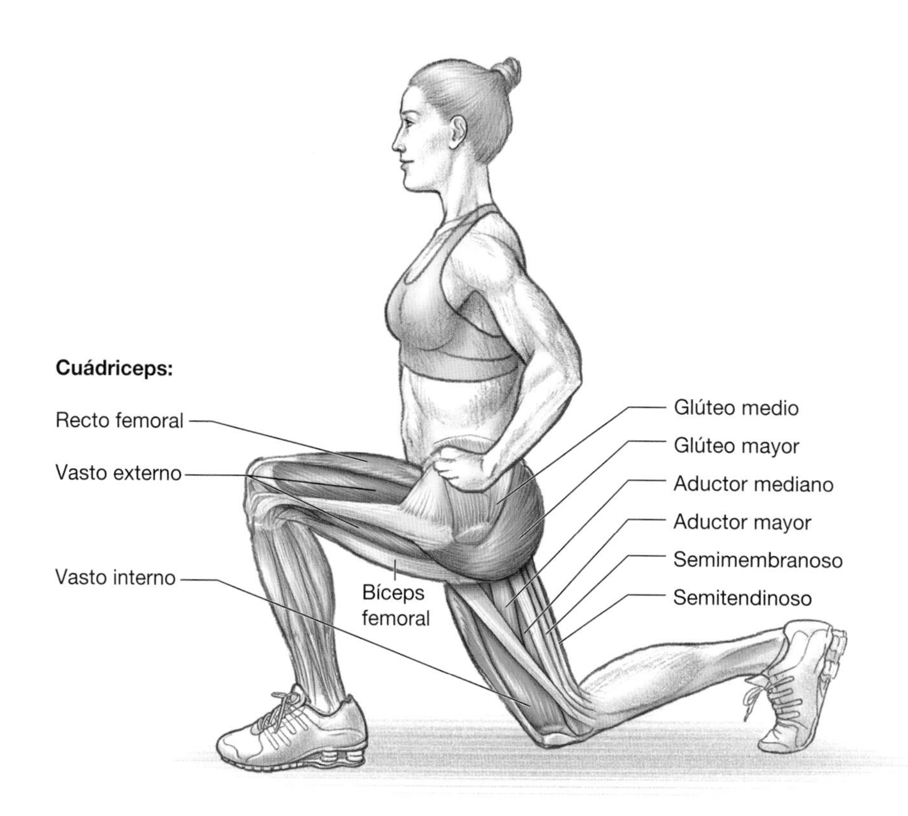

Ejecución

1. Adoptar una posición con una pierna adelantada que sea lo bastante amplia como para que la espinilla de delante esté vertical al final de la zancada. Las manos están en las caderas y las puntas de los pies dirigidas directamente hacia delante.
2. Manteniendo el tronco erguido, descender hasta que la rodilla atrasada se acerque al suelo o lo toque.
3. Regresar a la posición inicial.

Músculos implicados

Agonistas primarios: Cuádriceps (recto femoral, vasto externo, vasto interno y crural), glúteo mayor.

Agonistas secundarios: Isquiosurales (bíceps femoral, semitendinoso y semimembranoso), aductor mayor, aductor mediano, aductor menor, glúteo medio, glúteo menor, rotadores externos profundos de la cadera.

Notas al ejercicio

La Zancada Estática es fácil para mucha gente. Hay que dominar este patrón básico de zancada antes de pasar a variantes más exigentes. Aprender a sentir cómo el glúteo activo impulsa al cuerpo hacia arriba al levantarse de la sentadilla. Mantener el tronco erguido y elevarse y descender recto. Puede ponerse una toalla doblada o un cojín debajo de la rodilla de atrás, para que no golpee contra el suelo. Mantener más peso corporal sobre la pierna adelantada que sobre la atrasada.

VARIANTE

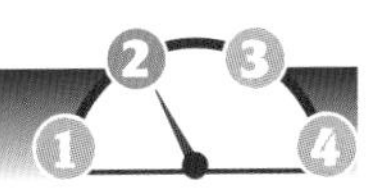

Zancada frontal

Cuando la Zancada Estática llegue a resultar fácil, es el momento de pasar a una variante más exigente. Una manera de añadir dificultad al patrón de zancada es realizarlo hacia delante y luego regresar a la posición inicial como un resorte. Esto impone mayor énfasis en el cuádriceps, ya que este músculo genera un aumento de fuerza a fin de impulsarse para atrasarse y elevarse hasta la posición erguida de pie.

VARIANTE

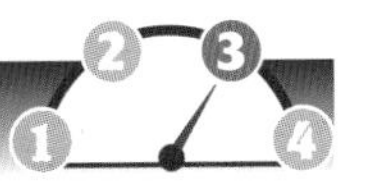

Zancada con salto alterno

Una vez se domine la Zancada Frontal, tratar de realizar una zancada pliométrica saltando en el aire y alternando las piernas con cada repetición. Al realizar la Zancada con Salto Alterno, impulsarse directamente hacia arriba en el aire lo más alto posible y absorber el aterrizaje descendiendo a una posición de zancada. Repetir.

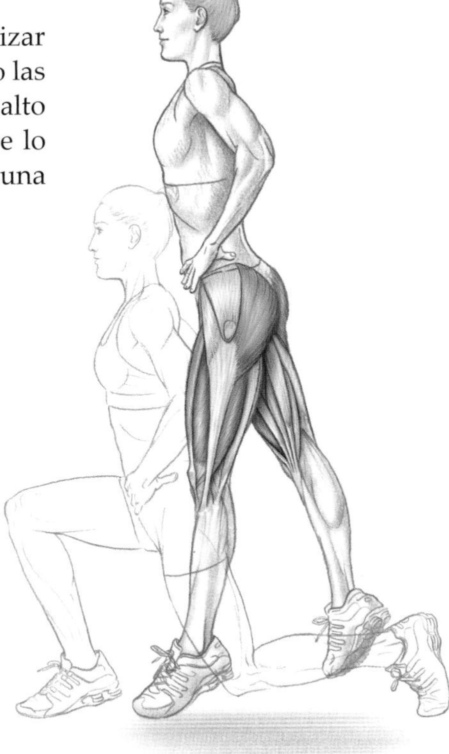

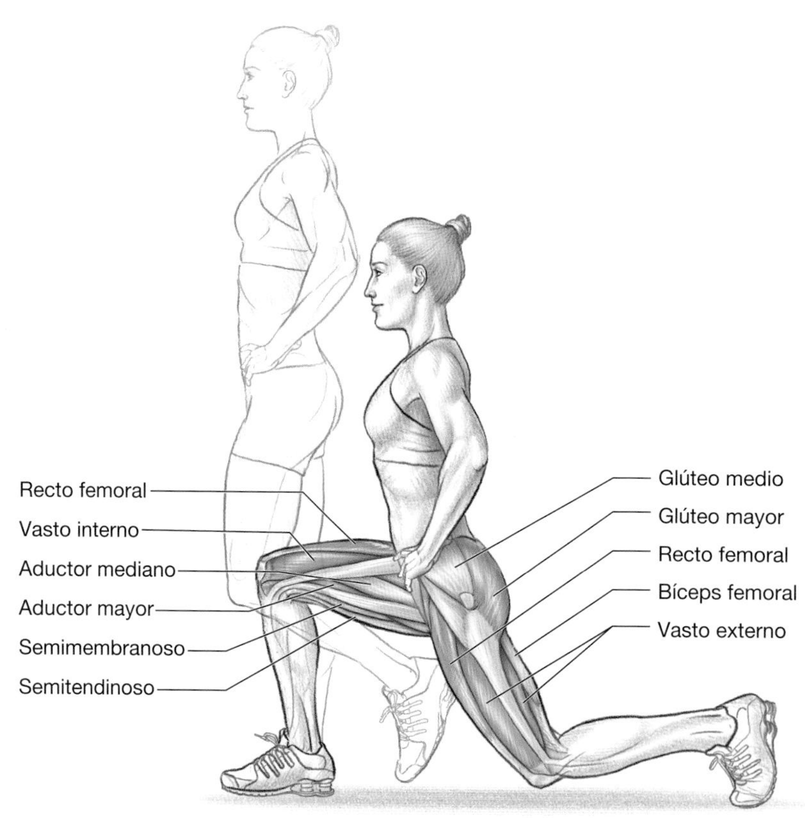

Ejecución

1. Colocarse de pie con las puntas de los pies dirigidas directamente hacia delante y las manos en las caderas.
2. Manteniendo la mayor parte del peso corporal sobre la pierna adelantada, dar un paso atrás e inclinarse hacia delante hasta un ángulo del tronco de aproximadamente 30 grados, hundiendo la cadera activa y descendiendo hasta que la rodilla atrasada se acerque al suelo o lo toque.
3. Elevarse para regresar a la posición inicial.

Músculos implicados

Agonistas primarios: Cuádriceps (recto femoral, vasto externo, vasto interno y crural), glúteo mayor.

Agonistas secundarios: Isquiosurales (bíceps femoral, semitendinoso y semimembranoso), aductor mayor, aductor mediano, aductor menor, glúteo medio, glúteo menor, rotadores externos profundos de la cadera.

Notas al ejercicio

Mientras que la Zancada Frontal pone mayor énfasis en el cuádriceps, la Inversa lo hace sobre las caderas. No es necesario mantener el tronco erguido durante esta variante, porque la inclinación del mismo al frente aumenta el rango de movimiento de la cadera y la carga por par de torsión sobre las caderas. Hay que tratar de sentir cómo los glúteos de la pierna adelantada absorben la fuerza y ayudan a impulsar el cuerpo como un resorte para regresar a la posición inicial.

Muchas personas no dan un paso atrás suficientemente amplio. Existe un punto óptimo desde el punto de vista de la longitud de zancada que potencia al máximo la efectividad del ejercicio. Con el tiempo se aprenderá la distancia perfecta.

Las zancadas son bien conocidas por su capacidad de provocar molestias musculares en los glúteos y los aductores. El aductor mayor en particular recibe una auténtica paliza durante este ejercicio, porque en el fondo los aductores son excelentes extensores de la cadera.

VARIANTE

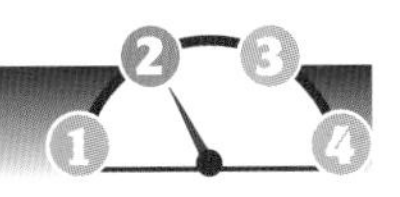

Zancada inversa con déficit

Una vez se domine la Zancada Inversa, puede aumentarse la dificultad del ejercicio colocándose de pie sobre un peldaño, *step,* cajón sólido y resistente, o mesa baja que mida aproximadamente entre 15 y 25 cm de altura. Rigen las mismas reglas, pero esta variante aumentará el rango de movimiento de la cadera y proporcionará un mayor estiramiento del glúteo activo. Ojo al día siguiente. Este ejercicio puede afectar a la capacidad para sentarse sin parecer un anciano. Dicho de otro modo: la carga del estiramiento sobre las caderas puede producir molestias musculares severas en los glúteos.

VARIANTE

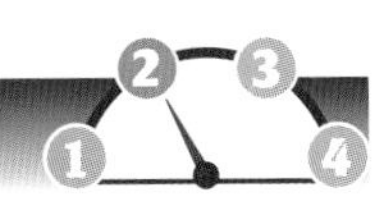

Híbrido de salto al cajón y zancada inversa

El Híbrido de Salto al Cajón y Zancada Inversa es uno de mis ejercicios favoritos. Una vez se dominan el Salto al Cajón y la Zancada Inversa con Déficit, puede realizarse un levantamiento en combinación que es muy efectivo. Colocarse de pie encima del peldaño, asegurándose de que todo el pie esté en él, para poder presionar con el talón. Dar un paso atrás y al aterrizar, descender a la posición de zancada, sintiendo un gran estiramiento en el glúteo. Manteniendo el pecho bien abierto y una ligera inclinación hacia delante, subir de un salto. Tratar de mantener la mayor parte del énfasis sobre la pierna adelantada y evitar emplear la pierna atrasada para asistir excesivamente.

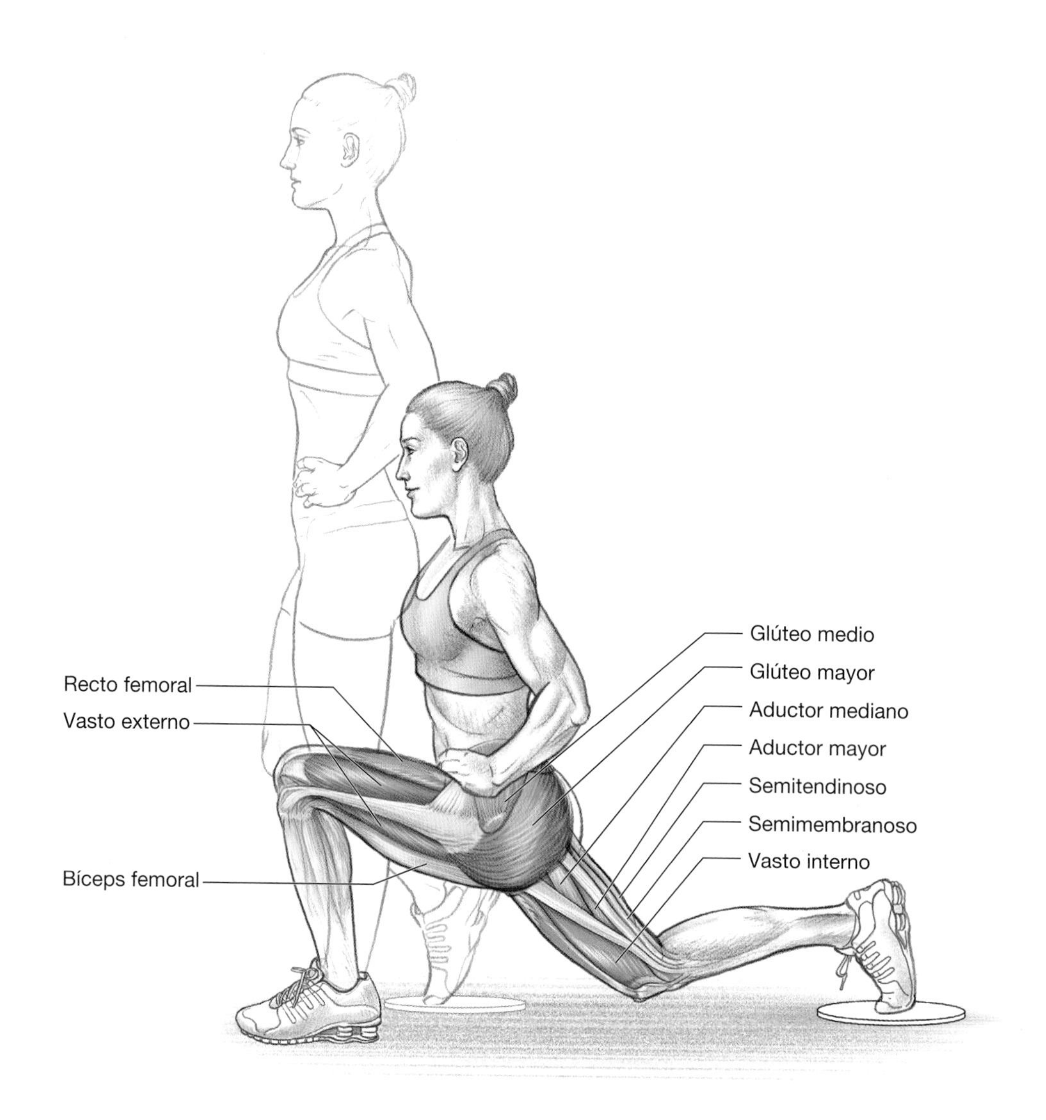

Ejecución

1. Colocarse de pie con las puntas de los pies dirigidas directamente hacia delante, separadas la anchura de los hombros, con las manos en las caderas y uno de los pies sobre un plato de papel. También es posible emplear uno de los discos deslizantes de ejercicio que se encuentran en el comercio o, sobre un suelo resbaladizo, una toalla pequeña de mano.
2. Manteniendo la mayor parte del peso corporal sobre el pie que no está sobre el plato, deslizar este último hacia atrás e inclinarse hacia delante hasta un ángulo de tronco de aproximadamente 30 grados, bajando la cadera que trabaja y descendiendo hasta que la rodilla atrasada se acerque o toque el suelo.
3. Elevarse hasta la posición inicial.

Músculos implicados

Agonistas primarios: Cuádriceps (recto femoral, vasto externo, vasto interno y crural), glúteo mayor.

Agonistas secundarios: Isquiosurales (bíceps femoral, semitendinoso y semimembranoso), aductor mayor, aductor mediano, aductor menor, glúteo medio, glúteo menor, rotadores externos profundos de la cadera.

Notas al ejercicio

Este ejercicio es similar a la Zancada Inversa, salvo en que en la Zancada Deslizante el pie siempre mantiene contacto con el suelo. Mucha gente prefiere esta variante a la Zancada Inversa, pero depende de la persona. A mí me gusta más la Zancada Inversa normal, pero prueba las dos y juzga por ti mismo. En todo caso, ambas son excelentes variantes y el de zancada es un patrón magnífico para mejorar la fuerza global de la cadera, por lo que no puedes equivocarte realizando ambas variantes de vez en cuando.

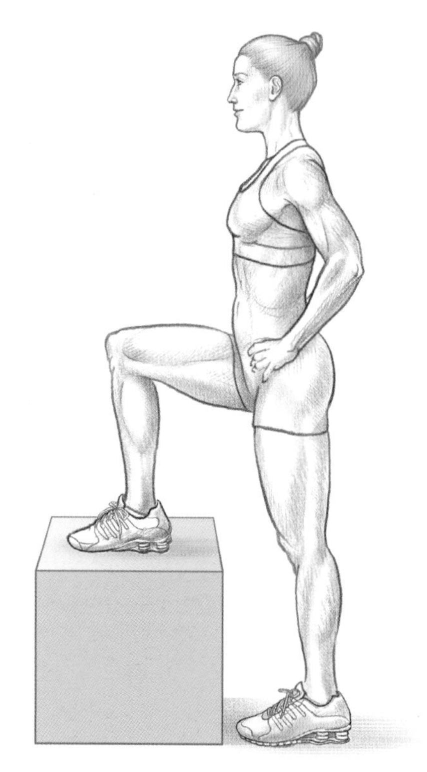
Posición inicial.

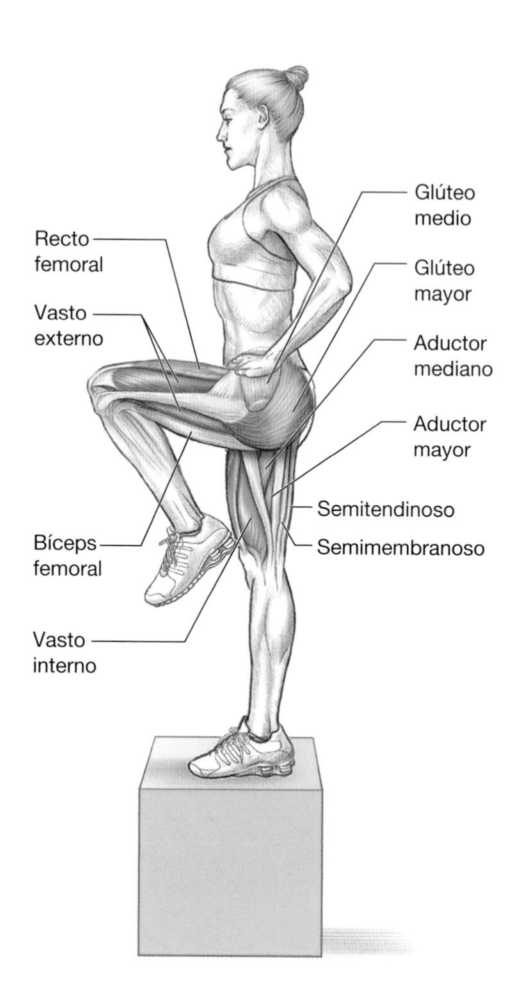

Ejecución

1. Empezar con todo el pie situado encima de un peldaño, *step,* cajón sólido y resistente, silla o banco de pesas. El otro pie permanece en el suelo.
2. Transferir el peso corporal hacia delante y levantarlo dando un paso para situarse sobre el cajón, asegurándose de que la pierna superior haga la mayor parte del trabajo y la inferior no proporcione demasiado impulso.
3. Erguirse y contraer el glúteo activo. La pierna activa no debe tocar el banco y, flexionando la cadera, hay que balancear la rodilla no apoyada para elevarla. Descender al suelo despacio y bajo control para regresar a la posición inicial.

Músculos implicados

Agonistas primarios: Cuádriceps (recto femoral, vasto externo, vasto interno y crural), glúteo mayor.

Agonistas secundarios: Isquiosurales (bíceps femoral, semitendinoso y semimembranoso), aductor mayor, aductor mediano, aductor menor, glúteo medio, glúteo menor, rotadores externos profundos de la cadera, psoas mayor.

Notas al ejercicio

La Subida al Cajón, o *Step-Up*, es un ejercicio clásico que ha resistido el paso del tiempo. Las personas más débiles deben empezar desde una altura muy pequeña y, con el tiempo, ir aumentándola gradualmente. No cometer el error de poner solo la mitad del pie sobre el peldaño, porque esto impide presionar con el talón. Además, no usar la pierna inferior como ayuda para elevarse con impulso, lo cual impide basarse predominantemente en la pierna que trabaja. Por último, al elevarse, el pie de la pierna libre no debe tocar el cajón. Esto favorece la colocación en posición de cuarto de sentadilla y el uso de ambas piernas para completar el movimiento. Hay que emplear un rango completo de movimiento y hacer que la pierna diana realice la mayor parte del trabajo de principio a fin.

VARIANTE

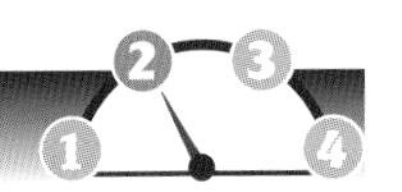

Subida al cajón alto

Al ir dominando la Subida al Cajón normal, aumentar la dificultad del ejercicio empleando cada vez peldaños más altos. No elevar tanto la altura que no pueda mantenerse un arco en la región lumbar y la pelvis en posición neutra o en ligera retroversión. No dejar que la zona lumbar se redondee ni que la pelvis bascule hacia atrás. Emplear objetos de altura excesiva fomenta la flexión lumbar y la retroversión pélvica, cosas que deben evitarse. Esta variante es uno de los ejercicios para glúteos favoritos de muchas de mis clientas y, cuando se realiza correctamente, proporciona un excelente estímulo de fortalecimiento de cada pierna por separado.

VARIANTE

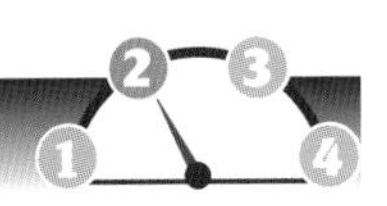

Subida al cajón con salto alterno

Realizar un estilo pliométrico de Subida al Cajón añadiendo un paso explosivo y saltando después desde uno de los lados del peldaño hasta el otro de manera alterna. Proponerse lograr la altura máxima en el salto y asegurarse de que la postura permanezca sólida durante toda la serie.

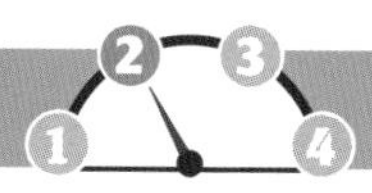

SENTADILLA BÚLGARA

Ejecución

1. Colocarse de pie delante de un peldaño, *step*, escalera, sofá, cama, mesa, taburete o banco de pesas. Alargar un pie hacia atrás, apoyando su dorso encima de la superficie. (Pensar: con los cordones hacia abajo.)

2. Con el tronco erguido o levemente inclinado hacia delante, bajar y atrasar ligeramente la rodilla de la pierna de atrás mientras se trata de mantener la mayor parte del peso corporal sobre la de delante.
3. Descender hasta que la rodilla de atrás casi toque, o toque, el suelo. Elevarse hasta la posición inicial.

Músculos implicados

Agonistas primarios: Cuádriceps (recto femoral, vasto externo, vasto interno y crural), glúteo mayor.

Agonistas secundarios: Isquiosurales (bíceps femoral, semitendinoso y semimembranoso), aductor mayor, aductor mediano, aductor menor, glúteo medio, glúteo menor, rotadores externos profundos de la cadera.

Notas al ejercicio

La Sentadilla Búlgara ha ganado popularidad durante la última década; realmente se trata de un ejercicio asombroso. Muchas personas tienen problemas para encontrar la longitud de zancada óptima. Normalmente es mayor de lo que la mayoría de la gente cree, pero no conviene que sea excesiva. Si se realiza este movimiento correctamente, la rodilla de la pierna de delante no llega a superar la vertical de la punta del pie, porque el ejercicio implica hacer la sentadilla atrasando y bajando los glúteos. Hay que presionar con el talón y mantener una buena postura durante toda la serie.

Muchos practicantes tienen problemas para lograr el mismo número de repeticiones con cada pierna. Por ejemplo, puede que hagan 15 repeticiones con la pierna izquierda y luego tengan dificultades para realizar otras 15 con la derecha, porque el recto femoral derecho habrá sido estirado considerablemente al trabajar la pierna izquierda, debilitando así a la derecha y afectando a su rendimiento durante la serie posterior. Por esta razón, siempre recomiendo empezar por la pierna más débil (es algo que hay que hacer en cualquier ejercicio unilateral), así como descansar más o menos un minuto entre un lado y otro, para no verse afectado por el debilitamiento relacionado con el estiramiento.

VARIANTE

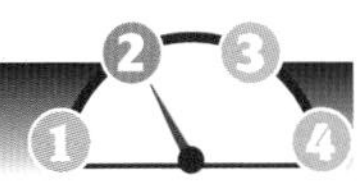

Sentadilla búlgara con déficit

Una vez se domine la Sentadilla Búlgara tradicional, elevar el pie de delante sobre una caja, peldaño o *step* sólidos y resistentes, lo cual permite descender más y lograr rangos de movimiento de la cadera aún mayores. Esta variante es conocida por provocar intensas molestias musculares en los glúteos, porque proporciona una considerable carga de estiramiento al músculo en el punto inferior del movimiento. Debe colocarse un cojín o una toalla doblada bajo la rodilla de la pierna atrasada, para que no golpee contra el suelo.

VARIANTE

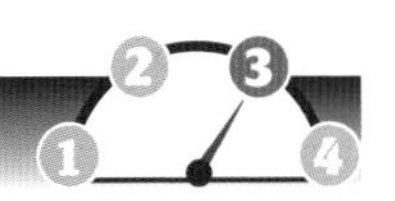

Zancada con salto

Cuando lleguen a dominarse las dos primeras opciones de la Sentadilla Búlgara, será el momento de añadir un efecto pliométrico al movimiento saltando en el aire. Descender todo lo que se pueda, generar la máxima propulsión concéntrica, saltar lo más alto posible y absorber después el impacto del aterrizaje, para suavizarlo.

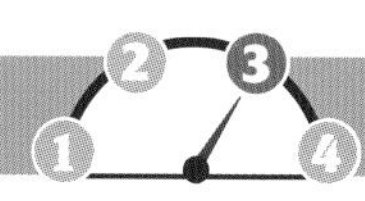

CURL DE PIERNAS RUSO

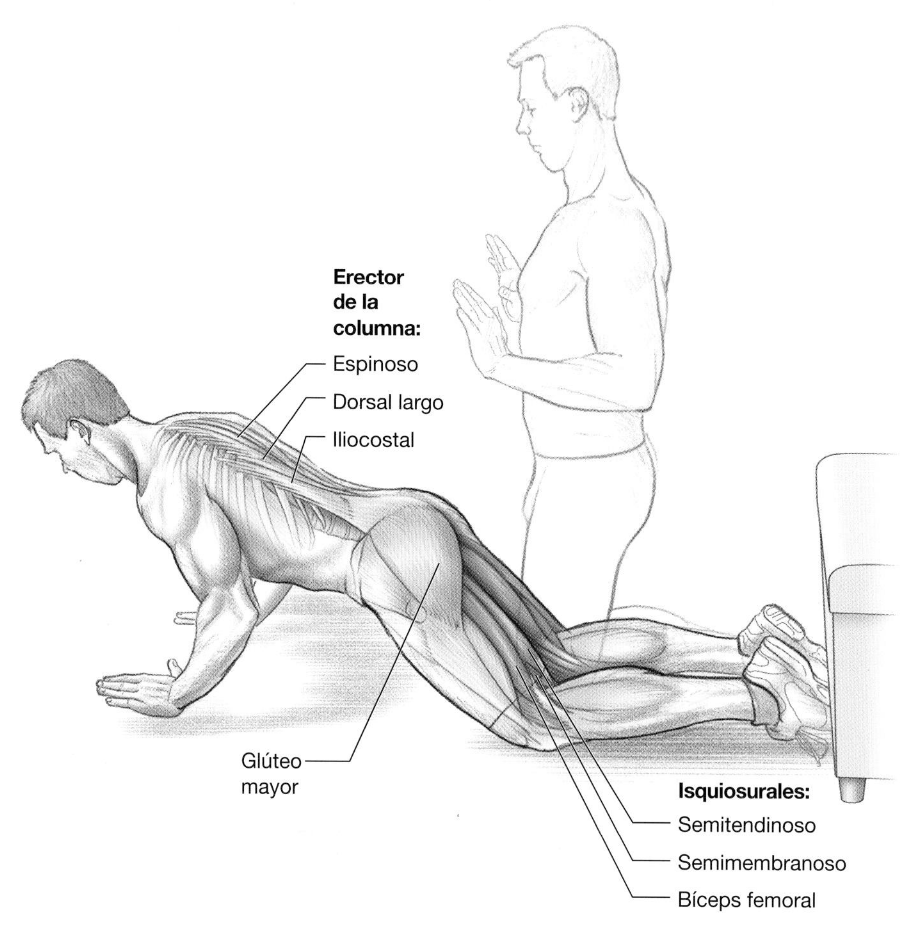

Ejecución

1. Encontrar una barandilla, viga o sofá estable para enganchar los pies debajo de ellos. Arrodillarse sobre un cojín o toalla doblada para reducir la presión sobre las rodillas.
2. Con el tronco erguido, bajarlo de manera controlada manteniendo contraídos los glúteos y asegurándose de no flexionar demasiado las caderas ni permitir que la pelvis bascule y se coloque en una anteversión excesiva.
3. En el punto inferior del movimiento, sujetarse en posición para fondo de brazos e impulsarse como un resorte hasta la posición inicial, ayudándose con la musculatura de los hombros y de los brazos para tratar de potenciar el máximo el par de torsión de la articulación de la rodilla y depender de los isquiosurales para la generación de movimiento.

Músculos implicados

Agonistas primarios: Isquiosurales (bíceps femoral, semitendinoso y semimembranoso).

Agonistas secundarios: Erector de la columna (espinoso, dorsal largo e iliocostal), glúteo mayor.

Notas al ejercicio

Hay que concebir el *Curl* de Piernas Ruso como una flexión de muslos con autocarga. Es un ejercicio efectivo y exigente para los isquiosurales, tanto que la mayoría de los principiantes no puede plantearse realizarlo, debido al requisito previo de tener una fuerza tremenda en ese grupo muscular. Al empezar a aprender el ejercicio, se verá que uno desciende muy rápido, lo cual no está mal. Hay que mantener la posición correcta y tratar de bajar el cuerpo despacio. Con el tiempo se podrá realizar el movimiento bajo control.

VARIANTE

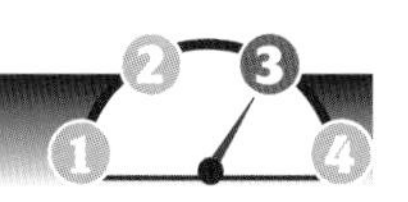

Curl *de piernas ruso asistido con compañero*

Ayuda enormemente disponer de un compañero fuerte que sirva de asistente en este ejercicio. Haz que el compañero te sujete la parte posterior de los tobillos, situando su cuerpo en la vertical de los mismos y presionando hacia abajo para mantenerte en posición. Mientras tu cuerpo desciende, el compañero tendrá que sujetar con fuerza a fin de ofrecer el apoyo necesario para fijar tu cuerpo, de manera que toda tu energía se concentre en el ejercicio y no se malgaste tratando de estabilizarte. Hay que bajar el cuerpo despacio e impulsarlo hasta la posición inicial tratando de usar los isquiosurales lo más posible. No dejes de contraer los glúteos durante todo el movimiento para asegurar que la pelvis no bascule hacia delante.

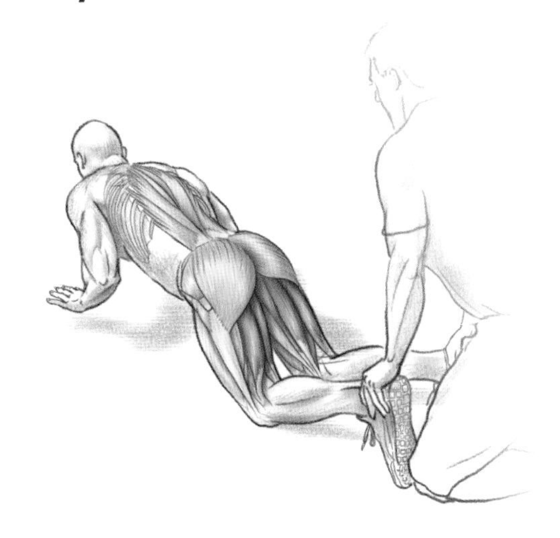

VARIANTE

Curl *de piernas ruso sin manos*

Este ejercicio es muy avanzado. La mayoría de practicantes no llegan nunca hasta este punto; pero, con un entrenamiento regular, se podrá realizar el movimiento sin ayuda alguna. Los isquiosurales podrán generar suficiente fuerza para invertir el cuerpo y elevarlo hasta la posición de bloqueo sin ayuda de los brazos. Cuando se alcance este punto, bastará con poner las manos detrás de la espalda. A medida que la serie progrese, poner los brazos a los lados, por si se necesita usarlos para impedir darse de bruces contra el suelo.

PESO MUERTO RUMANO CON UNA SOLA PIERNA

Ejecución

1. Colocarse sobre un solo pie. Contraer el glúteo de la pierna no apoyada para fijarla en posición al atrasarla.
2. Asegurándose de que la pierna atrasada se mantiene alineada con el tronco, flexionar este por la cintura transfiriendo el peso hacia atrás y bajando la vista para prevenir la hiperextensión cervical. Conservar el pecho bien abierto.
3. Manteniendo un potente arco lumbar, descender hasta que se termine el rango de movimiento de los isquiosurales. Invertir el movimiento para regresar a la posición inicial. Realizar todas las repeticiones primero sobre la pierna más débil y luego cambiar de pierna y repetir con la más fuerte.

Músculos implicados

Agonistas primarios: Isquiosurales (bíceps femoral, semitendinoso y semimembranoso).

Agonistas secundarios: Erector de la columna (espinoso, dorsal largo e iliocostal), glúteo mayor.

Notas al ejercicio

El Peso Muerto Rumano con una Sola Pierna emplea el patrón principal de bisagra de cadera que se requiere para la técnica básica de levantamiento. Los levantadores de pesas aprenden a pivotar en las caderas (una articulación troclear o en bisagra) mientras mantienen arqueada la región lumbar, porque este patrón de movimiento se necesita para numerosos ejercicios. Muchos de ellos realizan este ejercicio incorrectamente flexionando la pierna atrasada, no manteniéndola alineada con el resto del cuerpo, levantando la vista y, por tanto, hiperextendiendo el cuello, o redondeando la espalda. Hay que contraer el glúteo atrasado para fijar en posición la pierna, porque durante este movimiento debe formarse una línea recta desde el talón hasta la cabeza. Esta modalidad de Peso Muerto sirve como excelente ejercicio de movilidad, estabilidad y de tipo sensoriomotor, porque es bastante exigente mantener el equilibrio correcto.

VARIANTE

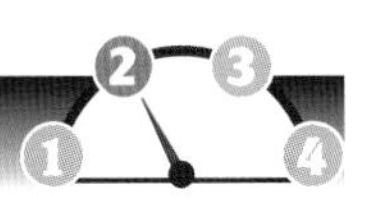

Peso muerto rumano con elevación de rodilla y extensión de brazos

Cuando se haya llegado a dominar el Peso Muerto Rumano con una Sola Pierna, incorporar una técnica de extensión de brazos flexionando los hombros para elevarlos, de manera que queden alineados con el resto del cuerpo. La pierna atrasada, el tronco y los brazos deben estar aproximadamente paralelos al suelo. Realizar además una elevación de rodilla en el punto superior del movimiento mientras se mantiene el equilibrio sobre una pierna. Este ejercicio es exigente desde el punto de vista de la flexibilidad de la cadera y la columna torácica, así como del control propioceptivo.

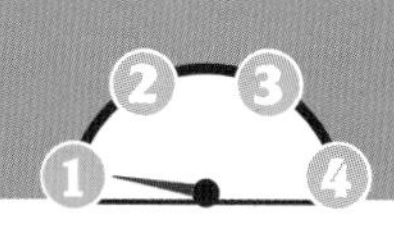

EXTENSIÓN DE ESPALDA ASISTIDA CON COMPAÑERO

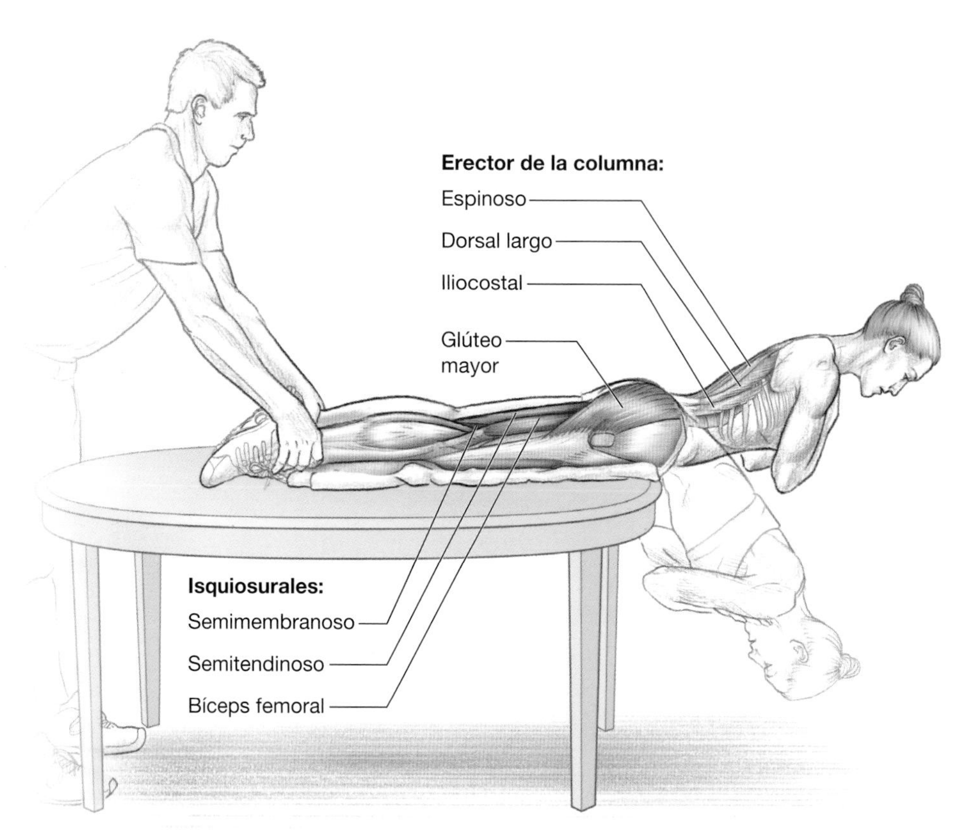

Ejecución

1. Con un compañero sujetando la parte posterior de los tobillos, disponer el cuerpo sobre el extremo de un sofá o mesa sólida y resistente, de manera que las piernas estén estiradas y bien sujetas. Asegurarse de que el cuello esté en posición neutra y las manos en posición de momia (cruzadas delante del tronco).
2. Flexionar las caderas y no la columna vertebral, para conseguir un buen estiramiento en los isquiosurales.
3. Elevar el tronco mientras se contraen los glúteos para fijar la posición.

Músculos implicados

Agonistas primarios: Isquiosurales (bíceps femoral, semitendinoso y semimembranoso), glúteo mayor.

Agonistas secundarios: Erector de la columna (espinoso, dorsal largo e iliocostal).

Notas al ejercicio

La Extensión de Espalda Asistida con Compañero es un ejercicio excelente y eficaz para los isquiosurales, los glúteos y el erector de la columna. La mayoría de las personas realizan este ejercicio incorrectamente. Debido a que el ejercicio se llama Extensión de Espalda, la mayor parte de la gente siente la necesidad de flexionar y extender la columna vertebral para sentir el movimiento en el erector de la columna lo más posible. Es más eficaz hacer que los glúteos y los isquiosurales sean los agonistas primarios flexionando y extendiendo las caderas y manteniendo rígida la espina dorsal durante todo el ejercicio. Por esta razón en realidad debería llamarse Extensión de Caderas en vez de Extensión de Espalda. En el punto superior del movimiento, hay que contraer los glúteos lo más posible y visualizarlos mentalmente tirando del tronco hacia arriba para erguirlo. Los isquiosurales son músculos cruciales para el salto, y este ejercicio ayuda a fortalecerlos adecuadamente.

VARIANTE

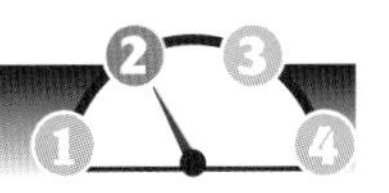

Extensión de espalda del prisionero

Cuando la tradicional Extensión de Espalda Asistida con Compañero se vuelva demasiado fácil, puede aumentarse la dificultad colocando los brazos por encima de la cabeza y estrechándolas detrás del cuello en la posición del prisionero. Esto aumenta la carga al final de la palanca y requiere un mayor par de torsión en las caderas.

VARIANTE

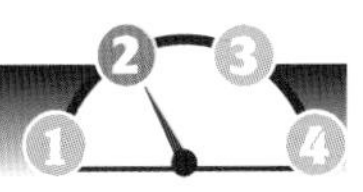

Extensión de espalda con una sola pierna

Cuando las extensiones de espalda con las dos piernas se vuelvan demasiado fáciles, empezar a realizar el ejercicio primero con una pierna y luego con la otra. Mantener el cuerpo rígido y no permitir que la energía se pierda a través de movimientos laterales o de torsión. Sentir un estiramiento en los isquiosurales en la parte baja del movimiento y contraer los glúteos intensamente en la parte superior del mismo. Cuando se haya dominado esta variante, colocar los brazos en la posición del prisionero. Este movimiento es uno de los ejercicios con el propio peso corporal para isquiosurales más efectivos que existen.

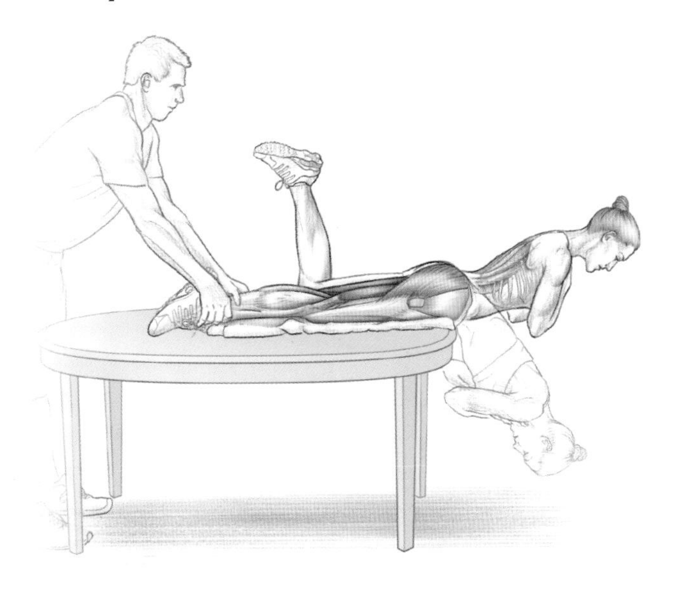

HIPEREXTENSIÓN INVERSA *(REVERSE HYPER)*

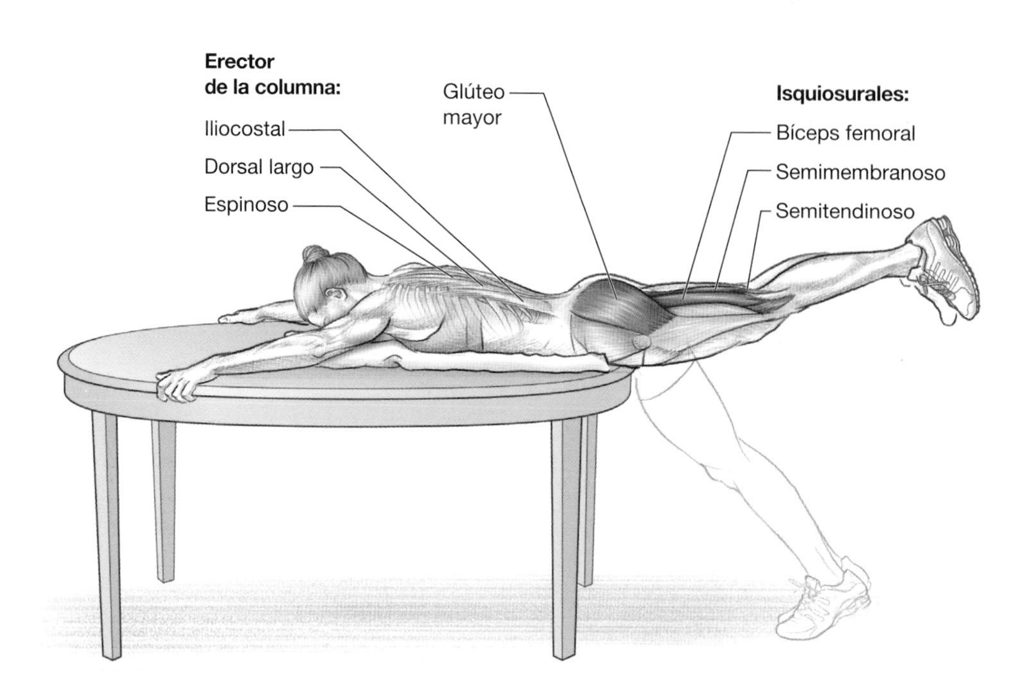

Ejecución

1. Tumbarse apoyando el tronco en una mesa sólida y resistente, disponiendo las piernas sobre el borde y agarrando los bordes de la mesa, con las rodillas estiradas.
2. Manteniendo el tronco bloqueado en posición, elevar las piernas, asegurándose de contraer los glúteos en el punto superior del movimiento y de impedir la hiperextensión de la región lumbar.
3. Bajar las piernas a la posición inicial, manteniendo la columna vertebral estable y asegurándose de prevenir que la región lumbar se redondee.

Músculos implicados

Agonistas primarios: Glúteo mayor, isquiosurales (bíceps femoral, semitendinoso y semimembranoso).

Agonistas secundarios: Erector de la columna (espinoso, dorsal largo e iliocostal).

Notas al ejercicio

La Hiperextensión Inversa es un ejercicio eficaz para la cadena posterior que trabaja toda la parte dorsal del cuerpo a la vez. Hay que agarrar los bordes de la mesa para mantener el cuerpo seguro y fijar en posición la columna vertebral. Debe bajarse la vista para prevenir la hiperextensión del cuello. Ha de conseguirse un gran estiramiento en los isquiosurales en el punto inferior del movimiento y contraer los glúteos con fuerza en el momento de fijar la posición. Cuando se hace correctamente, la Hiperextensión Inversa es un ejercicio asombroso para el tren inferior y el segmento somático central que es muy beneficioso para la columna vertebral.

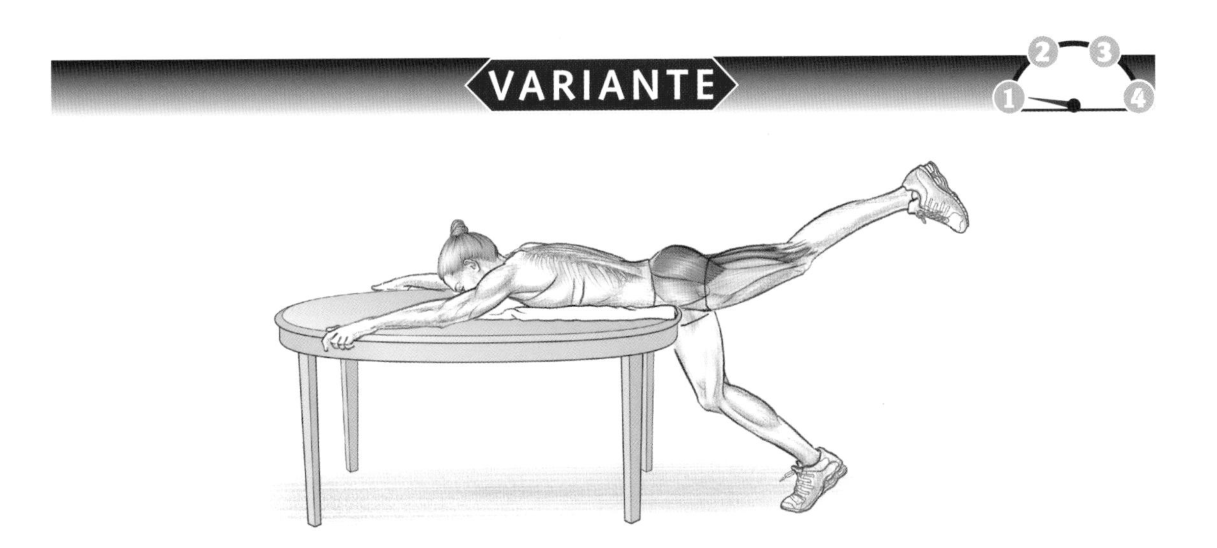

Hiperextensión inversa con una sola pierna

A las personas que tienen problemas con la Hiperextensión Inversa con las dos piernas, la variante con una sola les resulta más fácil porque exige menos del erector de la columna. Hay que centrarse en mantener una posición corporal correcta y mover solamente las caderas y no la columna vertebral. Pronto se podrán realizar Hiperextensiones Inversas con las dos piernas, pero hay que asegurarse de dominar primero la versión con una sola.

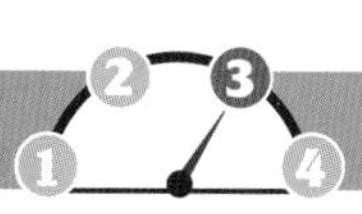

CURL DESLIZANTE DE PIERNAS

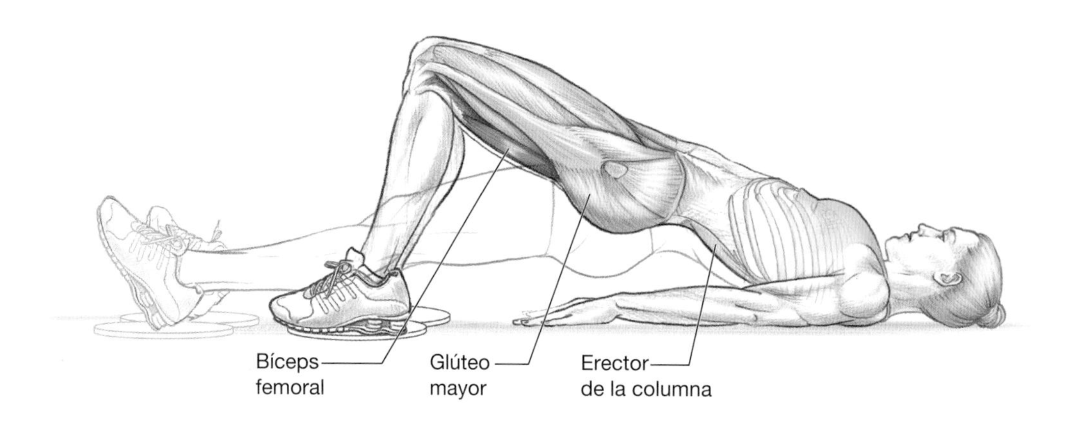

Ejecución

1. Tumbarse de espaldas con las palmas de las manos hacia abajo, colocando los talones sobre dos platos de papel. También pueden usarse discos deslizantes de ejercicio, que se encuentran en tiendas, o, en un suelo resbaladizo, pequeñas toallas de manos.
2. Hacer el puente elevando las caderas mientras se acercan simultáneamente los talones hacia los glúteos.
3. Mantener las caderas altas durante todo el movimiento. Volver a bajar el cuerpo hasta la posición inicial.

Músculos implicados

Agonistas primarios: Isquiosurales (bíceps femoral, semitendinoso y semimembranoso).

Agonistas secundarios: Erector de la columna (espinoso, dorsal largo e iliocostal), glúteo mayor.

Notas al ejercicio

El *Curl* Deslizante de Piernas es un ejercicio eficaz para los isquiosurales que desarrolla al mismo tiempo tanto la fuerza de extensión de cadera como la de flexión de rodilla. La mayoría de la gente realiza este ejercicio incorrectamente hundiendo las caderas y no manteniéndolas extendidas durante toda la serie. La técnica correcta supone niveles avanzados de fuerza y disciplina, porque es tentador dejar que las caderas desciendan y no hacer más que flexionar y extender las rodillas. Hay que contraer los glúteos para elevar las caderas y mantenerlos contraídos mientras se tira de los pies hacia las nalgas con los isquiosurales. Algunas personas fuertes pueden realizar este movimiento primero con una pierna y luego con la otra. Yo no.

GLÚTEOS

Durante los últimos años, he llegado a ser conocido como *the Glute Guy* (el Chico de los Glúteos). Me sorprendería conocer a alguien tan interesado como yo en estos músculos. He dedicado miles de horas a investigar sobre el tema, incluyendo la minuciosa consulta de la literatura científica e incluso conectarme a electrodos para medir la actividad electromiográfica de los glúteos durante el ejercicio. Y lo que es más importante: he ayudado a miles de clientes a mejorar espectacularmente la fuerza y la forma de sus glúteos. Esta transformación es crucial para hombres que buscan una apariencia atlética, porque unos glúteos fuertes producen una locomoción potente. En la misma línea, una mujer con las nalgas firmes y esculpidas es seguro que atraerá la atención de todo el mundo. Un trasero atractivo continúa siendo un tema popular, como prueban las numerosas referencias que aparecen en las letras de las canciones y la atención que le dedican los medios de comunicación.

LOS MÚSCULOS GLÚTEOS

Los glúteos son tres músculos: el glúteo mayor, el glúteo medio y el glúteo menor. (Ver la figura 7.1*b* (pág. 107) para observar la localización de los glúteos respecto a la parte posterior del muslo.) Suele decirse que el glúteo mayor es el músculo más fuerte y potente del cuerpo humano. Cuando los seres humanos evolucionaron y empezaron a caminar erguidos sobre dos piernas, los glúteos se desarrollaron. Este desarrollo fue aumentando a medida que los humanos ganaban coordinación y aprendían a usar estos músculos al saltar, lanzar y hacer oscilar objetos, y ahora nuestros glúteos mayores son los más desarrollados de todos los primates. Desgraciadamente, debido al estilo de vida sedentario actual, muchas personas poseen unos glúteos débiles e infradesarrollados. No caigas en la trampa. Tienes que entender que el glúteo mayor se encarga de varias acciones articulares. Cuando se contrae concéntricamente (las fibras musculares se acortan), extiende la cadera, la rota externamente, la abduce (aparta la pierna del centro del cuerpo) y bascula la pelvis hacia atrás (la coloca en retroversión). El glúteo mayor se contrae isométricamente (con poco acortamiento muscular) y excéntricamente (el músculo se elonga durante la contracción) para impedir o absorber la flexión de la cadera provocando en esta articulación una rotación interna y una aducción (llevar la pierna hacia el centro del cuerpo), y basculando la pelvis hacia delante (colocarla en anteversión). El glúteo medio y el glúteo menor se encargan de la abducción de la cadera además de su rotación, tanto interna como externa, dependiendo de las fibras musculares implicadas y del nivel de flexión articular.

Los tres músculos glúteos poseen varias subdivisiones funcionales, lo que quiere decir que las diversas fibras que contienen pueden funcionar por separado para llevar a cabo diferentes acciones. Por ejemplo, las fibras superiores del glúteo mayor están muy implicadas en la abducción de la cadera, mientras que las inferiores no lo están. Debido a las conexiones con la fascia toracolumbar, la banda iliotibial y el ligamento sacrociático mayor, el glúteo mayor desempeña importantes papeles en la mecánica del pie y del tobillo, así como en la transferencia de potencia del tren superior al inferior durante el ciclo de la marcha.

Los glúteos no son solo la central energética del cuerpo humano, sino que también son los músculos claves que mantienen todo lo demás alineado. Unos fuertes glúteos son cruciales para que el cuerpo funcione correctamente. La debilidad de estos músculos se ha asociado con numerosos patrones de movimiento disfuncionales. Es importante que las rodillas se desplacen correctamente en la vertical de las puntas de los pies al escalar, subir escalones, saltar, aterrizar o ponerse en cuclillas. Debido a que los glúteos se contraen durante el movimiento de la cadera para evitar que las rodillas se hundan hacia dentro (colapso en valgo), unos glúteos débiles pueden provocar dolor en las rodillas causado por una sobrecarga en la región patelofemoral si este patrón disfuncional repetitivo ocurre. Es más, unos glúteos fuertes cambiarán los patrones de movimiento para absorber y producir más fuerza en las caderas y menos en la articulación de la rodilla. Por ejemplo, las personas con caderas fuertes atrasarán más los glúteos en una sentadilla, mientras que las personas con predominancia de los cuádriceps, o que simplemente tienen débiles los extensores de la cadera, permanecerán más erguidas y flexionarán más hacia delante las rodillas, lo cual acabará provocando dolor en estas últimas.

También es importante mantener la columna vertebral en una posición relativamente neutra durante la realización de tareas que impliquen la flexión del tronco y levantamientos, con una curvatura natural normal de la columna lumbar. Las personas con glúteos fuertes son más propensas a mantener una estricta columna neutra al elevarse y moverse principalmente en torno a la articulación coxofemoral, mientras que las personas con los glúteos débiles tienden más a redondear excesivamente la parte baja de la espalda (compensación lumbar), lo cual, con el tiempo, puede provocar lumbalgia. El dolor en la articulación sacroilíaca (SI) suele estar causado por la debilidad de los glúteos. Debido a que el glúteo mayor tensa los ligamentos para cerrar suficientemente la articulación SI, los practicantes que tienen débiles los glúteos son más propensos a padecer inestabilidad articular SI durante actividades vigorosas, lo cual puede provocar dolor.

Los glúteos fuertes ejercen una tracción posterior sobre la pelvis que ayuda a mantener la postura correcta. Unos glúteos débiles pueden provocar lo que se ha denominado *síndrome cruzado inferior*. Esta deformación postural se caracteriza por el desequilibrio de parejas de músculos, llamadas pares de fuerza, que cruzan toda la región lumbopélvica. Fundamentalmente, la tracción del erector de la columna y los flexores de la cadera, que basculan la pelvis hacia delante, excede la tracción de los glúteos y de los abdominales, los cuales basculan la pelvis hacia atrás, causando con el tiempo una gradual anteversión pélvica, acompañada de hiperlordosis de la columna lumbar, predisponiendo así al cuerpo a la lumbalgia.

El glúteo mayor tira hacia atrás de la parte superior del fémur durante la extensión de la cadera, por lo que las personas con los glúteos débiles son propensas a padecer dolores en la parte anterior de esta articulación durante dicho movimiento, a causa del atrapamiento de la cabeza del fémur que se produce en la parte anterior del acetábulo coxal, algo que se conoce como *síndrome de deslizamiento femoral anterior*. Dependiendo de la tarea, una fuerza insuficiente de los glúteos puede requerir una mayor intervención de los cuádriceps, los aductores de la cadera, los isquiosurales, los rotadores de la cadera, el cuadrado lumbar, el erector de la columna e incluso los abdominales. Esto puede provocar diversos desgarros en los músculos circundantes debido a un fenómeno llamado *dominancia sinérgica*. Por ejemplo, una contractura del bíceps femoral (uno de los músculos isquiosurales) o del aductor mayor durante un *sprint* podría ser el resultado de que el músculo se está sobrecargando cuando trata de compensar la falta de tono de un glúteo mayor débil.

El término *amnesia glútea* describe el estado de las nalgas de las personas débiles, poco desarrolladas y sedentarias actuales, cuyos glúteos están tan atrofiados y descoordinados que no logran funcionar bien durante los movimientos funcionales. Esta falta de coordinación funcional ocurre por numerosas razones. Permanecer sentado excesivamente reduce la flexibilidad en los extensores de la cadera, inhibe la activación glútea y comprime el tejido glúteo, limitando de esta forma el suministro de sangre, lo cual interfiere con la distribución de nutrientes y el funcionamiento nervioso. Por último, la ley del uso y desuso se aplica intensamente a los glúteos; las personas que usan los músculos de las nalgas los mantienen, pero quienes dejan de usarlos observarán cómo, con el tiempo, estos acaban por atrofiarse.

LOS GLÚTEOS EN MOVIMIENTO

Los glúteos tienen una importancia fundamental para los movimientos funcionales. Caminar, levantarse de una silla, subir escaleras, recoger algo del suelo o desplazar objetos por una habitación son acciones que requieren un funcionamiento correcto de la musculatura de la cadena posterior (constituida por el erector de la columna, el glúteo mayor y los isquiosurales). El glúteo mayor desempeña un papel importante en la mayoría de las actividades deportivas. Cuando un deportista madura y pasa de un estado de principiante a avanzado, llegando incluso a alcanzar la élite, aprende a obtener cada vez mayores cantidades de potencia impulsora de las caderas. Esta potencia está considerablemente influenciada por la fuerza del glúteo mayor, porque este músculo está muy implicado en casi todos los movimientos deportivos principales, incluidos correr, desplazarse lateralmente, saltar, lanzar y golpear.

El glúteo mayor se contrae con fuerza para extender las caderas durante la zancada en un *sprint,* durante un salto vertical con contramovimiento, al nadar a crol o al ascender una montaña, y para quitarse de encima a un adversario en una montada en artes marciales mixtas. La potencia de la rotación externa del glúteo mayor produce el par de torsión en las caderas requerido para hacer oscilar un bate, en béisbol o *softball,* o una raqueta en tenis, para lanzar el balón en fútbol americano o la pelota en béisbol, y el peso, el disco o el martillo en atletismo, o realizar un *hook,* un cruzado o un *uppercut* en boxeo. La potencia de abducción del glúteo mayor produce estabilidad lateral durante la carrera para impedir que se hundan las caderas, además de generar potencia lateral al desplazarse de un lado a otro durante maniobras de agilidad y cambio de dirección en deportes como el fútbol americano, el fútbol, el voleibol, el baloncesto, el hockey y el tenis.

El glúteo mayor no solo está implicado en deportes de elevada potencia y velocidad, como el atletismo, sino que también se emplea en deportes de gran fuerza, como el levantamiento de potencia y las pruebas de *strongman*. Las acciones intensas en posición de cuclillas, el peso muerto, el levantamiento de piedras y el acarreo de objetos requieren una intensa fuerza del glúteo mayor. En la halterofilia olímplica, las acciones de cargada y envión (en la modalidad de dos tiempos), y de arrancada requieren una considerable potencia del glúteo mayor para acelerar la barra.

Por si fuera poco, el glúteo mayor funciona concéntrica, excéntrica e isométricamente durante las acciones deportivas, tanto para generar como para reducir la fuerza a aplicar. También impide pérdidas de energía, lo cual potencia al máximo la eficiencia de los movimientos. Por supuesto que los movimientos deportivos requieren que los músculos funcionen de manera coordinada y sinérgica. Y efectivamente, muchos músculos son importantes para generar potencia y velocidad, como el cuádriceps durante los saltos y los isquiosurales durante las carreras de velocidad. No obstante, hay razones para afirmar que el glúteo mayor es el músculo más versátil e importante para la capacidad atlética total, debido a las múltiples funciones que realiza en las caderas.

Los ejercicios con autocargas pueden desarrollar muy bien los glúteos, pero es importante aprender primero la técnica correcta de los básicos antes de avanzar a variantes más difíciles. Muchas personas no activan correctamente los glúteos o emplean estrategias de movimiento para aprovecharse del fuerte y potente glúteo mayor. Dominando la actividad correcta y usando una técnica excelente, se dependerá del glúteo mayor para realizar gran parte de los patrones de movimiento primarios, incluyendo las sentadillas y cuclillas, la flexión de tronco, dar zancadas, realizar torsiones, caminar y correr. Suele decirse que los abdominales se hacen en la cocina. Estoy aquí para decirte que los glúteos se hacen con los ejercicios de entrenamiento de la fuerza.

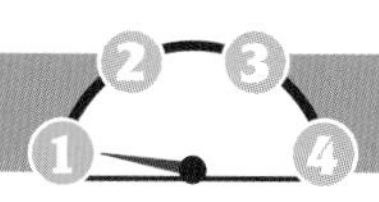

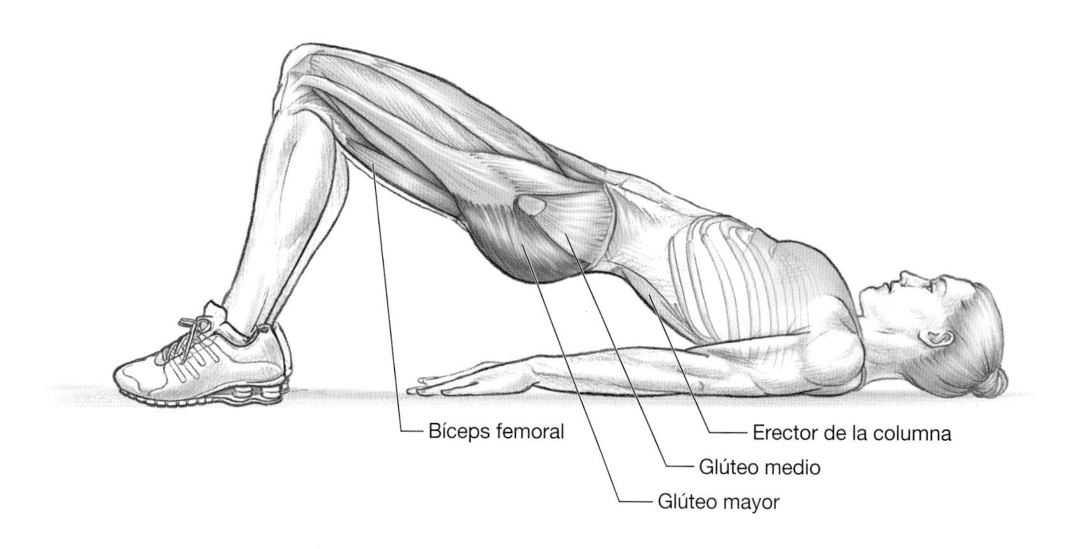

Ejecución

1. Tumbarse de espaldas con los pies y las palmas de las manos en el suelo.
2. Presionando con los talones, elevar las caderas lo más alto posible usando los músculos glúteos. Mover solamente la articulación de la cadera y mantener la región lumbar en posición neutra.
3. Mantener el puente en la posición superior durante un momento, y bajar después las caderas hasta la posición inicial.

Músculos implicados

Agonistas primarios: Glúteo mayor.

Agonistas secundarios: Isquiosurales (bíceps femoral, semitendinoso y semimembranoso), erector de la columna (espinoso, dorsal largo e iliocostal), aductor mayor, aductor mediano, aductor menor, glúteo medio, glúteo menor.

Notas al ejercicio

El Puente de Glúteos es el ejercicio básico de extensión de caderas con las piernas en flexión y, a partir de él, se desarrollan todos los movimientos de puente. El objetivo es sentir que son los glúteos los que elevan las caderas y no los isquiosurales ni el erector de la columna. Hay que evitar hiperextender la columna lumbar y bascular las pelvis hacia delante. Flexionar las rodillas acorta el grupo de los isquiosurales, reduciendo su contribución al movimiento y poniendo más énfasis en el glúteo mayor. Muchas personas, al principio, sienten calambres en los isquiosurales durante los ejercicios de puente, porque estos músculos no están acostumbrados a movimientos de extensión de cadera con las piernas flexionadas. Es algo que desaparece rápidamente cuando los glúteos aprenden a asumir su función principal como extensores de la cadera y los isquiosurales pasan a desempeñar un papel secundario. Unos glúteos fuertes y activados impiden la anteversión pélvica y la hiperlordosis lumbar, algo crucial para la realización óptima de este ejercicio.

VARIANTE

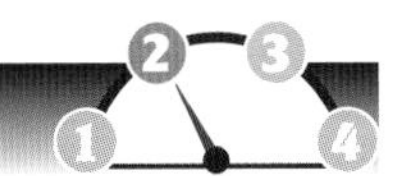

Marcha de glúteos

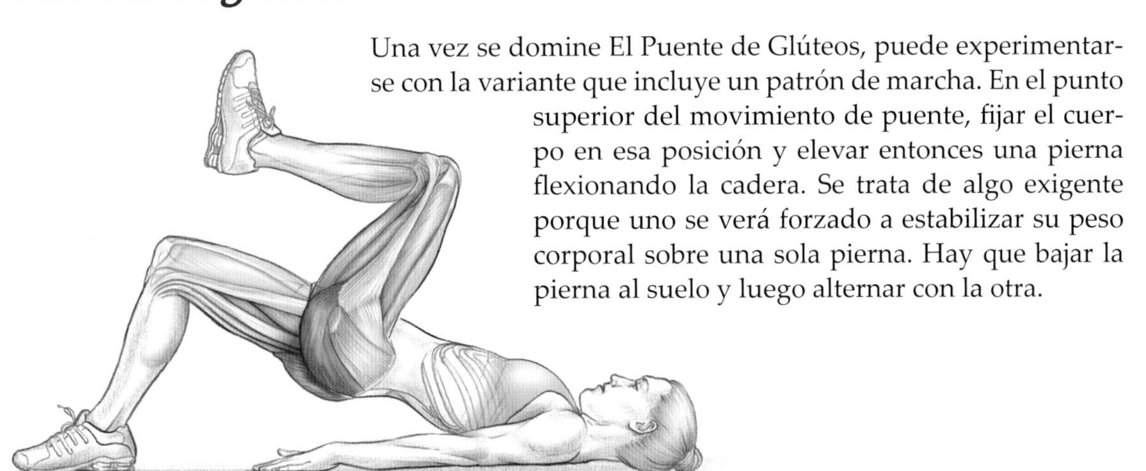

Una vez se domine El Puente de Glúteos, puede experimentarse con la variante que incluye un patrón de marcha. En el punto superior del movimiento de puente, fijar el cuerpo en esa posición y elevar entonces una pierna flexionando la cadera. Se trata de algo exigente porque uno se verá forzado a estabilizar su peso corporal sobre una sola pierna. Hay que bajar la pierna al suelo y luego alternar con la otra.

VARIANTE

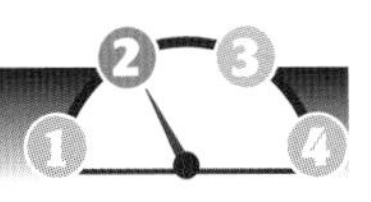

El puente de glúteos sobre una sola pierna

Después de llegar a dominar la Marcha de Glúteos, se puede pasar a realizar El Puente de Glúteos sobre una Sola Pierna. Basta con mantener una pierna flexionada en ángulo recto tanto en la cadera como en la rodilla y realizar el movimiento de puente sobre la otra. Después de terminar todas las repeticiones, realizar el ejercicio con la otra pierna.

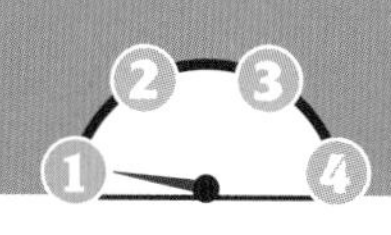

EMPUJE DE CADERAS CON LOS HOMBROS ELEVADOS

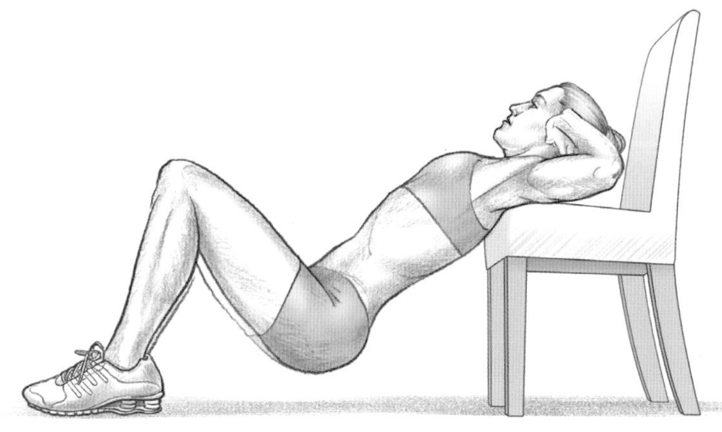

Posición inicial.

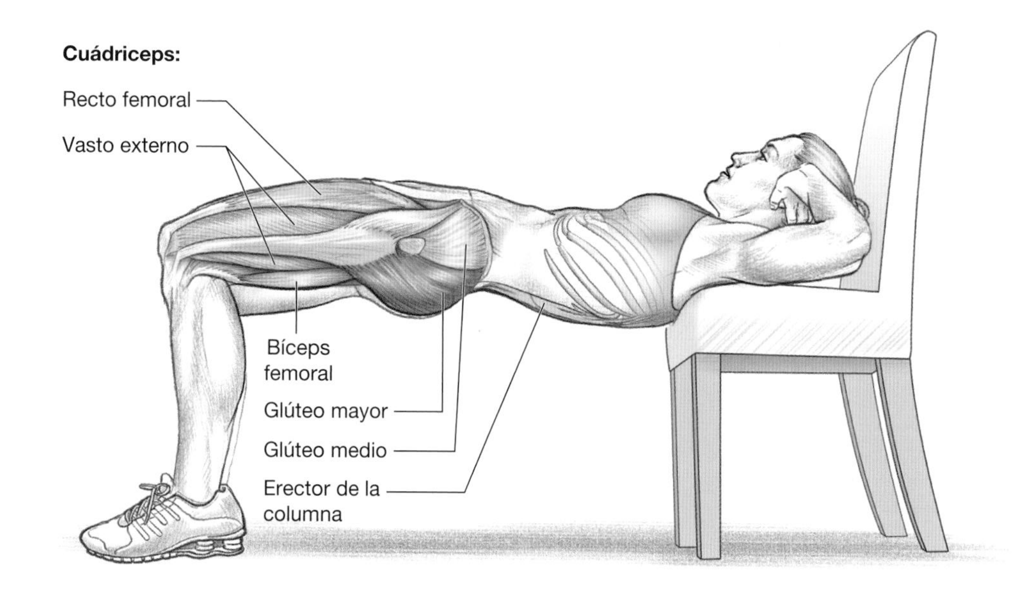

Ejecución

1. Boca arriba, disponer la parte superior de la espalda encima de un sofá, silla sólida y resistente o banco de pesas, con las plantas de los pies en el suelo.
2. Colocar las manos sobre las orejas y extender las caderas contrayendo los glúteos. Presionar con los talones y mantener la región lumbar en posición neutra.
3. Elevar las caderas lo más alto posible y luego bajarlas hasta la posición inicial.

Músculos implicados

Agonista primario: Glúteo mayor.

Agonistas secundarios: Isquiosurales (bíceps femoral, semitendinoso y semimembranoso), erector de la columna (espinoso, dorsal largo e iliocostal), aductor mayor, aductor mediano, aductor menor, glúteo medio, glúteo menor, cuádriceps (recto femoral, vasto externo, vasto interno, crural).

Notas al ejercicio

El Empuje de Caderas con los Hombros Elevados mejora la acción de Empuje de Caderas básico aumentando las demandas en las articulaciones de la cadera y de la rodilla. Esta variante es más difícil para el cuádriceps y desplaza las caderas recorriendo un mayor rango de movimiento que la versión en el suelo. La parte más difícil del movimiento es la superior, que se caracteriza por una posición de caderas neutra o ligeramente hiperextendida. Es importante ser fuerte en este recorrido articular, porque se emplea al correr. Comparativamente, este rango de movimiento de caderas no se fortalece durante los ejercicios de sentadilla, porque en la articulación coxofemoral no hay ninguna necesidad de par de torsión para extender la cadera en posición neutra al estar erguidos de pie. Por esta razón, los ejercicios de sentadilla y de empuje de caderas se complementan bien entre sí.

VARIANTE

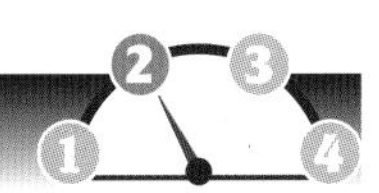

Marcha en empuje de caderas con los hombros elevados

Cuando el Empuje de Caderas con los Hombros Elevados se vuelva fácil, hay que experimentar con la variante que incluye un patrón de marcha. Basta con elevarse hasta el punto superior del movimiento de puente, estabilizar el cuerpo, y marchar elevando de forma alternativa una pierna y luego la otra mediante una flexión de cadera. Las variantes con un patrón de marcha son excelentes ejercicios para la estabilidad de la cadera.

VARIANTE

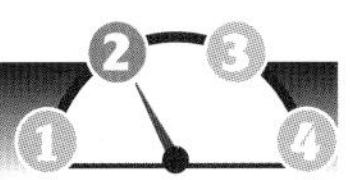

Empuje de caderas con una sola pierna

Cuando la variante que incluye un patrón de marcha deje de resultar exigente, conviene realizar el Empuje de Caderas con una Sola Pierna. Se trata de una variante avanzada que requiere una fuerza considerable para realizar la extensión de la cadera y conseguir estabilidad rotacional en la región lumbopélvica. Hay que elevarse todo lo posible; muchos practicantes disminuyen el recorrido articular cuando este movimiento se vuelve difícil.

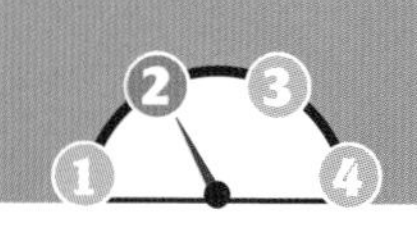

EMPUJE DE CADERAS CON LOS HOMBROS Y LOS PIES ELEVADOS

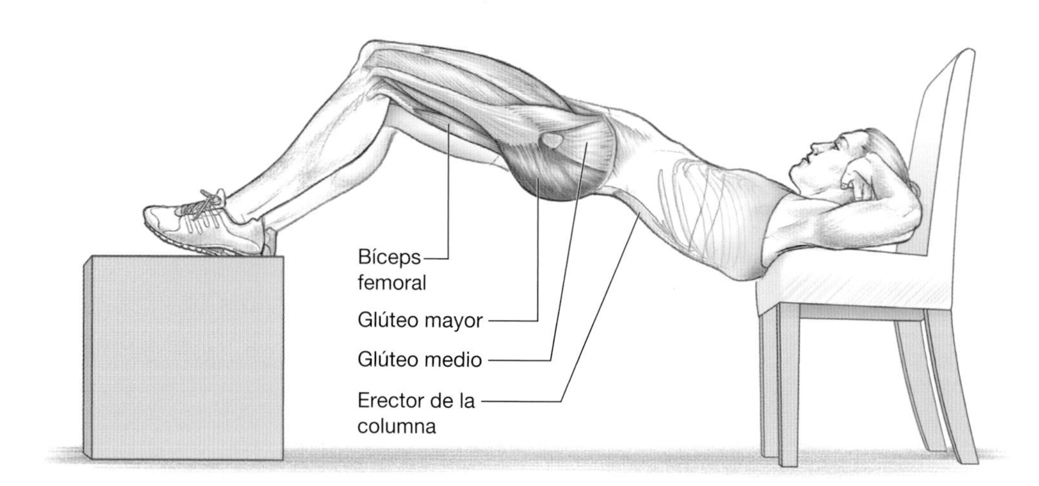

Ejecución

1. Boca arriba, disponer la parte superior de la espalda sobre un sofá, una silla sólida y resistente o un banco de pesas y los pies sobre una mesa pequeña, un taburete o una silla. Las dos superficies deben ser aproximadamente de la misma altura.
2. Extender las caderas contrayendo los glúteos. Presionar con los talones y mantener neutra la región lumbar.
3. Elevar las caderas todo lo posible y luego bajarlas hasta la posición inicial.

Músculos implicados

Agonista primario: Glúteo mayor.

Agonistas secundarios: Isquiosurales (bíceps femoral, semitendinoso y semimembranoso), erector de la columna (espinoso, dorsal largo e iliocostal), aductor mayor, aductor mediano, aductor menor, glúteo medio, glúteo menor.

Notas al ejercicio

El Empuje de Caderas con los Hombros y los Pies Elevados es la variante de El Puente más exigente, porque obliga a las caderas a recorrer el mayor rango posible de movimiento e incrementa considerablemente las demandas sobre los isquiosurales. La versión a dos piernas sigue siendo muy difícil para muchos practicantes de nivel intermedio, aunque los más avanzados necesitarán las variantes a una sola pierna para poner suficientemente a prueba sus músculos extensores de la cadera. La razón por la que los isquiosurales funcionan mucho más intensamente en esta variante es porque las caderas descienden más que los pies, requiriendo así que los isquiosurales generen un par de torsión para la flexión de rodilla, así como otro para la extensión de cadera. Por este motivo, este ejercicio trabaja los isquiosurales en sus dos funciones: extensión de la cadera y flexión de la rodilla.

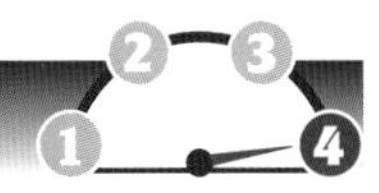

Empuje de caderas a una sola pierna con los hombros y los pies elevados

Una vez se llegue a dominar el Empuje de Caderas con los Hombros y los Pies Elevados con dos piernas, puede intentarse la versión con una sola pierna. Muchas personas se apresuran estúpidamente a hacer esta variante antes de estar preparados para ella. El Empuje de Caderas a una Sola Pierna con los Hombros y los Pies Elevados es probablemente el ejercicio con autocarga para las caderas más exigente que existe, porque requiere una fuerza en los glúteos y una estabilidad tremendas, cualidades que, francamente, no poseen la mayor parte de los principiantes ni incluso la mayoría de practicantes de nivel intermedio. Tómate tu tiempo para realizar progresiones graduales de este ejercicio, de manera que, en el momento de empezar a practicar el Empuje de Cadera a una Sola Pierna con los Hombros y los Pies Elevados se pueda realizar correctamente. Esto significa desplazar las caderas recorriendo con ellas un rango de movimiento controlado y completo mientras se impiden pérdidas de energía laterales y rotatorias. Para asegurar una realización correcta, debe hacerse una breve pausa en el punto superior de cada repetición.

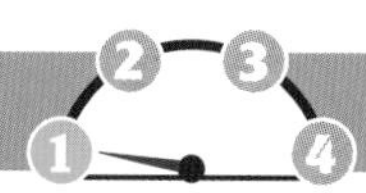

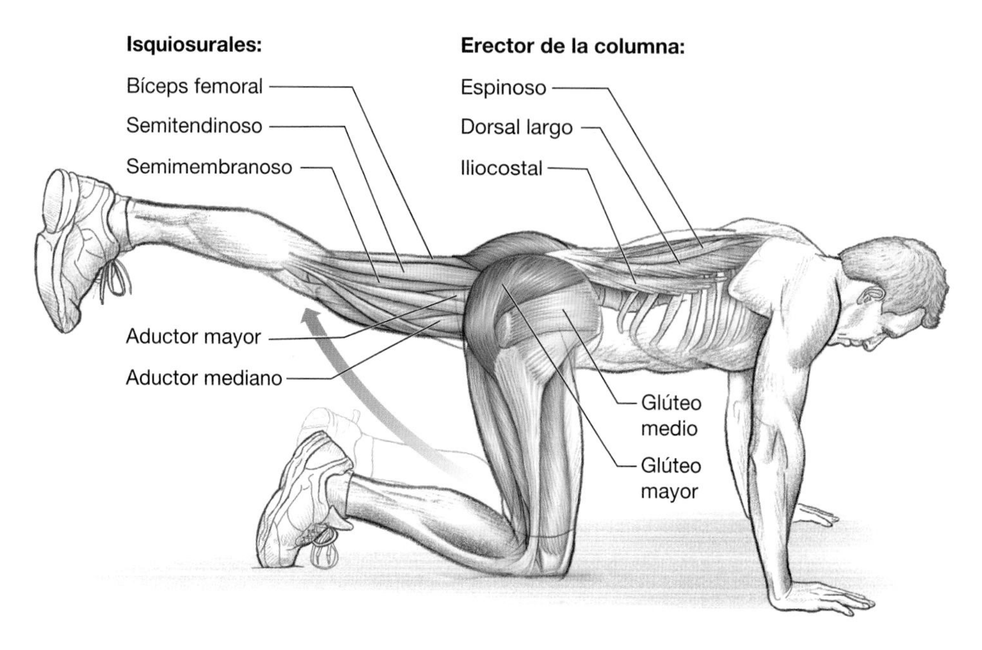

Ejecución

1. Empezar sobre cuatro apoyos (posición de cuadrupedia) con la cabeza, el cuello y la columna en posición neutra, las manos en la vertical de los hombros y las rodillas debajo de las caderas. No debe haber ni flexión, ni extensión, ni flexión lateral, ni rotación en el cuello o la columna.
2. Dar una patada hacia atrás con una pierna, hasta alcanzar la extensión completa.
3. Regresar a la posición inicial. Completar todas las repeticiones con una pierna antes de cambiar a la otra.

Músculos implicados

Agonista primario: Glúteo mayor.

Agonistas secundarios: Isquiosurales (bíceps femoral, semitendinoso y semimembranoso), erector de la columna (espinoso, dorsal largo e iliocostal), aductor mayor, aductor mediano, aductor menor, glúteo medio, glúteo menor, multífidos.

Notas al ejercicio

La Coz es un ejercicio básico de extensión de cadera que entrena la capacidad para mantener la columna vertebral y la pelvis en posición neutra mientras las caderas recorren todo su rango de movimiento. Muchos principiantes tienen dificultades con este tipo de ejercicios, porque están habituados a compensar con el erector de la columna basculando la pelvis hacia delante e hiperextendiendo la columna lumbar, lo cual crea la ilusión de una extensión completa de cadera, cosa que, bien mirado, no ocurre. Es importante aprender a extender las caderas manteniendo la columna y la pelvis en una posición relativamente neutra.

VARIANTE

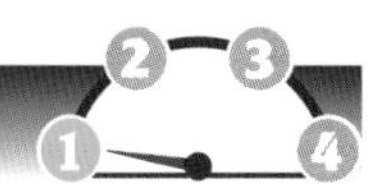

La Coz con la pierna en flexión

La Coz con la Pierna en Flexión, en la cual la rodilla que se eleva está flexionada en ángulo recto, acorta los isquiosurales y reduce su participación en el movimiento. Debido a que estos músculos están así debilitados, los glúteos, más fuertes, cubrirán la falta de tensión, lo cual hace que este ejercicio se centre más en ellos, porque requiere menos par de torsión por parte de los isquiosurales y del erector de la columna mientras se mantiene la tensión de los glúteos. Hay que contraerlos en el punto superior del movimiento y mantener la columna recta cuando la cadera se eleva.

VARIANTE

Elevaciones contralaterales

El ejercicio de Elevaciones Contralaterales es una evolución de La Coz al añadir un patrón de movimiento diagonal con el tren superior, para complementar el que se realiza con el inferior y permitir una adecuada transferencia a través del segmento somático central. Durante este movimiento hay que alternar entre patrones de extensión de pares diagonales (el brazo izquierdo combinado con la pierna derecha, y viceversa). Los patrones de movimiento diagonales activan los estabilizadores de la columna para que opongan resistencia al movimiento rotatorio, lo cual contribuye a hacer de este un ejercicio idóneo para la estabilidad de la zona media.

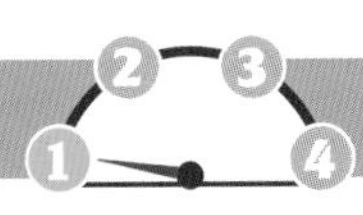

LA PINZA

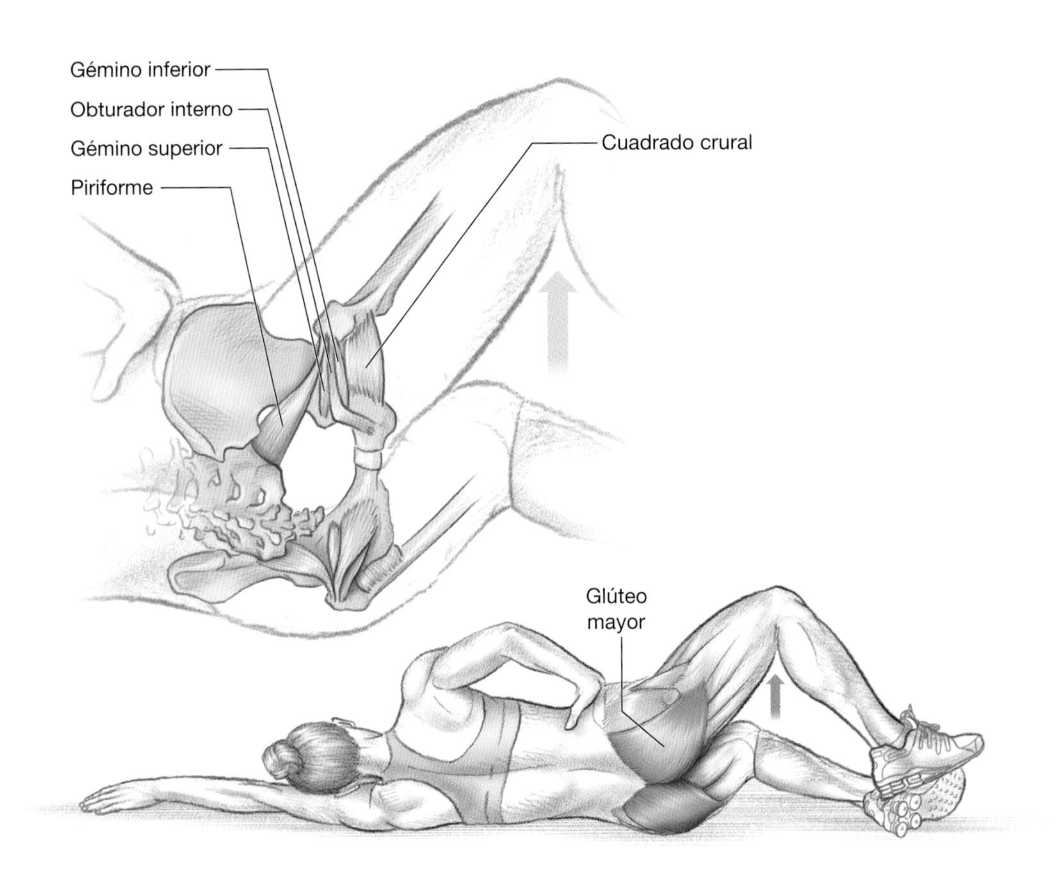

Ejecución

1. Empezar en decúbito lateral con las caderas flexionadas aproximadamente 135 grados y las rodillas más o menos en ángulo recto. El cuello se apoya en el brazo, situado en el suelo. La mano del otro brazo se apoya en la cadera.
2. Con los talones en contacto, rotar hacia arriba la cadera superior. Asegurarse de que el movimiento parta de las caderas. No inclinarse lateralmente ni mover la columna. Los talones permanecen juntos durante toda la serie.
3. Regresar a la posición inicial. Completar el número deseado de repeticiones y realizarlo también por el otro lado.

Músculos implicados

Agonista primario: Glúteo mayor.

Agonistas secundarios: Rotadores externos profundos de la cadera (piriforme, gémino superior, obturador interno, gémino inferior, obturador externo, cuadrado crural).

Notas al ejercicio

La Pinza es un ejercicio sorprendentemente eficaz y es uno de los favoritos para calentar de muchas de mis clientas, porque les gusta sentir la quemazón que genera en los glúteos. Cuando se realiza correctamente, el movimiento provoca una buena activación tanto en el glúteo mayor como en los rotadores externos de la cadera. Muchas personas realizan el ejercicio ineficazmente al perder el contacto en los talones o al inclinarse hacia atrás. Se trata de un movimiento de rango corto que fortalecerá la rotación externa de la cadera, una acción articular crucial en la práctica deportiva.

VARIANTE

La Pinza en posición neutra

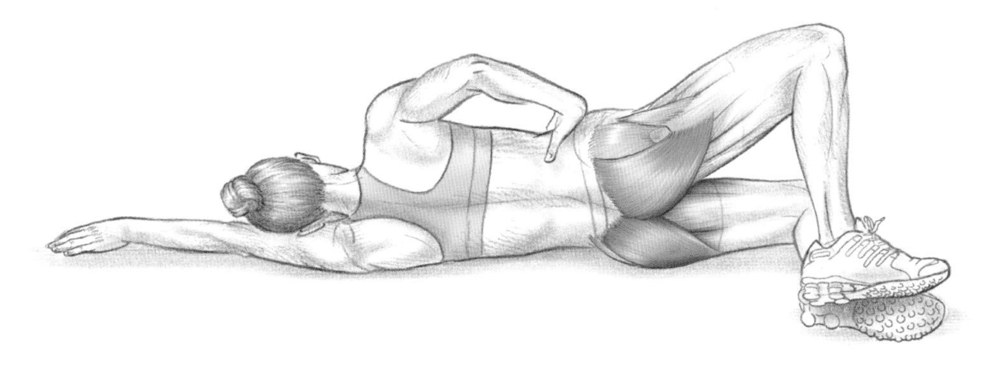

La Pinza puede también realizarse con las caderas en posición neutra, manteniendo una línea más bien recta desde los hombros hasta las rodillas. Los talones deben estar en contacto durante toda la serie y hay que evitar inclinar o girar la columna vertebral.

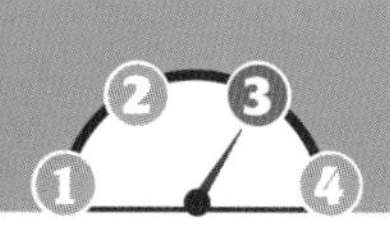

ELEVACIÓN DE CADERAS EN DECÚBITO LATERAL

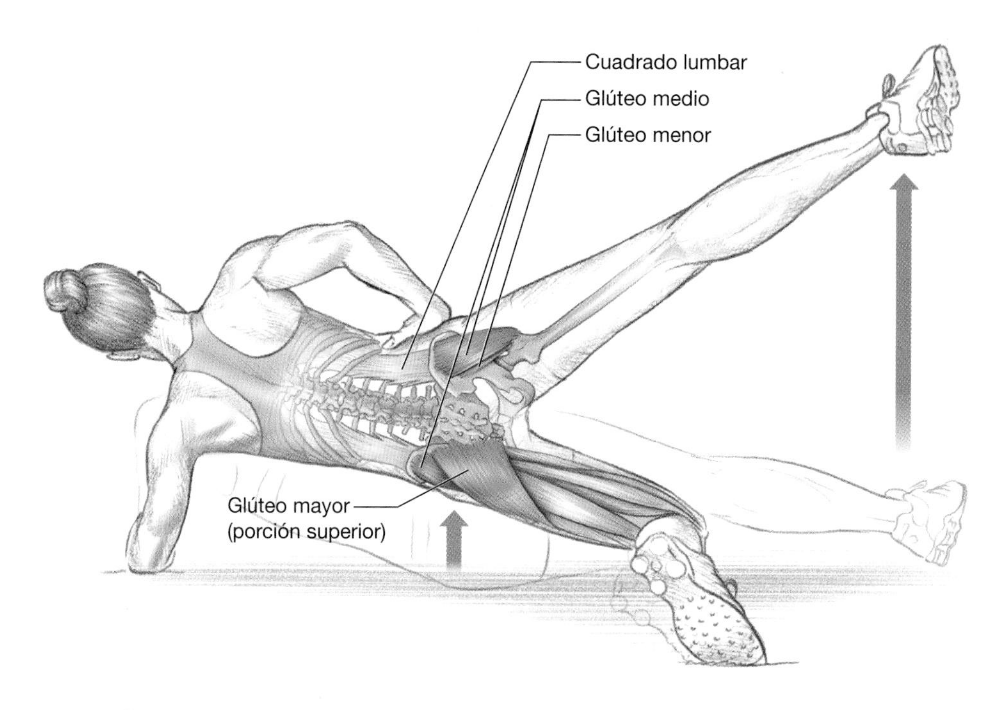

Ejecución

1. Partiendo de una posición en decúbito lateral, elevarse para quedar apoyado sobre el codo inferior, y disponer la mano del otro brazo sobre la cadera.
2. Asegurándose de que el cuerpo esté en línea recta desde los hombros hasta las rodillas, elevar el cuerpo abduciendo simultáneamente las caderas, tanto la superior como la inferior.
3. Descender hasta la posición inicial. Completar el número deseado de repeticiones y realizarlo también por el otro lado.

Músculos implicados

Agonistas primarios: Glúteo medio, glúteo menor, porción superior del glúteo mayor.

Agonistas secundarios: Oblicuo interno, oblicuo externo, cuadrado lumbar.

Notas al ejercicio

La Elevación de Caderas en Decúbito Lateral es un ejercicio avanzado que fortalece la porción superior de los glúteos y la musculatura del segmento somático central. Hay que mantener una posición neutra en las caderas y evitar flexionarlas hacia delante. La rodilla inferior siempre estará en flexión, pero la superior puede estar flexionada (versión más fácil) o estirada (versión más difícil), dependiendo del nivel de dificultad deseado. Debe controlarse el cuerpo al recorrer un rango de movimiento completo y evitar dar sacudidas. Este ejercicio fortalece la abducción de cadera, una acción articular crucial en la práctica deportiva.

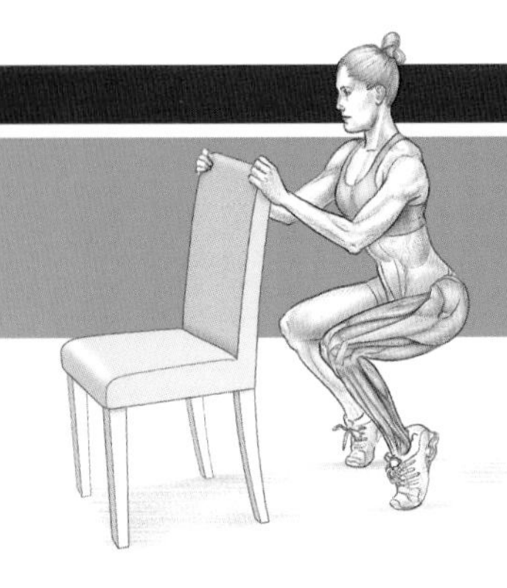

CAPÍTULO 9

PANTORRILLAS

Las pantorrillas son un grupo muscular muy singular. A muchas personas les parece que, hagan lo que hagan, se topan con serias dificultades para hacer crecer sus pantorrillas, mientras que ciertos individuos afortunados ni siquiera tienen que entrenarlas específicamente para lograr un desarrollo impresionante. La estética de las pantorrillas se ve afectada por un sustancial componente genético, y es difícil anular un patrón hereditario. Una genética favorable para el desarrollo de las pantorrillas da lugar a vientres musculares alargados, tendones de Aquiles cortos y ratios de fibras de contracción rápida y lenta ventajosos. No obstante, muchas personas han superado sus límites y desarrollado impresionantes pantorrillas a base de trabajo duro y regularidad. Por ejemplo, Arnold Schwarzenegger solía esconder sus pantorrillas cuando le fotografiaban, pero con el tiempo pudo convertir su escaso desarrollo de pantorrillas en uno de sus puntos fuertes trabajando los músculos implacablemente con una contundente combinación de volumen, intensidad y frecuencia.

Si eres uno de los afortunados que no tienen que realizar trabajo directo de pantorrillas para que tengan un aspecto atlético, lo más probable es que des este don genético por descontado. Pero si por extremidades inferiores tienes dos palillos, deberías hacer todo lo posible por lograr la simetría muscular en esa parte del cuerpo. Es importante poseer, al mínimo indispensable, un nivel básico de fuerza y desarrollo en la parte inferior de las piernas.

Si se considera que caminar es una elevación de la pantorrilla con autocarga de rango corto, se caerá en la cuenta de lo habituadas que las pantorrillas están al entrenamiento de baja intensidad. Un estadounidense normal da una media de 7.000 pasos al día (en comparación con los 18.000 pasos al día de la población Amish). Para hacer que las pantorrillas se desarrollen, hay que emplear estrategias que sometan a su musculatura al máximo de tensión, porque ya está bastante acostumbrada a actividades de baja intensidad.

LOS MÚSCULOS DE LA PANTORRILLA

Cuando la gente habla de las pantorrillas, normalmente se refieren a los músculos gemelos y sóleo (figura 9.1). Estos dos músculos, además del delgado plantar (un músculo que mide solo entre 5 y 10 cm de longitud y que no tiene aproximadamente el 10 por ciento de la población), comparten un tendón común, el de Aquiles. Los gemelos tienen dos cabezas bien diferenciadas: la porción externa y la interna. El sóleo se encuentra debajo de los gemelos y es un músculo monoarticular que cruza solamente la articulación del tobillo, por lo que no se ve mecánicamente afectado por el ángulo de la rodilla. No puede decirse lo mismo de los gemelos, que son un músculo biarticular que cruza las articulaciones del tobillo y de la rodilla y, por tanto, se acorta e inhibe cuando esta última está flexionada. Por esta razón, los ejercicios que, desde una posición con las rodillas flexionadas, realizan flexión plantar (que dobla el pie hacia abajo), como la Elevación de Pantorrillas en Sentadilla (pág. 172), se centran en el músculo sóleo y no en los gemelos.

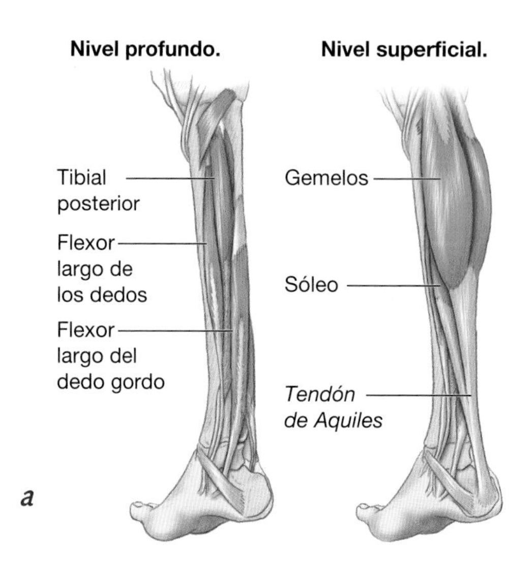

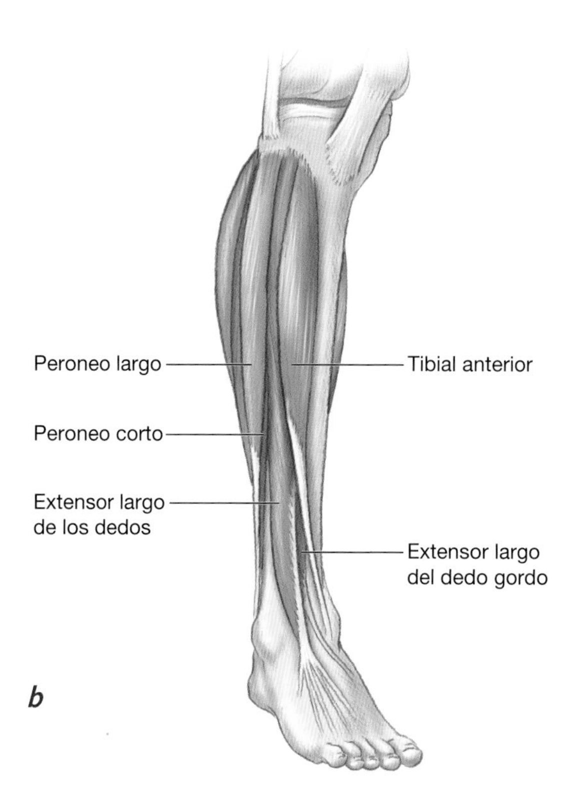

Figura 9.1 Músculos de la pierna: (*a*) vista posterior, incluyendo los niveles profundo y superficial, y (*b*) vista anterior.

Aunque el sóleo y los gemelos sean ambos flexores plantares (elevan el talón al ponerse de pie), solamente los gemelos pueden producir una leve flexión de la rodilla, especialmente cuando esta se halla más extendida. En la flexión plantar colaboran muchos otros músculos de la pierna, incluyendo el delgado plantar, el peroneo largo, el peroneo corto, el flexor largo del dedo gordo, el flexor largo de los dedos y el tibial posterior.

Comparado con los gemelos, el sóleo suele tener un porcentaje mucho mayor de fibras musculares tipo I y, por tanto, se ha demostrado que inicia contracciones lentas. Los gemelos suelen iniciar contracciones más rápidas. Variando la posición del pie es posible centrarse en la porción externa o en la interna de los gemelos. Una posición en rotación externa (con las puntas de los pies orientadas hacia el exterior) activa su porción más interna (la situada hacia el centro del cuerpo), mientras que una posición en rotación interna (con las puntas de los pies orientadas hacia el interior) activa su porción más externa (la situada hacia el exterior del cuerpo).

ACCIONES DE LA PANTORRILLA

Los músculos de la pantorrilla se utilizan durante actividades de bajo impacto como permanecer de pie y caminar, y proporcionan una estabilidad considerable, necesaria para mantener el equilibrio. En la práctica deportiva, se activan mucho al correr, saltar, esprintar y desplazarse lateralmente. El sóleo se ha demostrado que es más importante para el salto vertical que los gemelos. Estos últimos se ha observado que se activan mucho durante la fase impulsora de contacto con el suelo en los *sprints.* Por lo tanto, hay que fortalecer ambos músculos. A efectos de la práctica deportiva, es importante no solo poseer fuerza en la musculatura de la parte inferior de la pierna, sino también potencia y estabilidad. Las actividades pliométricas, que contraen y estiran los músculos rápida y reiteradamente, ayudarán a incrementar estas cualidades.

ELEVACIÓN DE PANTORRILLAS DE PIE

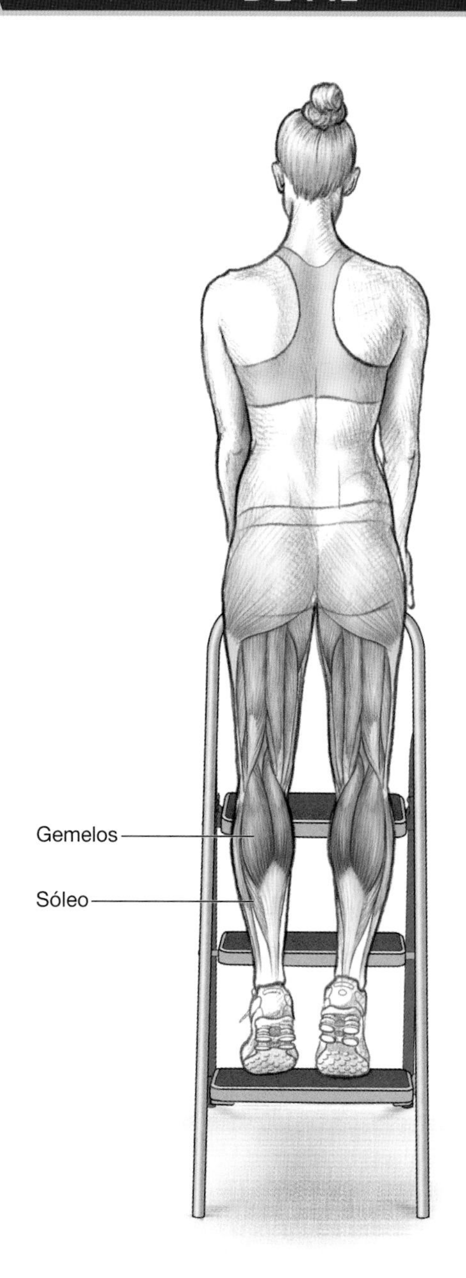

Ejecución

1. Empezar con las puntas de los pies apoyadas sobre una plataforma o peldaño y el cuerpo erguido.
2. Agarrándose a algún objeto para mantener el equilibrio, bajar el cuerpo y sentir un buen estiramiento en las pantorrillas.
3. Elevar el cuerpo lo más alto posible sobre las puntas de los pies, manteniendo la posición superior mientras se cuenta 1 segundo. Realizar la secuencia hasta completar el número de repeticiones requerido.

Músculos implicados

Agonistas primarios: Gemelos.
Agonista secundario: Sóleo.

Notas al ejercicio

La Elevación de Pantorrillas de Pie es un excelente ejercicio del que pueden hacerse un gran número de repeticiones. Con este ejercicio muchas personas escatiman en su rango de movimiento. Baja y sube al máximo cuando lo realices. A veces pueden realizarse repeticiones más rápidas, que son más fluidas, mientras que en otras ocasiones es posible realizarlas bajo un control estricto, manteniendo la posición superior durante tiempos prolongados y bajando el cuerpo muy despacio para acentuar la fase excéntrica.

VARIANTE

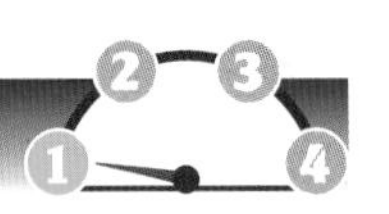

Elevación de pantorrillas de pie con una sola pierna

Una vez que la Elevación de Pantorrillas de Pie con las dos piernas se vuelva fácil, pasar a la variante con una sola pierna. Hay que asegurarse de descender mucho en el movimiento y cargar la pierna activa hasta alcanzar su máxima amplitud articular. Acordarse de hacer una pausa de un segundo en el punto superior de la repetición. Yo todavía sigo teniendo problemas para llegar a 20 repeticiones de este ejercicio.

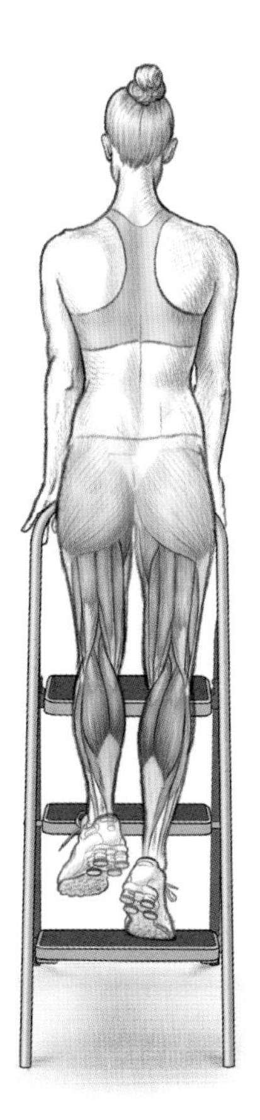

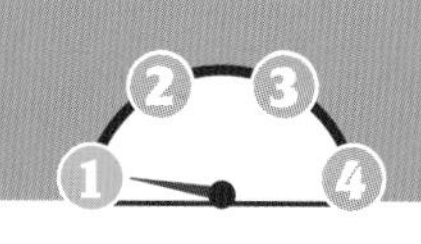

ELEVACIÓN DE PANTORRILLAS EN SENTADILLA

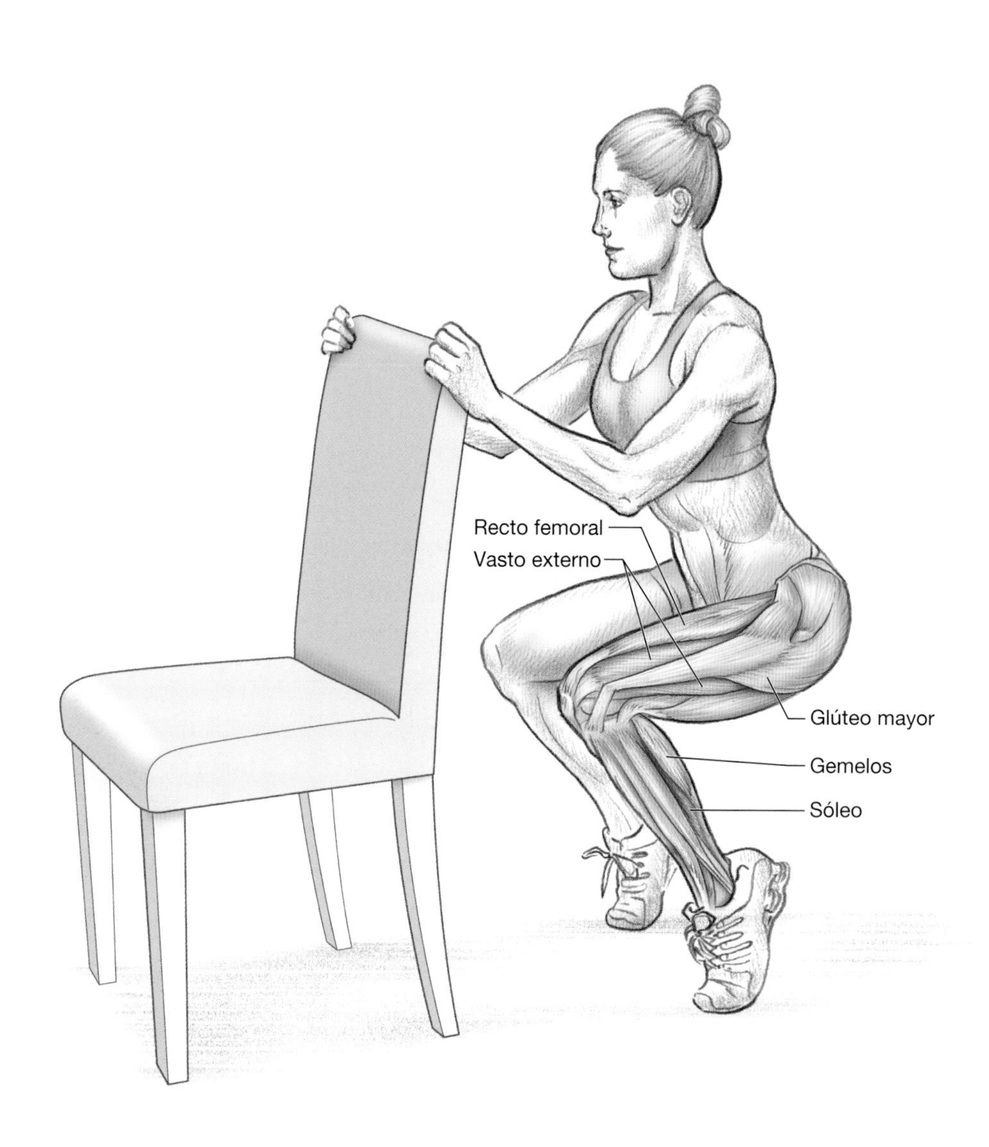

Ejecución

1. Empezar con el peso del cuerpo sobre las puntas de los pies y descender a una posición de sentadilla con las piernas paralelas, de manera que las rodillas estén flexionadas aproximadamente en ángulo recto.
2. Agarrándose a algún objeto para mantener el equilibrio y con una posición estable de las caderas y de las rodillas, bajar el cuerpo y sentir un buen estiramiento en la articulación del tobillo.
3. Elevar el cuerpo lo más alto posible sobre las puntas de los pies, manteniendo la posición superior mientras se cuenta 1 segundo. Realizar la secuencia hasta completar el número de repeticiones requerido.

Músculos implicados

Agonista primario: Sóleo.

Agonistas secundarios: Gemelos, cuádriceps (recto femoral, vasto externo, vasto interno, crural), glúteo mayor.

Notas al ejercicio

La Elevación de Pantorrillas en Sentadilla excluye a los gemelos del movimiento y, para la activación muscular, se centra en el sóleo. Este ejercicio es bastante complicado, por lo que hay que centrarse en la técnica correcta. Se deben mantener los ángulos de cadera y rodilla en una posición estática mientras se mueve exclusivamente la articulación del tobillo. Esto requiere habituarse, porque al principio se tendrá tendencia a subir y bajar en la sentadilla extendiendo las caderas y las rodillas. Estas han de mantenerse en posición, y se debe elevar el cuerpo solamente mediante flexión plantar. El cuádriceps y los glúteos reciben un buen entrenamiento isométrico durante este ejercicio.

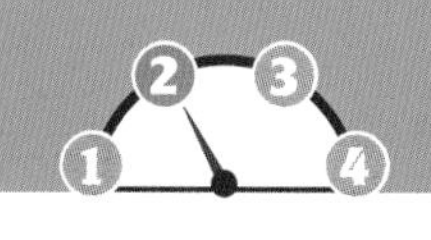

SALTOS DE TOBILLOS SIN FLEXIÓN DE RODILLAS

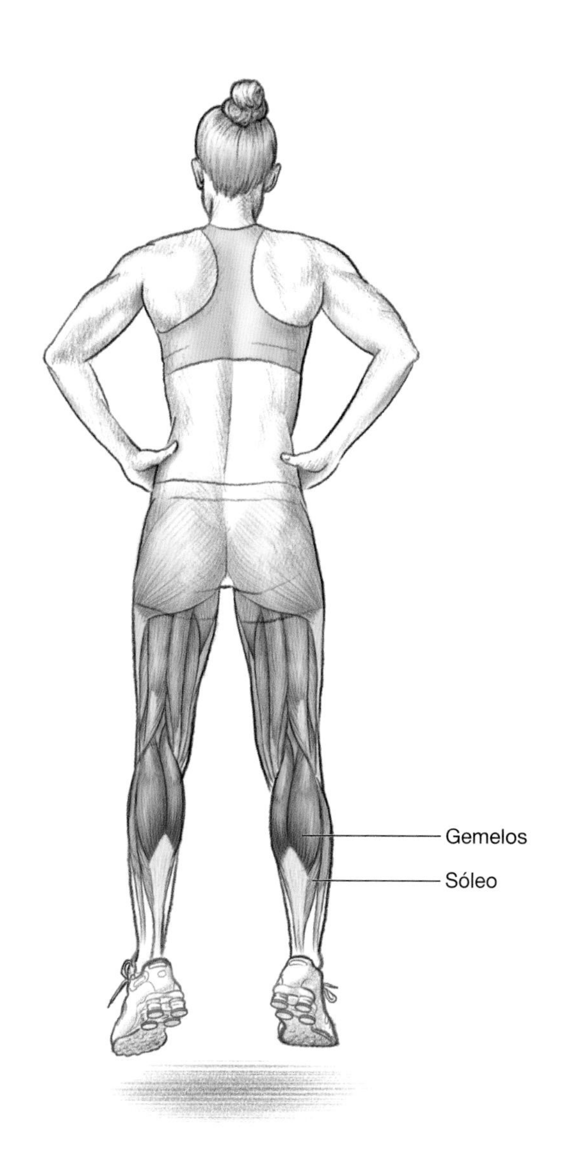

Ejecución

1. Colocarse de pie con las manos a los lados o en las caderas y los pies separados la anchura de los hombros.
2. Dar saltos directamente hacia arriba y hacia abajo, manteniendo las rodillas y las caderas relativamente estiradas mientras se trata de depender exclusivamente de los músculos de las pantorrillas para impulsar el cuerpo hacia arriba.
3. Repetir hasta que haya transcurrido el tiempo deseado o se alcance el número de repeticiones establecido.

Músculos implicados

Agonistas primarios: Gemelos.

Agonista secundario: Sóleo.

Notas al ejercicio

Los Saltos de Tobillos sin Flexión de Rodillas son un buen ejercicio pliométrico para la musculatura de la pantorrilla. Hay que coger el ritmo y actuar como un saltador, o palo saltarín, para niños, usando las pantorrillas para impulsarse arriba y abajo. No hay que flexionar demasiado las rodillas ni las caderas, lo cual activaría el cuádriceps y los glúteos. Aunque las rodillas se flexionarán ligeramente, permanecer bien erguido y centrarse en usar las pantorrillas para realizar el movimiento.

VARIANTE

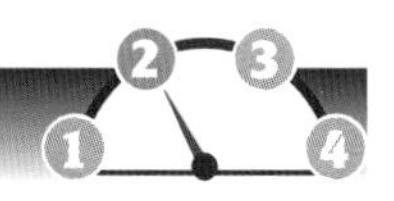

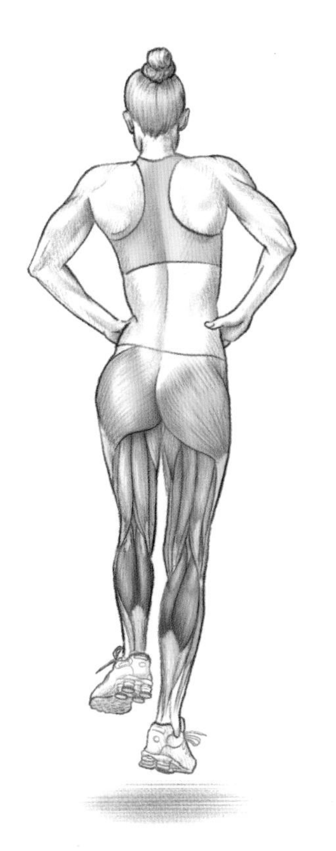

Saltos de tobillo con una sola pierna

Cuando los saltos con las dos piernas lleguen a resultar fáciles, empezar a realizar el movimiento primero con una pierna y luego con la otra, una tarea mucho más exigente que requiere una fuerza y una potencia en los músculos de la pantorrilla considerablemente mayores. Si se tiene la impresión de estar haciendo el movimiento de manera descuidada y perdiendo energía, volver a la versión con las dos piernas hasta estar listo para progresar a los saltos realizados con una sola pierna.

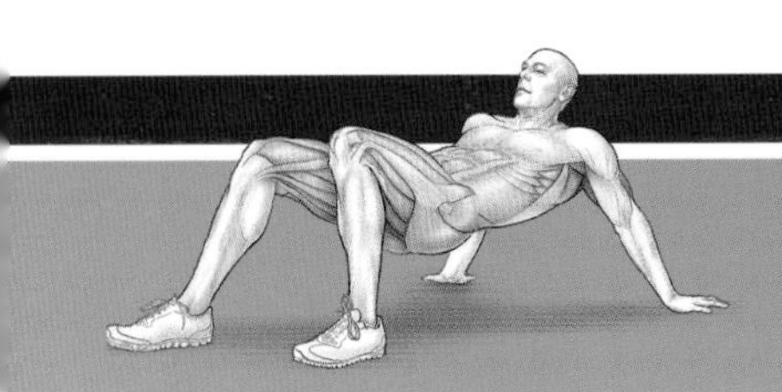

CAPÍTULO 10

ENTRENAMIENTO INTEGRAL

Se crea o no, los estudios demuestran que el ejercicio aeróbico no es mucho más ventajoso para adelgazar que centrarse solamente en hacer régimen. Si el único objetivo es perder peso, hacer una dieta más estricta es el camino más rápido para lograr el éxito. No obstante, el objetivo de muchas personas es optimizar la composición corporal, o la ratio músculo-grasa. Por esta razón, hay que tomar en consideración tanto las prácticas dietéticas como el entrenamiento. Mantener la masa muscular mientras se pierde el exceso de grasa corporal es la clave para lograr un físico magro y definido.

Para aumentar el tamaño del músculo y mejorar su forma, es imprescindible someterse a cargas progresivamente mayores mediante entrenamiento de la fuerza. Nos referimos simplemente a poner al cuerpo constantemente a prueba para mejorar su respuesta con el paso del tiempo, forzando así a los músculos a adaptarse aumentando su fuerza y su tamaño. Cuando se emplea el peso corporal como resistencia, estas cargas progresivamente mayores pueden traducirse en forma de ejercicios más avanzados y más exigentes, o bien de variantes, o simplemente en la realización de más repeticiones. Esto asegura que se desarrolle o mantenga la masa muscular a lo largo del tiempo mientras, simultáneamente, se pierde grasa corporal.

Las prácticas dietéticas también son importantes, y el consumo de la ratio y las cantidades correctas de proteínas, hidratos de carbono y grasas provenientes de la dieta ayudarán a potenciar al máximo la musculatura y el nivel justo de grasa. Mucha gente piensa que, si centra la mayor parte de sus comidas en carnes magras, pescado y verduras, y añade a la ecuación la cantidad adecuada de frutas, lácteos y frutos secos, no puede equivocarse. Hay que evitar consumir demasiado azúcar y ácidos grasos trans, y mantener bajo control la ingesta calórica global. Un gran número de personas consume demasiados hidratos de carbono y podría beneficiarse de reducir la ingesta de los mismos (especialmente de azúcar) al mismo tiempo que aumenta ligeramente la de proteínas y grasas saludables.

ENTRENAMIENTO METABÓLICO

Aunque la dieta y la fuerza sean cruciales para lograr el físico ideal, hay que añadir a la mezcla entrenamiento metabólico, otro factor valioso. Este tipo de entrenamiento aumenta la eficiencia de los tres sistemas energéticos del organismo: el de los fosfágenos, el glucolítico y el aeróbico. Cada vez que se hace ejercicio se emplean diversas proporciones de los tres sistemas. No obstante, el tipo de ejercicio empleado determina qué sistema energético se use predominantemente. Por ejemplo, la halterofilia olímpica depende principalmente del sistema de los fosfágenos, mientras que correr al trote lo hace del sistema aeróbico. En general, el de los fosfágenos se utiliza al grado más elevado de intensidad al realizar esfuerzos máximos que duren hasta 10 segundos. Llegados a este punto, las demandas de energía cambian más hacia el sistema glucolítico. Y transcurridos unos pocos minutos, el aporte continuo de energía proviene principalmente del sistema aeróbico. También en este caso, los tres sistemas energéticos contribuyen a las reservas totales de energía que se utilizan durante cualquier forma de ejercicio, pero los tipos específicos de entrenamiento son ideales para centrarse en un sistema u otro.

Entrenamiento interválico de alta intensidad (EIAI)

En el entrenamiento metabólico se integran muchos métodos. La actividad cardiovascular lenta y prolongada es un método que se centra en el sistema aeróbico, mientras que los *sprints* cortos con largos períodos de descanso entre repeticiones se centran en el sistema de los fosfágenos. Muchos de los métodos de entrenamiento existentes realizan un excelente trabajo a la hora de centrarse en los tres sistemas energéticos con predominancia del glucolítico, que es importante para lograr la máxima pérdida de grasa. Uno de estos métodos es el entrenamiento interválico de alta intensidad (EIAI). El EIAI adopta muchas formas, incluyendo el realizado para mejorar la velocidad tanto en atletismo como en ciclismo o en natación. El EIAI normalmente alterna entre períodos de elevada intensidad que van de los 10 a los 40 segundos y períodos de baja intensidad que van de los 30 a los 120 segundos. Por ejemplo, una sesión podría suponer realizar 10 esfuerzos de 30 segundos de trabajo de alta intensidad intercalando entre ellos períodos de 60 segundos de trabajo de baja intensidad. A la larga, la duración de cada componente queda a la elección del practicante.

Un estudio de los efectos del EIAI demostró que las tasas metabólicas de los sujetos analizados se elevaban en un 21 por ciento 24 horas después y en un 19 por ciento 48 horas después de una sesión de EIAI intensa. Otro estudio demostró que, cuando se tenían en cuenta las calorías quemadas anaeróbica y aeróbicamente durante el ejercicio, además de las quemadas aeróbicamente una vez finalizado (deuda de oxígeno, consumo de oxígeno postejercicio, o COPE), un esfuerzo aeróbico que durase tres minutos y medio quemaba 39 calorías en comparación con las 65 calorías de tres *sprints* de 15 segundos equivalentes en carga de trabajo. Lo que hace los resultados excepcionalmente atractivos es el hecho de que el EIAI quemase más calorías a pesar de que el tiempo total de trabajo fuese aproximadamente un cuarto del de la sesión cardiovascular más lenta (45 segundos en comparación con 3 minutos y 30 segundos).

Entrenamiento de resistencia metabólica (ERM)

El entrenamiento de la resistencia es también una forma efectiva de entrenamiento metabólico, y existen maneras de modificarlo para potenciar al máximo la pérdida de grasa a expensas de desarrollar un poco menos de músculo. Esta forma de entrenamiento se denomina de resistencia metabólica (ERM) y se parece al EIAI en que, elevando los niveles de COPE, provoca una considerable poscombustión.

Hay que tener en cuenta unos cuantos trucos del oficio para optimizar la eficiencia del ERM:

1. Realizar circuitos en los que se empleen ejercicios compuestos, es decir, ejercicios que trabajen muchos músculos al mismo tiempo.
2. Alternar entre ejercicios para el tren superior e inferior. Esto permite al corazón transportar constantemente la sangre por todo el cuerpo mientras que deja descansar a ciertos músculos para que puedan recargarse entre esfuerzos.

3. Incorporar ejercicios integrales o globales (para todo el cuerpo), porque son excelentes para elevar la frecuencia cardíaca. Profundizaré en este tema en el próximo apartado.
4. Durante las series, mantener un ritmo rápido durante la fase concéntrica (en la que los músculos se acortan durante la contracción) de las repeticiones, pero controlar cuidadosamente la fase excéntrica (en la cual los músculos se alargan durante la contracción). Se ha demostrado que así ambas fases son más costosas desde una perspectiva metabólica.
5. Emplear períodos de descanso cortos entre series y ejercicios.

Hay que considerar el entrenamiento metabólico como centrado en los sistemas energéticos, no en los músculos. Las sesiones de ERM no están pensadas para optimizar la fuerza o el tamaño muscular, sino más bien para quemar calorías y elevar el metabolismo. Cuando se combinan sesiones de fuerza con sesiones de ERM en la misma semana, se incrementan las posibilidades de interferir en la recuperación muscular. Durante el ERM no hay que hacer la tontería de forzar en exceso determinado grupo muscular, o puede que se experimente una sesión de entrenamiento de la fuerza de poca calidad en un momento posterior de la semana y uno se arriesgue a acabar perdiendo fuerza y musculatura.

EJERCICIOS INTEGRALES

En capítulos anteriores he hablado de ejercicios para el tren inferior, para el tren superior y para el segmento somático central. En los ejercicios para todo el cuerpo se trabajan a la vez estas tres partes de forma estática y dinámica durante toda la serie. Por ejemplo, en el ejercicio El Escalador, los músculos del tren superior que realizan la acción de empuje y los estabilizadores de la escápula se contraen isométricamente para mantener el tronco en posición, mientras que los músculos del segmento somático central y del tren inferior se contraen dinámicamente para alternar la flexión y la extensión de la cadera. Aunque este ejercicio no sea muy exigente para ningún músculo en particular, lo es en grado sumo desde un punto de vista metabólico, porque una enorme proporción de la musculatura corporal está trabajando al unísono. Los ejercicios integrales son una herramienta valiosa que puede ayudar a mejorar el nivel de la composición corporal.

Conforme vayas poniéndote en forma, las sesiones se volverán cada vez más productivas, permitiéndote gastar una mayor cantidad de energía durante el entrenamiento. Por eso muchos deportistas tienen problemas para mantener su peso. No solo gastan un gran número de calorías haciendo ejercicio, sino que también gastan una energía considerable cuando están descansando, mientras su organismo trata de restaurar el equilibrio después de las molestias metabólicas provocadas por sus exigentes entrenamientos. Aunque para ti no sea crucial, ni siquiera ideal, pasarte el día en el gimnasio o dedicarte al EIAI o el ERM a diario, un par de sesiones de EIAI o de ERM correctamente realizadas a la semana pueden ayudarte a mejorar de nivel tu físico. A continuación enumeraré algunos de los ejercicios integrales más efectivos, y en el próximo capítulo te enseñaré a programarlos como parte de tu repertorio.

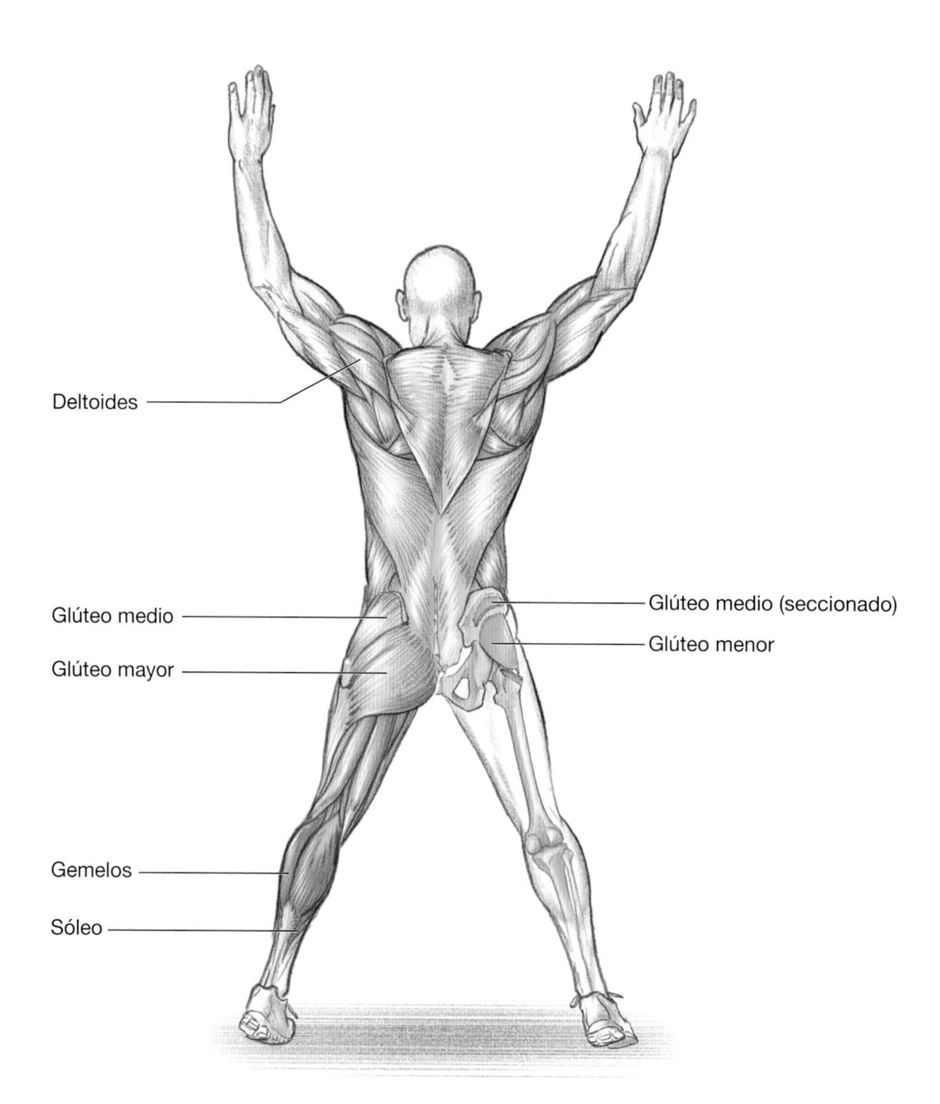

Ejecución

1. Colocarse de pie con los brazos a los lados y los pies separados aproximadamente la anchura de las caderas.
2. Saltar en vertical extendiendo y separando las piernas y elevando lateralmente los brazos extendidos hasta situarlos por encima de la cabeza.
3. Aterrizar y volver a impulsarse a la posición inicial, juntando de nuevo las piernas y bajando los brazos.

Músculos implicados

Agonistas primarios: Cuádriceps (recto femoral, vasto externo, vasto interno, crural), gemelos, sóleo.

Agonistas secundarios: Deltoides, glúteo mayor, glúteo medio, glúteo menor.

Notas al ejercicio

El *Jumping Jack* es un ejercicio calisténico clásico realizado en la asignatura de educación física del mundo entero. Eleva eficazmente la tasa metabólica al mismo tiempo que calienta las articulaciones de los hombros y de las caderas. El objetivo no es saltar lo más alto posible durante la realización de este ejercicio, sino moverse rítmicamente y con suavidad.

VARIANTE

Jumping jack *cruzando los brazos al frente*

Una alternativa a los *jumping jacks* normales, en los que los brazos se elevan por encima de la cabeza, son estos en que se cruzan transversalmente. Esta variante proporciona un mejor estiramiento de los pectorales y del fascículo posterior del deltoides. Basta con cruzar los brazos extendidos delante del pecho mientras se salta en vertical.

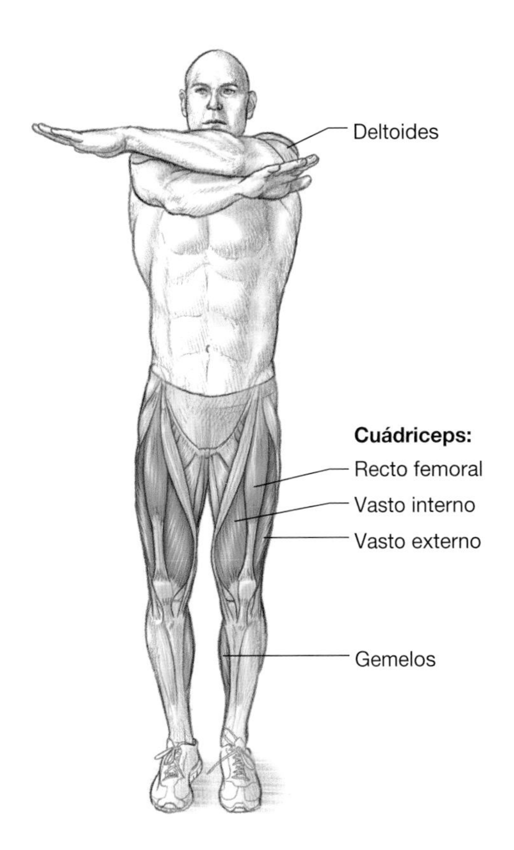

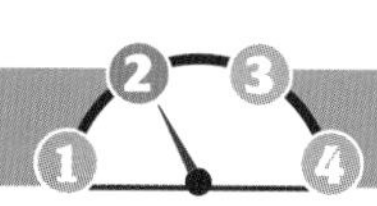

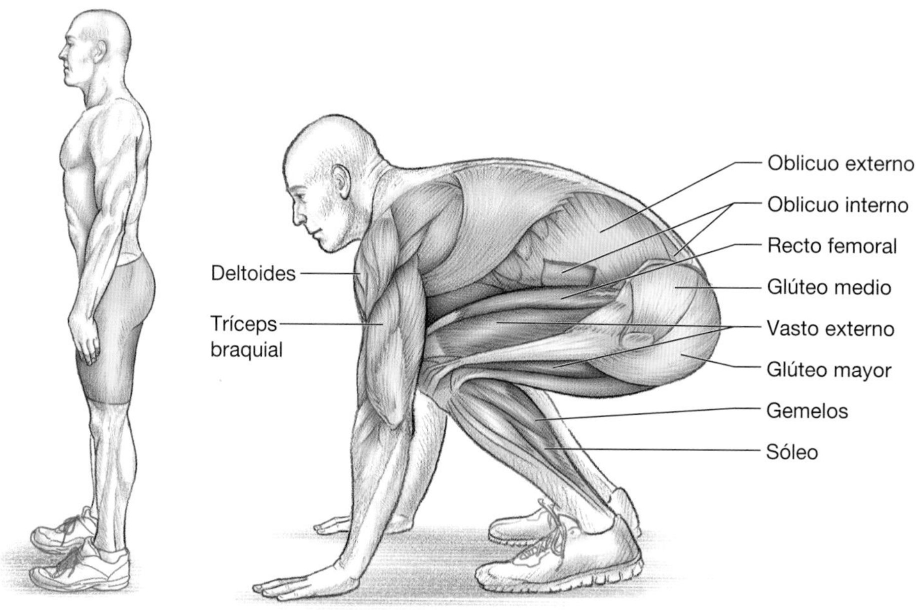

Posición inicial.

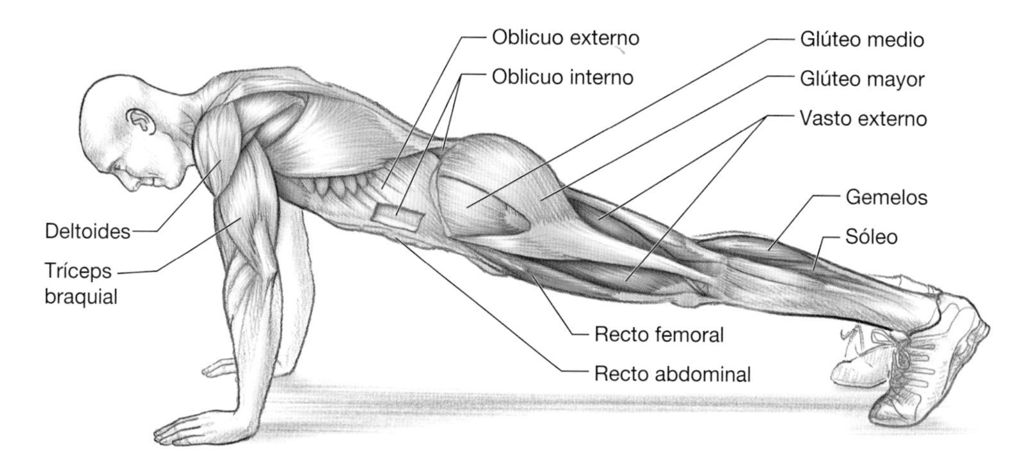

Ejecución

1. Partiendo de una posición erguida de pie, ponerse en cuclillas y apoyar las palmas de las manos en el suelo.
2. Atrasar los pies extendiendo con fuerza las piernas y aterrizar en posición de fondo de brazos.
3. Recoger los pies adelantándolos con fuerza para colocarlos debajo de las caderas y aterrizar en posición de cuclillas, antes de ponerse de nuevo en pie.

Músculos implicados

Agonistas primarios: Cuádriceps (recto femoral, vasto externo, vasto interno, crural), gemelos, sóleo.

Agonistas secundarios: Pectoral mayor, tríceps braquial, recto abdominal, oblicuo interno, oblicuo externo, glúteo mayor, glúteo medio, glúteo menor, deltoides.

Notas al ejercicio

Los *Burpee*s son un ejercicio de acondicionamiento físico brutal que provocará que la frecuencia cardíaca se dispare. Aunque no parece ser muy exigente, no te quepa la menor duda al respecto: es agotador. Hay que emplear la técnica correcta y tratar de no forzar la columna vertebral, evitando una flexión lumbar excesiva en la posición de cuclillas y la hiperextensión lumbar en la posición para fondo de brazos.

VARIANTE

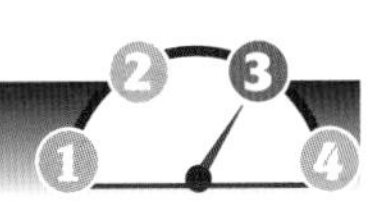

Burpees *con fondo, salto y extensión de brazos por encima de la cabeza*

Si estás en buena forma física y te apetecería un tipo de *burpees* más avanzado, añade un fondo, un salto y una extensión de brazos por encima de la cabeza, lo cual convierte a los *burpees* en uno de los ejercicios de acondicionamiento físico más exigentes. Partiendo de una posición erguida de pie, descender para ponerse en cuclillas, atrasar los pies a la posición para fondo de brazos, realizar el fondo, adelantar con fuerza los pies para aterrizar en cuclillas, y saltar entonces lo más alto posible extendiendo los brazos hacia el cielo.

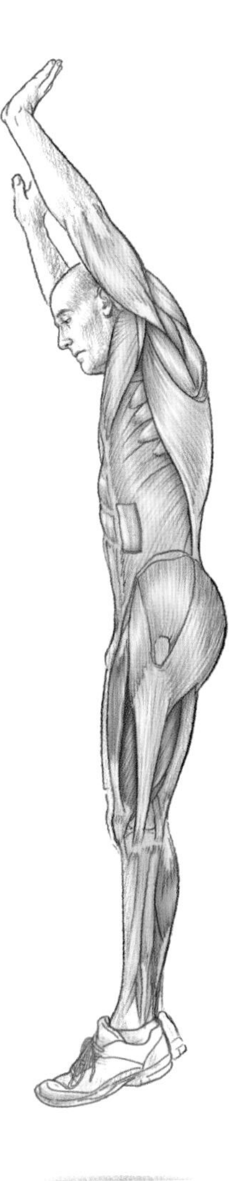

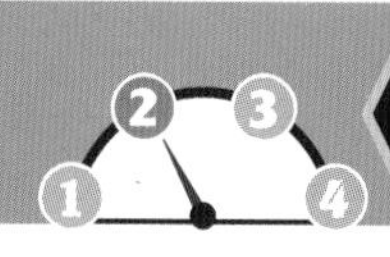

FONDOS DE BRAZOS CON EXTENSIÓN DE CADERA

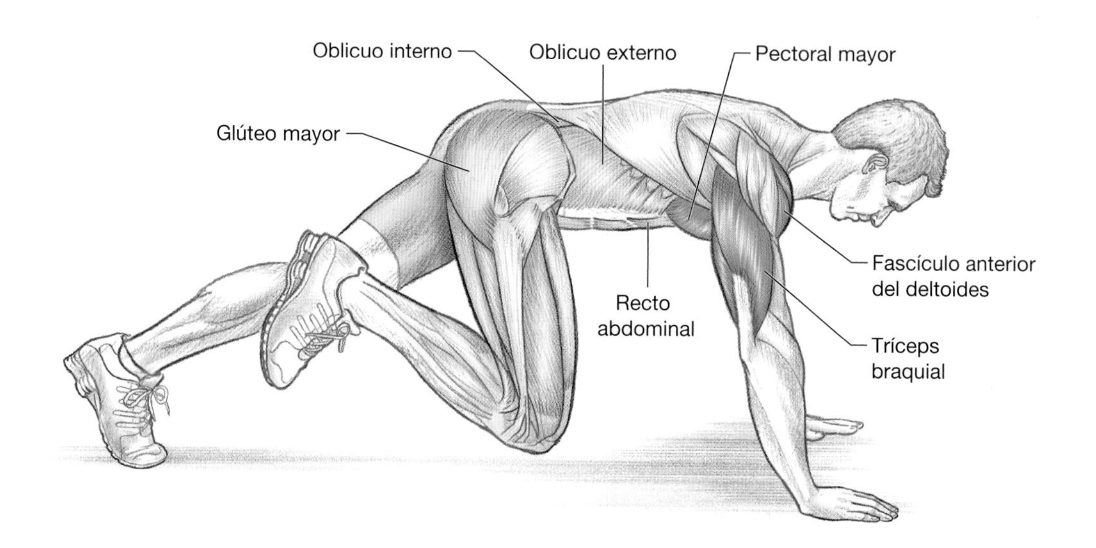

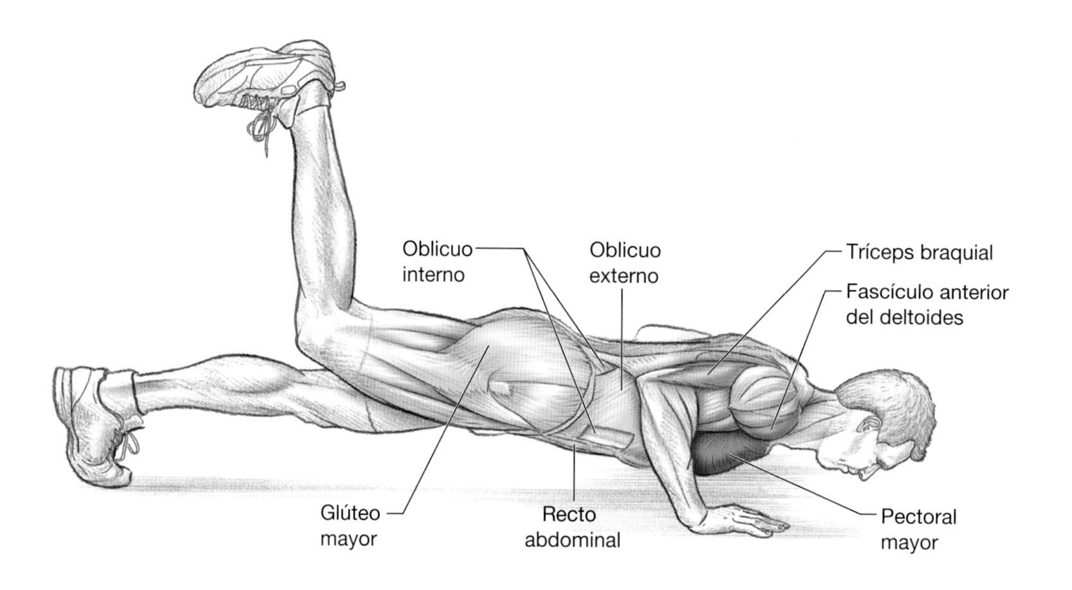

Ejecución

1. Colocarse en la posición superior de un fondo de brazos. Mantener la cabeza y el cuello en posición neutra y adelantar una rodilla flexionada, de manera que se dispondrá de tres puntos de apoyo.

2. Al bajar el cuerpo hacia el suelo, extender simultáneamente la cadera de la pierna libre mientras se mantiene la rodilla flexionada todo el tiempo. La cadera llegará a la extensión completa al mismo tiempo que el tronco alcanza su posición más baja.
3. Elevar el tronco presionando con los pectorales, los deltoides y los tríceps braquiales mientras se invierte la posición de la cadera colocándola en flexión. Completar el número de repeticiones deseado y volver a realizar la serie con la otra pierna.

Músculos implicados

Agonistas primarios: Pectoral mayor, fascículo anterior del deltoides, tríceps braquial.

Agonistas secundarios: Glúteo mayor, recto abdominal, oblicuo externo, oblicuo interno.

Notas al ejercicio

Los Fondos de Brazos con Extensión de Cadera requieren una coordinación y un control muscular considerables. Hay que mantener una postura correcta de la columna vertebral durante toda la serie, evitando la flexión lumbar en la posición superior cuando una de las caderas se flexiona hacia delante y evitando también la extensión lumbar en la posición inferior cuando la cadera se extiende hacia atrás. Este movimiento acabará resultando cómodo cuando se desarrolle el ritmo adecuado. Esta variante impone demandas de estabilidad adicionales sobre la columna para poder controlar el movimiento rotatorio causado por disponer solamente de tres puntos de apoyo mientras la pierna libre se flexiona y extiende.

TRACCIÓN ISOMÉTRICA CON TOALLA Y MARCHA DE GLÚTEOS

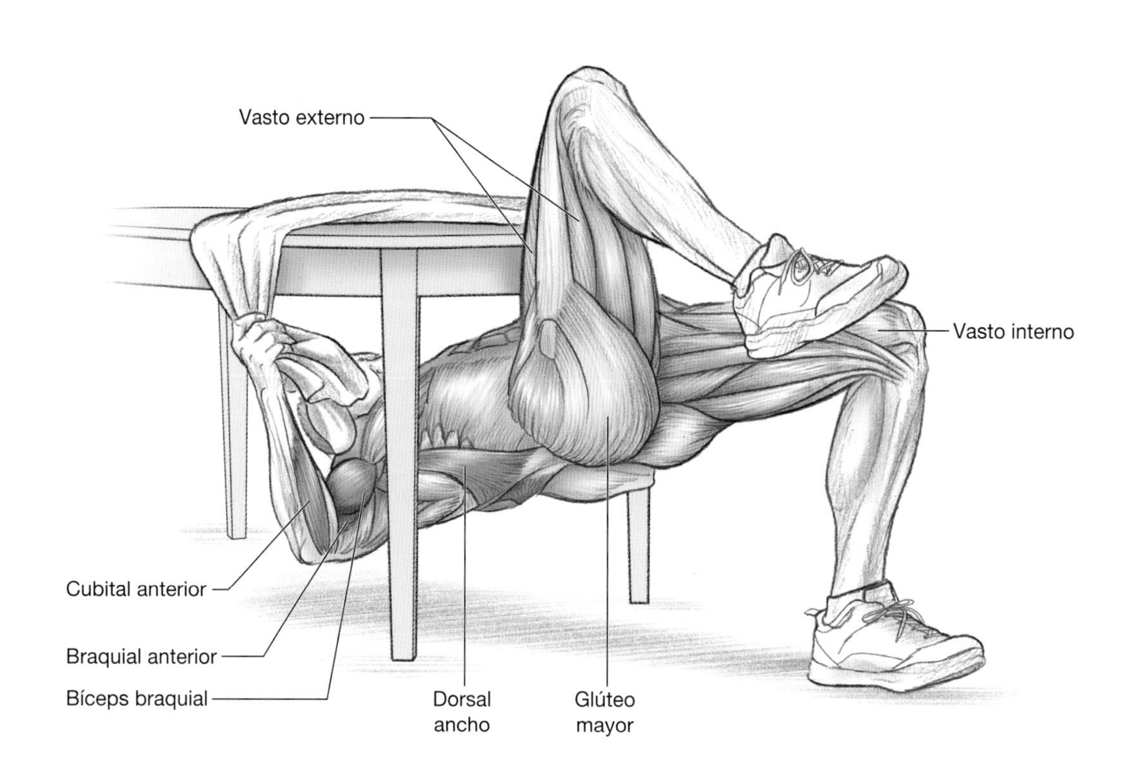

Ejecución

1. Disponer una toalla sobre una mesa sólida y resistente o un banco de pesas que mida aproximadamente la altura de la cintura. Con los pies en el suelo y las rodillas flexionadas, agarrar los extremos de la toalla y, con un movimiento de tracción, elevar el cuerpo.
2. Manteniendo el cuerpo en una posición de tracción isométrica, elevar del suelo una de las piernas flexionando la cadera y luego estirando la pierna.
3. Elevar la pierna todo lo posible y luego volver a bajarla. Alternar con la otra pierna en forma de marcha.

Músculos implicados

Agonistas primarios: Dorsal ancho, porción media del trapecio, romboides, braquial anterior, bíceps braquial, músculos del antebrazo como el palmar mayor, el palmar menor y el cubital anterior.

Agonistas secundarios: Erector de la columna (espinoso, dorsal largo e iliocostal), glúteo mayor, flexores de la cadera (ilíaco, psoas mayor), cuádriceps (recto femoral, vasto externo, vasto interno y crural).

Notas al ejercicio

La Tracción Isométrica con Toalla y Marcha de Glúteos puede parecer un ejercicio sencillo, pero durante su realización entran en juego múltiples grupos musculares, lo cual impone una fuerte demanda metabólica sobre el organismo. Hay que mantener durante toda la serie las caderas altas y la del lado de apoyo en extensión completa. La cabeza y el cuello deben permanecer en posición neutra y el pecho bien abierto, con las manos a los lados del cuerpo. Este ejercicio trabaja excelentemente toda la cadena posterior a la vez.

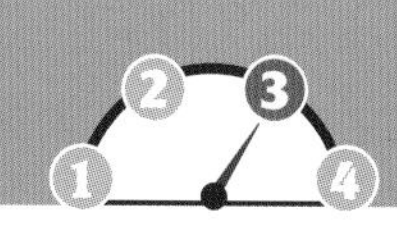

ABDOMINALES CON SALTO VERTICAL

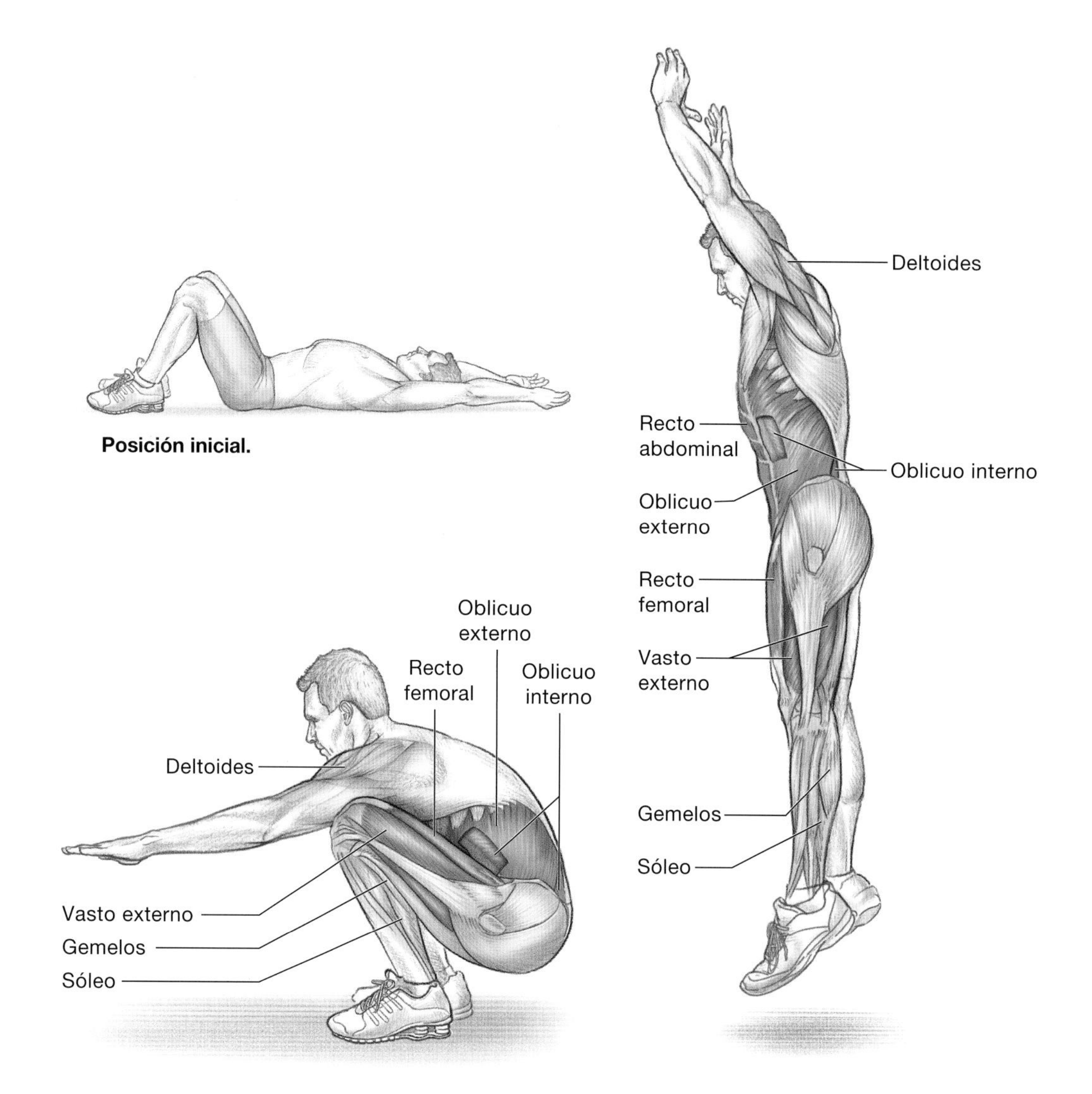

Posición inicial.

Ejecución

1. Tumbarse de espaldas con los brazos por encima de la cabeza, las rodillas flexionadas y las plantas de los pies en el suelo. Si se desea, disponer un cojín o almohada pequeña debajo de los glúteos. Hacer oscilar los brazos hacia delante mientras se realiza un explosivo abdominal para colocarse en cuclillas.
2. Impulsar el cuerpo con fuerza, para poder realizar la transición a una posición baja de sentadillas con los talones en el suelo. Arquear después la espalda y dar un salto en el aire mientras se extienden los brazos por encima de la cabeza.
3. Absorber el impacto del aterrizaje, acuclillarse, y volver a la posición inicial rodando suavemente sobre la espalda. Realizar el número deseado de repeticiones.

Músculos implicados

Agonistas primarios: Recto abdominal, oblicuo externo, oblicuo interno, cuádriceps (recto femoral, vasto externo, vasto interno y crural).

Agonistas secundarios: Gemelos, sóleo, deltoides.

Notas al ejercicio

Los Abdominales con Salto Vertical son un ejercicio muy exigente, especialmente para personas con el tronco corpulento y las piernas menos desarrolladas. Conviene colocar un cojín debajo de los glúteos, lo cual ayudará a absorber el impacto de la transición desde la posición de cuclillas a la de sentado en el suelo y volver a la posición inicial. Se debe saltar y regresar al suelo en vertical y evitar desplazamientos, para que los glúteos estén siempre correctamente colocados delante del cojín. Ha de evitarse mover mucho la columna lumbar y asegurarse de que las zonas que más se muevan sean las caderas y la parte superior de la espalda. Esto no les resultará posible a las personas con limitaciones en la flexión de cadera o en la dorsiflexión del tobillo, por lo que, si se aprecia que este ejercicio agrava la región lumbar, ha de evitarse totalmente. A las personas con una flexibilidad adecuada y en buena forma, este ejercicio no debería plantearles problemas. Hay que mantener el pecho bien abierto antes del salto y absorber con suavidad el impacto del aterrizaje.

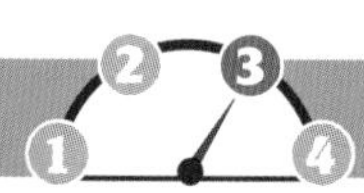

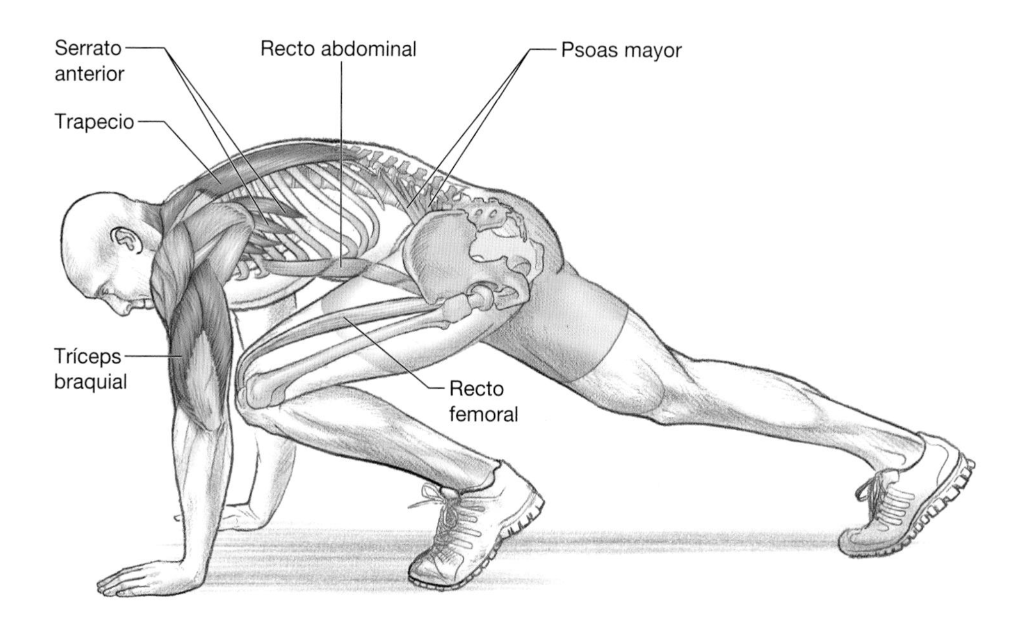

Ejecución

1. Partiendo de una posición erguida de pie, flexionar el tronco y poner las palmas de las manos en el suelo.
2. Bajar las caderas y extender una pierna por detrás del cuerpo.
3. Alternar entre saltar con una pierna hacia delante flexionando la cadera y alargar la otra hacia atrás extendiendo la cadera, como si se estuviera escalando.

Músculos implicados

Agonistas primarios: Tríceps braquial, serrato anterior, trapecio.

Agonistas secundarios: Recto abdominal, flexores de la cadera (ilíaco, psoas mayor, recto femoral).

Notas al ejercicio

El Escalador es otro ejercicio de acondicionamiento físico brutal. Puede parecer fácil en apariencia, pero realizarlo durante un período prolongado de tiempo es exigente. Hay que mantener la cabeza y el cuello en posición neutra y mover principalmente las caderas y no demasiado la columna lumbar. Muchas personas hacen trampa en este ejercicio para que resulte más fácil elevando las caderas y escatimando en el rango de movimiento. Deben adelantarse y atrasarse los pies realizando el máximo recorrido posible.

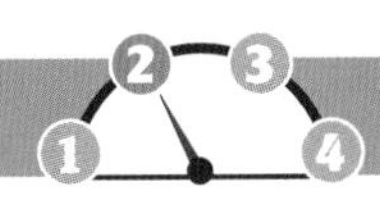

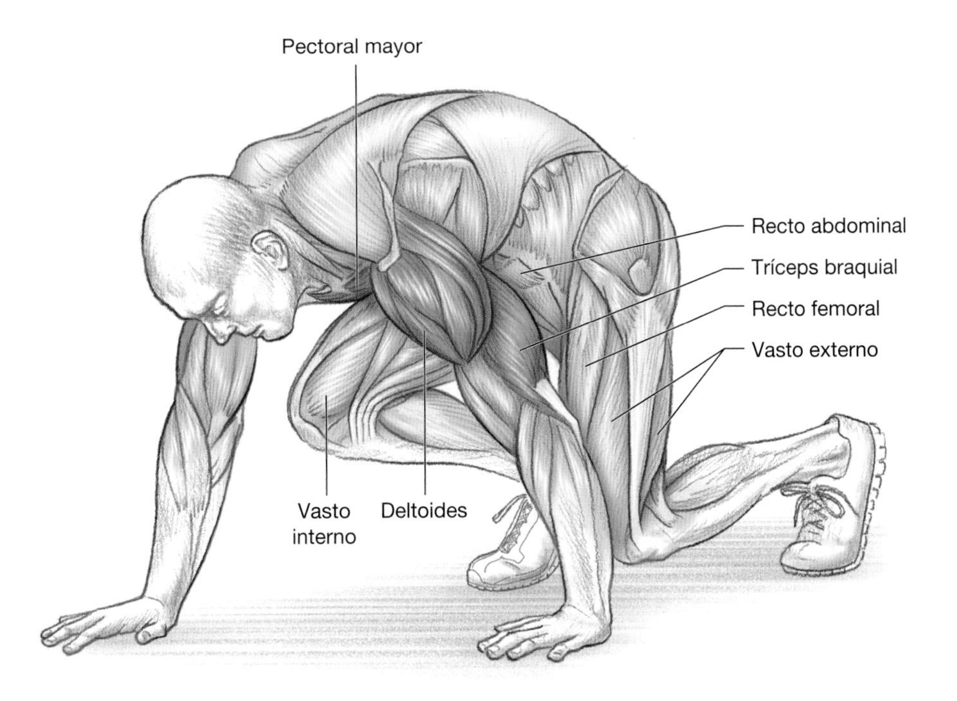

Ejecución

1. Boca abajo y manteniendo la cabeza y el cuello en alineación neutra, empezar sobre cuatro apoyos (cuadrupedia), de manera que las manos y los pies estén en contacto con el suelo.
2. Manteniéndose bajo, cerca del suelo, avanzar dando pasos como lo haría un oso, flexionando el brazo y la cadera de un lado del cuerpo mientras se extienden simultáneamente el brazo y la cadera del otro lado.
3. Avanzar de este modo recorriendo la distancia deseada y luego retroceder de la misma manera, desandando lo andado hasta la posición inicial.

Músculos implicados

Agonistas primarios: Tríceps braquial, pectoral mayor, deltoides.

Agonistas secundarios: Flexores de la cadera (ilíaco, psoas mayor), cuádriceps (recto femoral, vasto externo, vasto interno y crural), recto abdominal.

Notas al ejercicio

El ejercicio Paso del Oso es un movimiento natural, pero el cuerpo tenderá a tocar con las rodillas en el suelo, como gateábamos de pequeños. No hay que dejar que las rodillas establezcan contacto con el suelo, pero sí evitar levantar la vista e hiperextender el cuello. Debe permanecerse lo más bajo posible, cerca del suelo, y desplazarse rítmicamente y con fluidez. La parte externa de la rodilla del mismo lado de la cadera flexionada deberá alinearse con la parte externa del brazo adyacente extendido. Avanzar de este modo probablemente parezca fácil al principio, pero retroceder exige práctica para desarrollar la coordinación.

PASO DEL COCODRILO

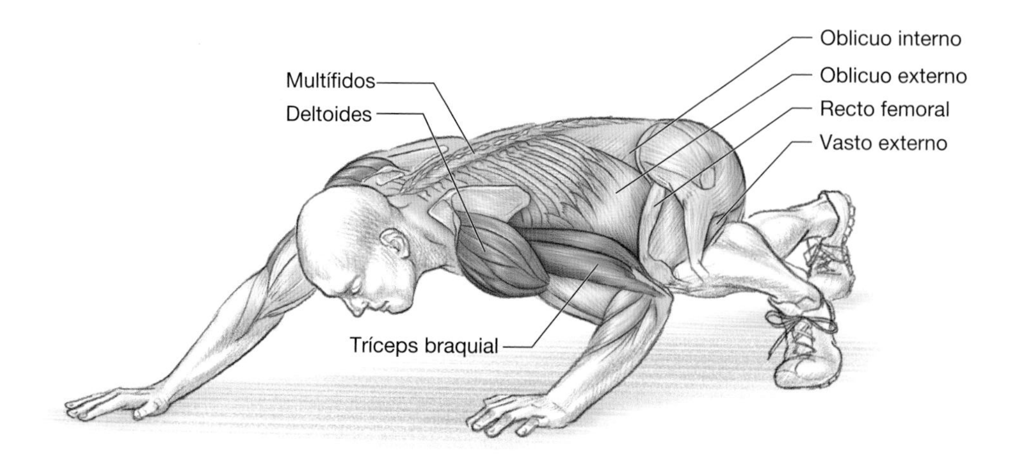

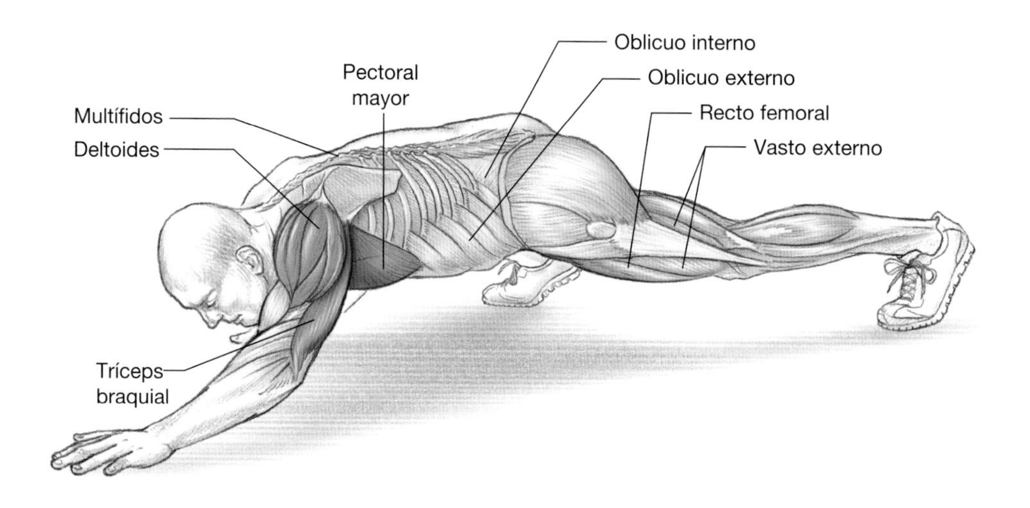

Ejecución

1. Boca abajo y manteniendo la cabeza y el cuello en alineación neutra, empezar sobre cuatro apoyos (cuadrupedia), con el peso sobre las manos y los pies.
2. Bajar el tren superior como se haría en la posición inferior de un fondo de brazos, y luego avanzar como un cocodrilo alternando patrones diagonales de flexión del hombro y la cadera contrarios y extensión del hombro y la cadera opuestos combinados con rotación de tronco y cadera para hacer posible un aumento del rango de movimiento. Avanzar con la mano y el pie opuestos.
3. Asegurándose de que las rodillas se alineen con la parte externa del brazo adyacente, desplazarse gateando recorriendo la distancia deseada y luego retroceder de igual modo hasta la posición inicial.

Músculos implicados

Agonistas primarios: Pectoral mayor, tríceps braquial, deltoides.

Agonistas secundarios: Flexores de la cadera (ilíaco, psoas mayor), cuádriceps (recto femoral, vasto externo, vasto interno y crural), recto abdominal, oblicuo externo, oblicuo interno, multífidos.

Notas al ejercicio

El Paso del Cocodrilo es un ejercicio calisténico muy exigente que requiere la sincronización correcta del tren superior, el segmento somático central y el tren inferior. Hay que permanecer bajo, cerca del suelo. Se debe rotar la columna vertebral y las caderas para permitir que estas se flexionen suficientemente hacia delante al gatear. Este ejercicio requiere una resistencia del tren superior, una estabilidad del segmento somático central y una movilidad coxal tremendas.

MUSCLE-UPS EN BARRA CON SALTO

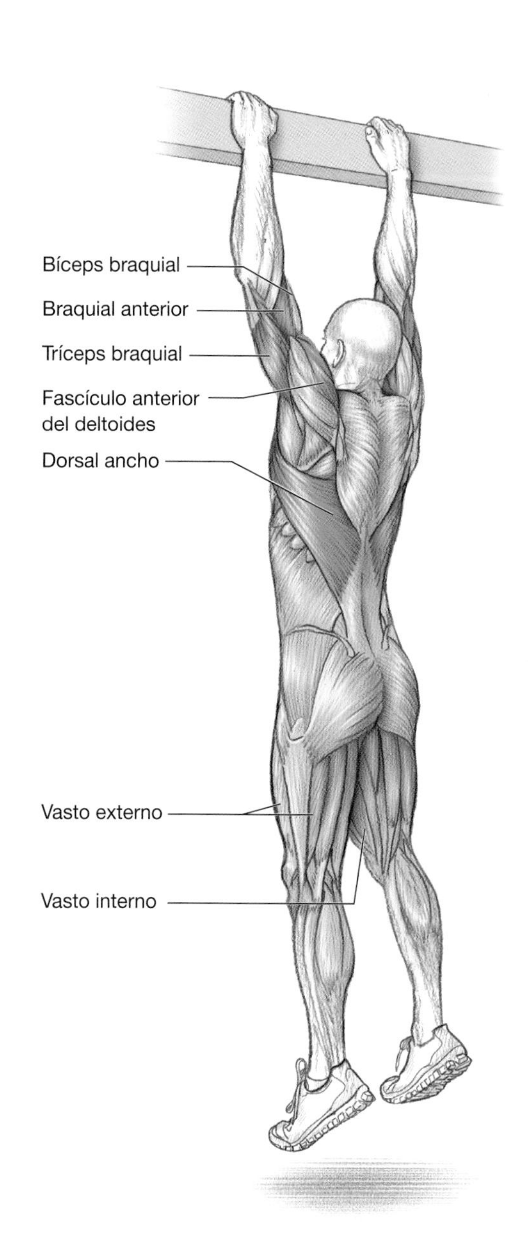

Ejecución

1. Colocarse de pie debajo de una viga fuerte y resistente o de una barra de dominadas. Saltar verticalmente y agarrar la viga o la barra con las manos en pronación (palmas de las manos en dirección contraria al cuerpo).
2. Sin perder impulso, elevar el cuerpo como si se realizara una dominada explosiva.
3. Seguir elevándose por encima de la barra y hacer una transición a un hundimiento (*dip*), y luego volver a bajar el cuerpo hasta la posición inicial.

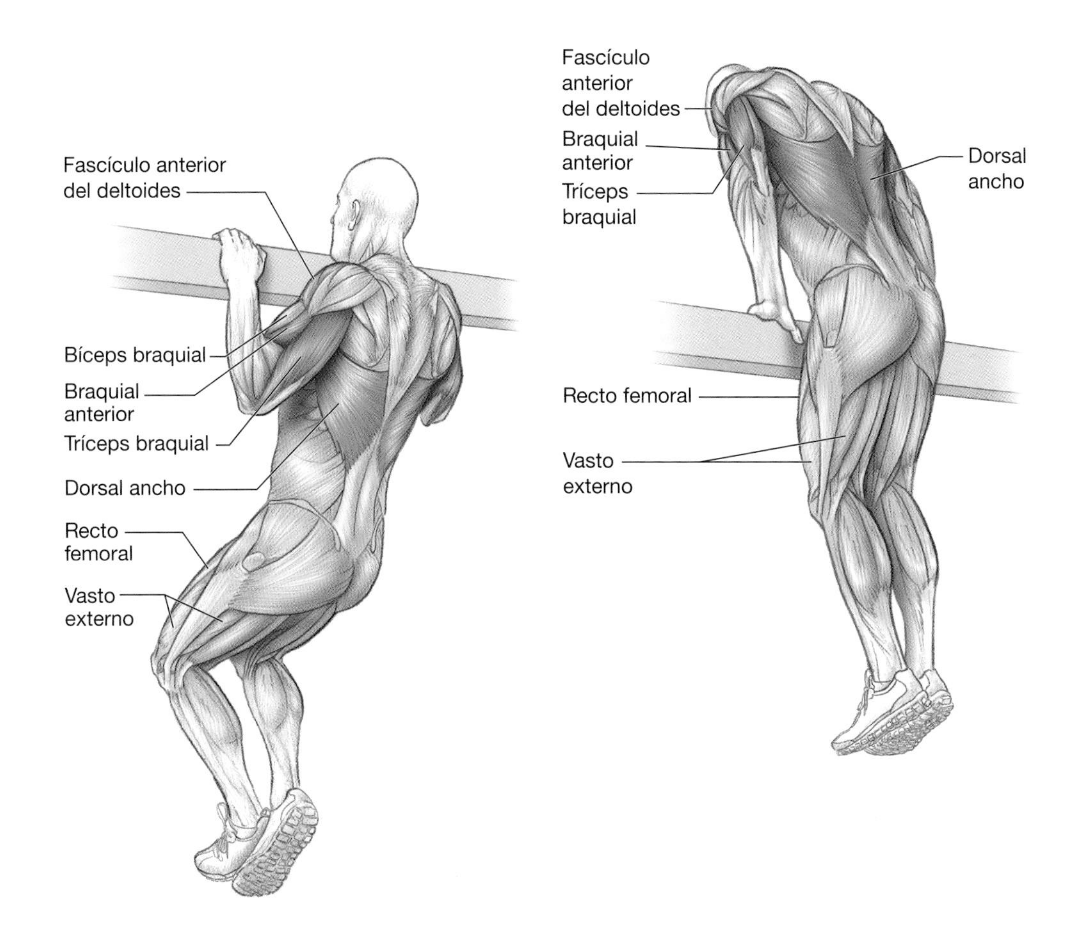

Músculos implicados

Agonistas primarios: Tríceps braquial, pectoral mayor, fascículo anterior del deltoides, dorsal ancho, braquial anterior.

Agonistas secundarios: Bíceps braquial, cuádriceps (recto femoral, vasto externo, vasto interno y crural), recto abdominal.

Notas al ejercicio

Los *Muscle-Ups* en Barra con Salto son un ejercicio muy exigente que pocas personas pueden realizar. Antes de intentar este movimiento, hay que asegurarse de poseer unos niveles impresionantes de fuerza en los ejercicios de dominadas y hundimientos (*dips*), e incluso entonces resultará difícil. Se debe fluir con suavidad durante la secuencia de un salto a una dominada y un hundimiento (*dip*), y después invertir la sucesión de los movimientos para volver al suelo. Las personas increíblemente fuertes no necesitan el componente de salto. Pueden realizar los *muscle-ups* tradicionales sin ayudarse del impulso. La viga tiene que ser fuerte, sólida y resistente para soportar el peso corporal del practicante; entre las alternativas a la viga se incluyen una barra de dominadas o uno de los armazones de los juegos que se encontrarán en el parque infantil más cercano.

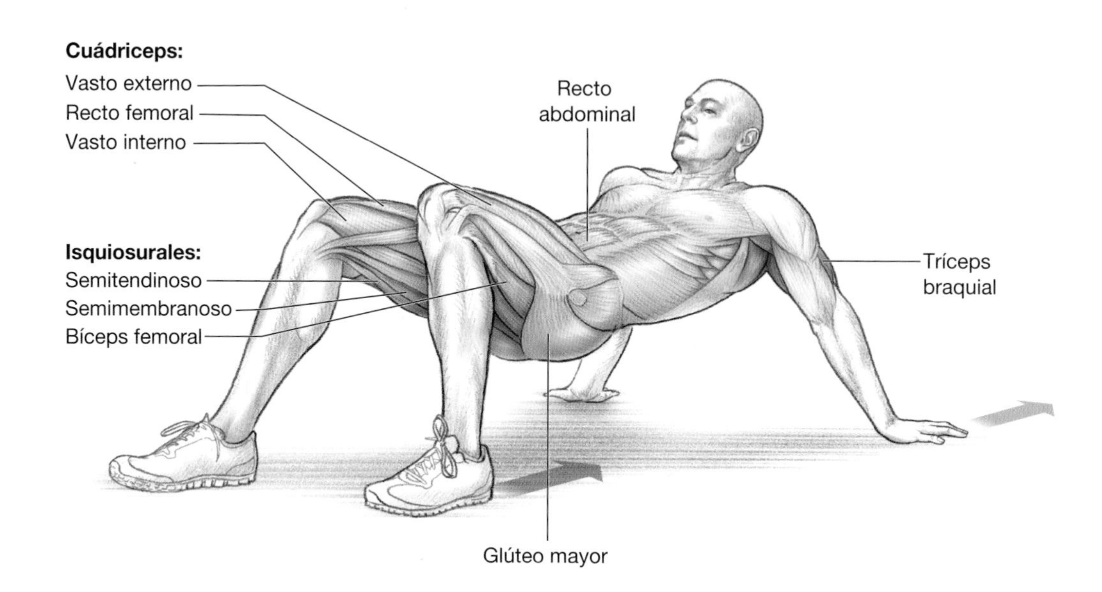

Ejecución

1. En decúbito supino, con el cuello en posición neutra y la cabeza orientada hacia arriba, empezar sobre cuatro apoyos, de manera que los glúteos estén separados del suelo y las manos y los pies se mantengan en contacto con él.
2. Manteniendo altas las caderas, retroceder desplazándose como un cangrejo usando patrones de movimiento con la rodilla y el brazo del mismo lado.
3. Retroceder recorriendo la distancia deseada, y luego invertir el movimiento y avanzar para regresar a la posición inicial.

Músculos implicados

Agonista primario: Tríceps braquial.

Agonistas secundarios: Glúteo mayor, recto abdominal, isquiosurales (bíceps femoral, semitendinoso, semimembranoso), cuádriceps (recto femoral, vasto externo, vasto interno y crural).

Notas al ejercicio

El Paso del Cangrejo es un ejercicio poco convencional que requiere movilidad en los hombros y fuerza en el segmento somático central. Hay que moverse con suavidad y evitar realizar movimientos entrecortados y no coordinados. Al caminar se deben mantener las manos abiertas hacia el exterior, para evitar sobrecargar las muñecas y los hombros. No se ha de dejar que las caderas se hundan hasta el suelo, pero sí elevar la vista y evitar flexionar el cuello.

CAPÍTULO 11

ELABORAR TU PROGRAMA DE ENTRENAMIENTO

Ahora que te he mostrado los mejores ejercicios con autocarga, ha llegado el momento de enseñarte cómo elaborar un programa de entrenamiento. Unos cuantos factores de programación tendrán una influencia importante en tus probabilidades de éxito, y me gustaría afrontarlos sin más dilación; son: personalización, autorregulación y equilibrio estructural.

PERSONALIZACIÓN

Es importante diseñar un programa que te guste. La mejor rutina es aquella que asegure la mayor regularidad. He aquí cómo personalizo mi propio programa de entrenamiento de la fuerza. Me encantan las sentadillas y los fondos de brazos, pero solamente si realizo pocas repeticiones. Un alto número de repeticiones de estos ejercicios hacen que me acobarde. Por ejemplo, realizar seguidas 100 sentadillas con el propio peso corporal o 50 fondos de brazos me duele solo de pensarlo; cuando entreno prefiero realizar menos repeticiones. Por eso ya no hago sentadillas con autocarga ni fondos de brazos normales. Actualmente realizo únicamente ejercicios de sentadilla que se hagan primero con una pierna y luego con la otra (movimientos unilaterales), para aumentar la dificultad y mantenerme en mi rango de repeticiones preferido. Esto no significa que crea que un elevado número de repeticiones de sentadillas y fondos de brazos no son efectivos; todo lo contrario. Lo único que pasa es que no puedo soportarlas y tendría pavor a los entrenamientos si tuviera que hacerlas todas las semanas.

Otro ejemplo: detesto realizar múltiples series de ejercicios unilaterales (con una sola extremidad). Así, hacer cuatro series de Sentadillas Búlgaras o Fondos con Un Solo Brazo Autoasistidos acaba conmigo. Sin embargo, me parece que se trata de ejercicios sumamente efectivos, por lo que transijo realizando solamente una o dos series por movimiento unilateral usando cada extremidad. Tienes que estar deseando que lleguen las sesiones de entrenamiento, no temerlas. Así que asegúrate de ajustar tu programación para hacerlas más productivas.

AUTORREGULACIÓN

Al embarcarse en un régimen de entrenamiento es crucial tener un plan preparado, pero no hay por qué atenerse rígidamente al programa en todas las circunstancias. No pasa absolutamente nada por apartarse de la rutina planeada y realizar ajustes basados en lo que el cuerpo te esté indicando (biorretroalimentación). Autorregulando tus entrenamientos asistirás a mayores progresos, porque ningún programa puede predecir tu estado fisiológico y psicológico a diario. Entran en juego demasiados factores para que sea posible una valoración precisa. Por ejemplo, la calidad y cantidad de sueño de la noche anterior, las cantidades de distrés (mal estrés) frente a eustrés (buen estrés) que tengas en tu vida, lo motivado que estés y tu nivel de recuperación de los últimos entrenamientos de la semana pueden, todos ellos, afectar a lo bien que rindas en determinada sesión de entrenamiento.

Si estás hecho polvo, retrocede y tómatelo con calma durante una sesión o dos. Si te sientes muy motivado, introduce con toda libertad una o dos series de más. Si cierto ejercicio no te parece bien, omítelo ese día. Cuando te entrenes ajusta con toda libertad la intensidad, el volumen, la selección de ejercicios y otras variables basándote en cómo te sientas, pero no te sientas obligado a apartarte de lo establecido solamente por apartarte. Tampoco pasa nada por atenerse al plan escrupulosamente siempre y cuando la sesión se sienta bien.

EQUILIBRIO ESTRUCTURAL

Al diseñar tu rutina, toma en consideración no solo los músculos que estés trabajando durante la sesión, sino también los patrones de movimiento que estés entrenando. Entre los grupos musculares principales se incluyen el trapecio, el deltoides, los pectorales, el dorsal ancho, los bíceps, los tríceps, los abdominales, los glúteos, los isquiosurales, el cuádriceps y la musculatura de la pantorrilla. Debes trabajar todos estos grupos musculares a lo largo de toda la semana. No obstante, sirve de gran ayuda pensar con la perspectiva de los patrones de movimiento, para asegurar un equilibrio estructural correcto.

Dependiendo del sistema de clasificación, existen entre seis y ocho patrones principales de movimiento que debes incorporar en cada programa. Para el tren superior, es posible empujar (ejercer presión) y tirar (realizar tracción) en los planos vertical y horizontal. Para el tren inferior, pueden realizarse ejercicios con predominio de la rodilla o con predominio de la cadera. Además, el entrenamiento del segmento somático central implica ejercicios lineales, así como laterales y giratorios. Permíteme explicarlo con mayor detalle.

Los Fondos de Brazos son un ejercicio de empuje o presión horizontal que fortalece principalmente la musculatura anterior del tronco. El Remo Invertido es un ejercicio horizontal de tracción que fortalece principalmente la musculatura posterior del tronco. Si lo único que haces son fondos de brazos y nunca remos invertidos, corres el riesgo de acabar teniendo las escápulas en aducción y los hombros en rotación interna (te cargarás de hombros y los brazos girarán hacia el interior). Fortaleciendo los músculos que contrarrestan estas tendencias, la realización de Remo Invertido impedirá estas adaptaciones posturales negativas.

Los Fondos de Brazos en Posición Invertida son un ejercicio de empuje o presión vertical mientras que las Dominadas son un ejercicio de tracción vertical. Cuando se ejecutan con la técnica correcta en dosis razonables, estos ejercicios colaboran para crear una estabilidad equilibrada de los hombros y las escápulas, lo cual ayuda a mantener sana esa región.

Las Sentadillas son un ejercicio dominante de rodillas, porque esa articulación recorre un rango de movimiento considerable y los cuádriceps se ponen intensamente a prueba. Si lo único que haces son Sentadillas, no dejarás el suficiente espacio en tu tabla de entrenamiento para el desarrollo de los isquiosurales; podrías acabar teniendo problemas de rodilla causados por la dominancia de los cuádriceps, y eso por no mencionar que carecerías de fuerza en la extensión de la cadera hasta el final del rango.

La Hiperextensión Inversa es un ejercicio dominante de caderas, porque el movimiento pivota principalmente en torno a la articulación coxofemoral, siendo los agonistas principales los glúteos y los isquiosurales. Las Hiperextensiones Inversas fortalecen la cadena posterior, lo cual favorece el uso de los isquiosurales y la musculatura glútea al realizar sentadillas, razón por la que los glúteos pueden descender y atrasarse más y depender de los músculos de la cadera, más fuertes, para ejecutar dicho movimiento. Esta práctica permite no forzar las rodillas y mantiene sanas las articulaciones. Existe sinergia entre los diversos patrones de movimiento, y equilibrarlos mantiene las articulaciones bien alineadas y previene una sobrecarga innecesaria de las mismas.

Ciertos ejercicios para el segmento somático central trabajan principalmente en el plano sagital, lo cual significa que producen o impiden movimientos en patrones lineales (adelante-atrás); esto los diferencia de los ejercicios para la zona media que producen o reducen los movimientos en patrones laterales y giratorios. Ejemplos de los primeros son los Encogimientos Abdominales, los clásicos abdominales con flexión de tronco y La Plancha. Ejemplos de ejercicios laterales son la Elevación Lateral del Tronco Asistida (Trabajo de Oblicuos) y La Plancha Lateral. Ejemplos de ejercicios giratorios son El Limpiaparabrisas y la Bicicleta. Lo sensato es tener un segmento somático central fuerte en todas las direcciones, por lo que hay que incluir un número equilibrado de ejercicios lineales, laterales y giratorios para la zona media.

Por último, pero no por ello menos importante, es beneficioso incorporar entrenamiento unilateral a la mezcla en vez de atenerse solamente a ejercicios bilaterales. Uno y otro trabajan los músculos de distinta manera. Por ejemplo, la Sentadilla Búlgara requiere que los aductores y los abductores de la cadera se activen sincronizadamente para estabilizar el fémur y mantener la articulación de la rodilla correctamente alineada sobre el pie. La estabilidad sobre una sola pierna es crucial para el rendimiento óptimo. Por poner otro ejemplo, los Fondos con un Solo Brazo no requieren únicamente una fuerza considerable en los pectorales, los hombros y los tríceps, sino también estabilidad giratoria en toda la región del segmento somático central para impedir que el cuerpo se desplace o rote. Por estas razones, debes incluir entrenamiento unilateral en tu programa. A medida que avanzas, este tipo de ejercicios se vuelve crucial para el entrenamiento con autocargas, porque el entrenamiento bilateral no siempre proporciona el estímulo adecuado.

Para recalcar la idea: una rutina ideal presenta un buen equilibrio entre presión y tracción horizontales, presión y tracción verticales, ejercicios dominantes de rodilla y de cadera, ejercicios para el segmento somático central lineales, laterales y giratorios, así como movimientos bilaterales y unilaterales. No es obligatorio incluir todos los patrones en cada sesión de entrenamiento, ni tampoco que equilibres a la perfección el número de series que realices para patrones de movimiento opuestos. Además, no pasa nada si la mayoría de los ejercicios se realizan bilateralmente. Lo que sí es importante es tener presente la idea de equilibrio estructural y evitar desviar la programación hacia determinado patrón de movimiento.

La tabla 11.1 enumera todos los ejercicios del libro y los identifica basándose en las categorías tratadas en este apartado. Utilizarás esta tabla si te atienes a la rutina integral (para todo el cuerpo). Si optas por una rutina dividida para el tren inferior, una rutina de empuje-tracción, o una rutina dividida por partes del cuerpo, simplemente elegirás ejercicios según los músculos que estés trabajando y no necesitarás usar esta tabla. Pero sigue siendo una buena idea comprender los patrones de movimiento de los ejercicios en vez de saber tan solo qué músculos se trabajan, por lo que te recomiendo prestar atención a esta tabla, elijas la rutina de entrenamiento que elijas.

Tabla 11.1 Ejercicios con el propio peso corporal

Ejercicio	Página	Nivel del ejercicio	Presión horizontal	Tracción horizontal	Presión vertical	Tracción vertical	Predominancia de la rodilla	Predominancia de la cadera	Lineal para el SSC	Lateral y giratorio para el SSC	Ejercicio específico	Ejercicio integral	Ejercicio bilateral	Ejercicio unilateral
BRAZOS														
Extensiones de tríceps	18	3									•		•	
Extensiones de tríceps con palanca corta	19	2									•		•	
Curl en posición invertida (palanca corta)	20	2									•		•	
Curl en posición invertida (palanca larga)	21	3									•		•	
Dominadas con agarre en supinación	22	3				•							•	
Fondos de tríceps con apoyo estrecho	24	3	•										•	
Fondos de tríceps con apoyo en forma de rombo	25	3	•										•	
Fondos de tríceps con palanca corta	25	2	•										•	
Hundimientos en banco con tres puntos de apoyo	26	2			•								•	
CUELLO Y HOMBROS														
Contracción isométrica de la parte anterior del cuello en pared	32	2									•			
Contracción isométrica de la parte posterior del cuello en pared	33	2									•			
Contracción isométrica del cuello contra resistencia manual	34	1									•			
Empujar hacia atrás	36	2			•								•	
Fondos de brazos en posición carpada con los pies elevados	38	3			•								•	
Fondos de brazos en posición carpada con tres puntos de apoyo elevados	39	4			•								•	
Elevaciones posteriores (de pie)	40	2									•		•	

Ejercicio	Página	Nivel del ejercicio	Presión horizontal	Tracción horizontal	Presión vertical	Tracción vertical	Predominancia de la rodilla	Predominancia de la cadera	Lineal para el SSC	Lateral y giratorio para el SSC	Ejercicio específico	Ejercicio integral	Ejercicio bilateral	Ejercicio unilateral
CUELLO Y HOMBROS (*continuación*)														
YTWL	42	1									●		●	
Fondos de brazos en posición invertida apoyado en una pared	44	4			●								●	
REGIÓN PECTORAL														
Fondos de brazos	48	2	●										●	
Fondos de brazos con palanca corta	49	2	●										●	
Fondos de brazos con apoyo amplio	49	3	●										●	
Fondos de brazos en elevación	50	3	●										●	
Fondos de brazos en elevación y con palanca corta	51	2	●										●	
Fondos de brazos con el tronco elevado	52	1	●										●	
Fondos de brazos con los pies elevados	53	3	●										●	
Fondos de brazos laterales	54	3	●											●
Fondos de brazos laterales con deslizamiento	55	3	●											●
Fondos con un solo brazo	56	4	●											●
Fondos con un solo brazo autoasistidos	57	3	●											●
Fondos de brazos con palmada	58	3	●										●	
Fondos de brazos con palmada, apoyado sobre las rodillas	59	3	●										●	
Fondos de brazos con palmada, despegando todo el cuerpo del suelo	59	4	●										●	
Hundimientos de pecho (*dips*)	60	3			●								●	

(continúa)

Tabla 11.1 Ejercicios con el propio peso corporal (*continuación*)

Ejercicio	Página	Nivel del ejercicio	Presión horizontal	Tracción horizontal	Presión vertical	Tracción vertical	Predominancia de la rodilla	Predominancia de la cadera	Lineal para el SSC	Lateral y giratorio para el SSC	Ejercicio específico	Ejercicio integral	Ejercicio bilateral	Ejercicio unilateral
REGIÓN PECTORAL (*continuación*)														
Fondos de brazos con apoyo deslizante	62	4									•		•	
Fondos de brazos con apoyo deslizante y palanca corta	63	3									•		•	
SEGMENTO SOMÁTICO CENTRAL (*CORE*)														
Encogimientos abdominales	70	1							•					
Encogimientos abdominales reversos	71	1							•					
Encogimientos abdominales laterales	71	1								•				
Supermán	72	1							•				•	
Bicicleta	73	1								•				•
Encogimientos de rodillas sentado	74	1							•				•	
La Escuadra	75	4							•				•	
Descenso unilateral de la pierna con extensión final	76	1							•					•
El Insecto Moribundo	77	2							•					•
Descenso bilateral de piernas con rodillas en flexión	78	1							•				•	
Descenso bilateral de piernas con rodillas en extensión	79	2							•				•	
La Bandera del Dragón	79	4							•				•	
Abdominales con las piernas flexionadas	80	1							•					
Abdominales con las piernas estiradas	81	1							•					
Abdominales con giro	81	1								•				
La Plancha Frontal con apoyo de antebrazos	82	1							•					
La Plancha Frontal con apoyo de antebrazos y palanca corta	83	1							•					

Ejercicio	Página	Nivel del ejercicio	Presión horizontal	Tracción horizontal	Presión vertical	Tracción vertical	Predominancia de la rodilla	Predominancia de la cadera	Lineal para el SSC	Lateral y giratorio para el SSC	Ejercicio específico	Ejercicio integral	Ejercicio bilateral	Ejercicio unilateral
SEGMENTO SOMÁTICO CENTRAL (*CORE*) (*continuación*)														
La Plancha Frontal con apoyo de antebrazos y los pies elevados	83	2							•					
La Plancha Frontal alternando tres apoyos	84	2								•				
La Plancha Frontal alternando dos apoyos	85	3								•				
Elevación lateral del tronco asistida (trabajo de oblicuos)	86	3								•				
La Plancha RKC	87	2							•					
La Plancha Lateral	88	2								•				
La Plancha Lateral con palanca corta	89	1								•				
La Plancha Lateral con los pies elevados	89	3								•				
Encogimientos en suspensión con rodillas flexionadas	90	2							•				•	
Encogimientos en suspensión con rodillas extendidas	91	3							•				•	
Encogimientos reversos en suspensión con rodillas flexionadas	91	3							•				•	
Encogimientos en suspensión para oblicuos	92	3								•			•	
El Limpiaparabrisas	93	4								•			•	
Rodillo abdominal deslizante con las rodillas apoyadas	94	3							•				•	
Rodillo abdominal de pie	95	4							•					
La Sierra Deslizante	96	3							•					

(continúa)

Tabla 11.1 Ejercicios con el propio peso corporal (*continuación*)

Ejercicio	Página	Nivel del ejercicio	Presión horizontal	Tracción horizontal	Presión vertical	Tracción vertical	Predominancia de la rodilla	Predominancia de la cadera	Lineal para el SSC	Lateral y giratorio para el SSC	Ejercicio específico	Ejercicio integral	Ejercicio bilateral	Ejercicio unilateral
ESPALDA														
Dominadas	102	3				●							●	
Dominadas sobre una viga	103	3				●							●	
Dominadas con desplazamiento lateral	104	4				●								●
Dominadas con deslizamiento lateral	105	4				●								●
Dominadas con toalla	106	3				●							●	
Dominadas a un brazo autoasistidas	107	4				●								●
Remo invertido modificado	108	2		●									●	
Remo invertido con los pies elevados	109	3		●									●	
Remo invertido con toalla	109	2		●									●	
Remo invertido con desplazamiento lateral	110	4		●										●
Remo invertido con deslizamiento lateral	111	4		●										●
Remo invertido a un brazo	111	4		●										●
Encogimiento escapular	112	3									●		●	
Encogimiento escapular en una esquina	113	1												
Tracciones frontales con toalla	114	1		●									●	
MUSLOS														
Sentadilla de sumo	119	2					●						●	
Sentadilla en pared con contracción isométrica	120	1					●						●	
Marcha en posición de sentadilla en pared	121	3					●							●

Ejercicio	Página	Nivel del ejercicio	Presión horizontal	Tracción horizontal	Presión vertical	Tracción vertical	Predominancia de la rodilla	Predominancia de la cadera	Lineal para el SSC	Lateral y giratorio para el SSC	Ejercicio específico	Ejercicio integral	Ejercicio bilateral	Ejercicio unilateral
MUSLOS (*continuación*)														
Sentadilla en cajón	122	1					•						•	
Sentadilla en cajón bajo	123	2					•						•	
Sentadilla en cajón con salto	123	2					•						•	
Sentadilla completa	124	1					•						•	
Sentadilla completa con contrapeso	125	1					•						•	
Sentadilla completa con salto	125	2					•						•	
Sentadilla sissy	126	2									•		•	
Sentadilla en cajón a una pierna	128	3					•							•
Sentadilla en cajón bajo a una pierna	129	3					•							•
Sentadilla en cajón a una pierna con salto	129	4					•							•
Sentadilla de patinador	130	3					•							•
Sentadilla de patinador con elevación de rodilla	131	3					•							•
Sentadilla de patinador con salto	131	3					•							•
Sentadilla pistola	132	4					•							•
Sentadilla pistola con toalla	133	2					•							•
Zancada estática	134	1					•							•
Zancada frontal	135	2					•							•
Zancada con salto alterno	135	3					•							•
Zancada inversa	136	2					•							•

(*continúa*)

Tabla 11.1 Ejercicios con el propio peso corporal (*continuación*)

Ejercicio	Página	Nivel del ejercicio	Presión horizontal	Tracción horizontal	Presión vertical	Tracción vertical	Predominancia de la rodilla	Predominancia de la cadera	Lineal para el SSC	Lateral y giratorio para el SSC	Ejercicio específico	Ejercicio integral	Ejercicio bilateral	Ejercicio unilateral
MUSLOS (*continuación*)														
Zancada inversa con déficit	137	2					•							•
Híbrido de salto al cajón y zancada inversa	137	2					•							•
Zancada deslizante	138	2					•							•
Subida al cajón	140	1					•							•
Subida al cajón alto	141	2					•							•
Subida al cajón con salto alterno	141	2					•							•
Sentadilla búlgara	142	2					•							•
Sentadilla búlgara con déficit	143	2					•							•
Zancada con salto	143	3					•							•
Curl de piernas ruso	144	3									•		•	
Curl de piernas ruso asistido con compañero	145	3									•		•	
Curl de piernas ruso sin manos	145	4									•		•	
Peso muerto rumano con una sola pierna	146	1						•						•
Peso muerto rumano con elevación de rodilla y extensión de brazos	147	2						•						•
Extensión de espalda asistida con compañero	148	1						•					•	
Extensión de espalda del prisionero	149	2						•					•	
Extensión de espalda con una sola pierna	149	2						•						•

Ejercicio	Página	Nivel del ejercicio	Presión horizontal	Tracción horizontal	Presión vertical	Tracción vertical	Predominancia de la rodilla	Predominancia de la cadera	Lineal para el SSC	Lateral y giratorio para el SSC	Ejercicio específico	Ejercicio integral	Ejercicio bilateral	Ejercicio unilateral
MUSLOS (*continuación*)														
Hiperextensión inversa (*reverse hyper*)	150	1						●					●	
Hiperextensión inversa con una sola pierna	151	1						●						●
Curl deslizante de piernas	152	3									●		●	
GLÚTEOS														
El Puente de glúteos	156	1						●					●	
Marcha de glúteos	157	2						●						●
El Puente de glúteos sobre una sola pierna	157	2						●						●
Empuje de caderas con los hombros elevados	158	1						●					●	
Marcha en empuje de caderas con los hombros elevados	159	2						●						●
Empuje de caderas con una sola pierna	159	2						●						●
Empuje de caderas con los hombros y los pies elevados	160	2						●					●	
Empuje de caderas a una sola pierna con los hombros y los pies elevados	161	4						●						●
La Coz	162	1						●						●
La Coz con la pierna en flexión	163	1						●						●
Elevaciones contralaterales	163	1						●						●
La Pinza	164	1									●			●
La Pinza en posición neutra	165	1									●			●
Elevación de caderas en decúbito lateral	166	3									●			●

(continúa)

Tabla 11.1 Ejercicios con el propio peso corporal (*continuación*)

Ejercicio	Página	Nivel del ejercicio	Presión horizontal	Tracción horizontal	Presión vertical	Tracción vertical	Predominancia de la rodilla	Predominancia de la cadera	Lineal para el SSC	Lateral y giratorio para el SSC	Ejercicio específico	Ejercicio integral	Ejercicio bilateral	Ejercicio unilateral
PANTORRILLAS														
Elevación de pantorrillas de pie	170	1									•		•	
Elevación de pantorrillas de pie con una sola pierna	171	1									•			•
Elevación de pantorrillas en sentadilla	172	1									•		•	
Saltos de tobillos sin flexión de rodillas	174	2									•		•	
Saltos de tobillo con una sola pierna	175	2									•			•
ENTRENAMIENTO INTEGRAL														
Jumping jack	180	1										•	•	
Jumping jack cruzando los brazos al frente	181	1										•	•	
Burpees	182	2										•	•	
Burpees con fondo, salto y extensión de brazos por encima de la cabeza	183	3										•	•	
Fondos de brazos con extensión de cadera	184	2										•	•	
Tracción isométrica con toalla y marcha de glúteos	186	3										•	•	
Abdominales con salto vertical	188	3										•	•	
El Escalador	190	3										•		•
Paso del oso	191	2										•		•
Paso del cocodrilo	192	3										•		•
Muscle-ups en barra con salto	194	4										•	•	
Paso del cangrejo	196	2										•		•

Y ahora me gustaría hablar de cómo la naturaleza de tus objetivos de entrenamiento afecta a tu programación.

OBJETIVOS DE ENTRENAMIENTO

Las personas se deciden a hacer ejercicio por muchas razones. Algunas quieren mejorar su salud general; otras, desarrollar músculos más grandes, o perder grasa; hay quienes buscan ponerse más fuertes, o confían en mejorar su fuerza funcional y su capacidad deportiva, o bien se esfuerzan por eliminar disfunciones articulares y prevenir lesiones. Los culturistas buscan la hipertrofia máxima (desarrollar musculatura); los levantadores de potencia, la fuerza máxima; los levantadores de pesas, la potencia máxima, y los velocistas, la máxima velocidad. No debería ser ninguna sorpresa el hecho de que sus métodos de entrenamiento difieran sustancialmente, porque entrenar con un determinado propósito afecta a la forma en que la persona se entrena.

Entrenamiento deportivo específico

En general, se ha exagerado mucho el tema del entrenamiento deportivo específico. Aunque sea cierto que los practicantes de distintos deportes requieren tipos singulares de fuerza y un desarrollo concreto de los sistemas energéticos, lo ideal es que todo deportista haga gala de patrones de movimiento sólidos y de un buen estado de forma física. Por eso, al establecer las bases para posteriores adaptaciones, es esencial dominar los fundamentos. Lo que conviene es asegurarse de analizar el propio deporte y realizar ejercicios que utilicen los mismos músculos e imiten los patrones y direcciones de los movimientos que se encuentran en él, pero no dejarse llevar hasta el punto de perder de vista los fundamentos. Todos los deportistas deben poseer una fuerza y movilidad equilibradas. Los ejercicios unilaterales de piernas, como las Sentadillas Búlgaras o el Empujón de Cadera con una Sola Pierna, y los ejercicios de estabilidad del segmento somático central, como La Plancha RKC o La Plancha Lateral, son excelentes para todos los deportistas.

Fuerza

Cuando uno se entrena para lograr la fuerza máxima, lo que le conviene es realizar ejercicios multiarticulares, permanecer en rangos de repeticiones bajos, y descansar más entre series. En el entrenamiento con el propio peso corporal, esto no es siempre factible. Por ejemplo, las Sentadillas, el *Press* de Banca y el Peso Muerto son tres de los ejercicios de entrenamiento contra resistencia más populares, porque emplean muchos músculos y permiten levantar grandes cargas. Sin embargo, en entrenamiento con el propio peso corporal, aunque puedas retocar ejercicios para simplificarlos o complicarlos según tu nivel de fuerza, la mayor resistencia que podrás usar equivale al peso corporal. Por esta razón, puede ser difícil desarrollar la fuerza máxima únicamente mediante entrenamiento con autocargas.

El mejor planteamiento para desarrollar la fuerza máxima mediante entrenamiento con el propio peso corporal es establecer unas bases excelentes de flexibilidad, estabilidad y control motor. Este es el fundamento para conseguir futuras mejoras y avanzar hacia variantes más exigentes de los ejercicios. Leí una entrevista con un entrenador estadounidense de gimnasia olímpica que decía que, aunque sus gimnastas nunca hacían entrenamiento contra resistencia tradicional y únicamente realizaban ejercicios con autocarga, muchos de ellos podían levantar en *Press* de Banca el doble de su peso corporal y en Peso Muerto el triple. Evidentemente, una persona que realiza variantes avanzadas de los ejercicios con autocargas puede desarrollar niveles impresionantes de fuerza. Hay que dominar los fundamentos para progresar después a ejercicios unilaterales, pliométricos y otros métodos avanzados.

Hipertrofia

Al entrenar para lograr el máximo nivel de musculación hay que asegurarse de añadir series de un número de repeticiones elevado y un entrenamiento centrado en ciertas regiones corporales, junto con descansos menores entre series. Aunque la fuerza sea primordial para la hipertrofia, la relación no es lineal. Siempre hay que sentir que los músculos diana están trabajando y usar una técnica controlada recorriendo todo el rango de movimiento. La diversidad en el número de repeticiones es ideal para el crecimiento muscular, como lo es utilizar una gran variedad de ejercicios para estimular todas las regiones musculares.

Especialización de partes del cuerpo

A veces convendrá centrarse en poner a tono una zona del cuerpo en particular, tal vez los deltoides, los glúteos, la porción superior de los pectorales o los dorsales anchos. En este caso basta con reducir ligeramente el trabajo para el resto del cuerpo mientras se añade para el grupo muscular más débil. Otras veces puede convenir mejorar determinada destreza. Por ejemplo, tal vez se quiera ser capaz de realizar Dominadas a Un Brazo o unas Sentadillas Pistola. En este caso, se puede entrenar la destreza frecuentemente mientras se reduce el resto de la rutina. No se pueden estar ampliando continuamente los programas. Cuando se añade algo, hay que quitar algo, o se corre el riesgo de pasarse y estancarse, o peor, de experimentar un retroceso.

Pongamos que no puedes realizar Dominadas con Agarre en Supinación. En vez de, sencillamente, volver a realizar los ejercicios de entrenamiento un par de veces a la semana en tu programa regular, podrías optar por realizar dos series de Dominadas Negativas para Bíceps varias veces al día. Cuando se es relativamente débil, no se sobrecarga tanto al cuerpo al hacer ejercicio, por lo que la frecuencia añadida acelerará tus progresos y te permitirá realizar Dominadas con Agarre en Supinación normales en mucho menos tiempo. Pero atente a un solo movimiento o una parte del cuerpo a la vez. Si tratas de elegir dos movimientos o dos partes del cuerpo, deja de ser una rutina especializada. Lo único que estás haciendo es aumentar la ansiedad. No te pases o pagarás el precio estancándote.

Pérdida de grasa

Al centrarse en el adelgazamiento, hay que conservar la mayor cantidad de músculo posible para asegurarse de que los kilos perdidos estén compuestos de grasa en vez de masa muscular. Esta es la clave para un físico de calidad. Debe recordarse que lo que desarrolla músculo mantiene la musculatura, por lo que el entrenamiento no tiene que cambiar mucho. Se ha de entrenar para mejorar la fuerza y sencillamente añadir un par de circuitos de entrenamiento de resistencia metabólica (ERM) o sesiones de entrenamiento interválico de alta intensidad (EIAI) (ver capítulo 10) durante la semana de entrenamiento y centrarse en la dieta. Hablaré de esto más adelante en este mismo capítulo.

Ha llegado el momento de hablarte sobre las variables más importantes en el entrenamiento de la fuerza.

VARIABLES DEL ENTRENAMIENTO

Hay que conocer 10 variables comunes del entrenamiento de la fuerza y el acondicionamiento físico. Mencionaré brevemente cada una de ellas.

Selección de ejercicios

Aunque parece sencilla, es probablemente la variable del entrenamiento peor entendida del mundo. La gente no muestra querer atenerse a ejercicios comprendidos dentro de su actual nivel de capacidad. Cuando vas al gimnasio y ves las caderas de la gente hundidas mientras realizan los fondos de brazos, los cuerpos sacudiéndose durante las Dominadas con Agarre en Supinación, las espaldas cargadas de hombros durante el Peso Muerto, y las barras rebotando en el pecho durante el *Press* de Banca, se da uno cuenta en seguida de que la mayoría de la gente tiene una necesidad imperiosa de sentirse fuerte y atlética. Desgraciadamente, se están haciendo más daño que beneficio usando demasiada carga o realizando ejercicios excesivamente avanzados para su capacidad.

Es imprescindible que comprendas las regresiones y las progresiones de los ejercicios. Por ejemplo, una Sentadilla en Cajón es más fácil que una Sentadilla Completa; una Zancada Estática, más que una Sentadilla Pistola; y un Fondo de Brazos Apoyado sobre las Rodillas, más fácil que realizarlo con los Pies Elevados. Atente a la variante correcta del ejercicio para tu actual nivel de capacidad, y una vez la hayas dominado, progresa a un ejercicio más exigente. Si no puedes realizar correctamente un ejercicio en particular, encuentra una manera de simplificarlo para poder realizarlo bien. Retrocediendo a una variante más sencilla, desarrollarás patrones motores sólidos que te permitirán progresar más rápidamente.

Ten presente el equilibrio estructural al elegir tus ejercicios, y varíalos con el tiempo para reducir el riesgo de habituación y sobrecarga por realizar reiteradamente el mismo patrón de movimiento. Siempre llevarás a cabo los mismos patrones básicos de movimiento, pero los ejercicios diferirán para proporcionar el estímulo novedoso de entrenamiento necesario para lograr una adaptación positiva continua.

Orden de los ejercicios

Los ejercicios que realices en primer lugar en la rutina producirán los mejores estímulos y responderán mejor a tu entrenamiento. Si buscas mejoras en las Dominadas con Agarre en Supinación, realízalas en primer lugar en tus sesiones. Si tu objetivo es aumentar tus Sentadillas Pistola de 3 a 10 repeticiones, colócalas en primer lugar en el entrenamiento. Sea lo que sea que estés tratando de mejorar más, dale prioridad en tu programación.

En tus sesiones de entrenamiento alterna entre movimientos agonistas y antagonistas, oponiendo movimientos tales como el empuje y la tracción en el plano horizontal. Esto proporciona a tu cuerpo períodos de descanso naturales. Por ejemplo, puedes realizar una serie de Fondos de Brazos, luego otra de Remo Invertido, después una de Fondos de Brazos, etc. Esto se denomina emparejamiento antagonista (o par agonista-antagonista), y te permite mantener el metabolismo acelerado al mismo tiempo que proporciona un mayor tiempo de descanso para los músculos que están trabajando. La clave es elegir movimientos que no interfieran entre sí y que empleen patrones opuestos. No elijas para emparejarlos Fondos de Brazos normales e invertidos, porque entrenan muchos de los mismos músculos.

En general, los grupos musculares de mayor tamaño deben entrenarse en primer lugar y los más pequeños los últimos, a menos que estés especializándote en una parte del cuerpo en particular. Una regla general es realizar ejercicios con predominancia de rodillas (cuádriceps) primero, y luego ejercicios con predominancia de caderas (isquiosurales y glúteos), después tracciones con el tren superior (espalda), para continuar con movimientos de empuje con el tren superior (pecho y hombros), y finalmente centrarse en músculos menores tales como los del segmento somático central y realizar ejercicios específicos (abdominales, oblicuos, bíceps, tríceps).

Si estás realizando entrenamiento de potencia, entrenamiento de la fuerza y acondicionamiento físico en la misma sesión, realízalos en ese orden. Entrena la potencia cuando estés fresco, la fuerza en medio y el acondicionamiento físico en último lugar.

División de la rutina de entrenamiento

La división de la rutina de entrenamiento se refiere a cómo divides tus sesiones a lo largo de la semana. Existen varias formas populares de hacerlo. Las más habituales son el entrenamiento integral, la división entre tren inferior y superior, rutinas de empuje-tracción, y la división por grupos musculares.

Con el entrenamiento integral se trabaja todo el cuerpo en cada sesión, por lo que técnicamente no se está dividiendo nada. Este planteamiento es más sensato para el entrenamiento con autocargas. En la división entre tren inferior y superior, se trabaja la mitad del cuerpo en una sesión y la otra en la siguiente. Por ejemplo, se trabajan las piernas en una sesión y el tren superior en la siguiente. Las rutinas de empuje-tracción alternan entre sesiones que trabajan los músculos implicados en las acciones de empuje (cuádriceps, pecho, hombros, tríceps) con otras que trabajan los músculos implicados en la tracción (isquiosurales, espalda, bíceps). La división por grupos musculares se centra en una o dos partes del cuerpo en cada sesión; por ejemplo, pecho y tríceps, espalda y bíceps, piernas, u hombros y trapecios.

Los culturistas tienden a ajustarse a rutinas divididas por grupos musculares; los levantadores de potencia, a divisiones alternando entre tren inferior y superior. Los practicantes de halterofilia y *strongman* suelen atenerse a entrenamiento integral. Las personas que realizan exclusivamente entrenamiento con el propio peso corporal se distinguen por utilizar el entrenamiento integral y desarrollan físicos asombrosos, como les pasa a los gimnastas. Cuando se examinan las sesiones de entrenamiento de personas que están logrando los mejores físicos posibles mediante autocargas, uno se da cuenta de que la mayoría está realizando una rutina de entrenamiento integral.

Frecuencia

Frecuencia de entrenamiento se refiere al número de días a la semana que se entrena. Normalmente los practicantes entrenan de dos a seis días a la semana, siendo lo más normal de tres a cinco. El número de días de entrenamiento depende de la situación personal, pero yo recomiendo inclinarse más por la frecuencia que por el volumen, variable que explicaré en el siguiente apartado. Es más provechoso entrenar cuatro días a la semana durante 30 minutos por sesión que hacerlo dos días con sesiones de 60 minutos. Se opte por lo que se opte, hay que asegurarse de entrenar todo el cuerpo cada semana.

Volumen

Los entrenadores de la fuerza no se ponen de acuerdo sobre el volumen ideal. Algunos creen que lo ideal es un volumen bajo de entrenamiento, mientras que la mayoría creen que lo mejor es un volumen más elevado. Normalmente la verdad se encuentra en el término medio.

Volumen generalmente se refiere al número de series y repeticiones realizadas. Por ejemplo, una sesión de volumen bajo podría incluir una serie de seis ejercicios, mientras que una de volumen alto podría incluir tres series de ocho ejercicios.

La mayoría de los entrenadores de la fuerza están de acuerdo en que, por muchas series que se realicen, la primera es con mucho la más importante, y las posteriores pierden relevancia. La ley de los rendimientos decrecientes se aplica a la programación. Por ejemplo, realizar 1 serie de Fondos de Brazos está bien; realizar 3 es aún mejor; pero realizar 20 no es lo ideal. Se llega a un punto en el que las series adicionales se vuelven contraproducentes porque los músculos no son capaces de repararse para futuras sesiones.

Por supuesto, la técnica y la intensidad son importantes factores en este sentido. El levantador que tiene una técnica horrible no puede manejar mucho volumen, pero el que no fuerza excesivamente la intensidad sí. El volumen y la intensidad guardan una relación inversa. Se puede entrenar duramente o hacerlo durante mucho tiempo, pero no ambas cosas a la vez.

Además, el tipo de división de la rutina de entrenamiento influye en las consideraciones que se tomen sobre el volumen. Un levantador que realice rutinas integrales necesita que sus músculos estén frescos para la siguiente sesión, pero un levantador que se atiene a una división por grupos musculares normalmente tiene más tiempo para recuperarse, porque este levantador normalmente se centra en una parte del cuerpo en particular solamente una o dos veces a la semana.

Intensidad

Intensidad normalmente se refiere al peso que se levanta. Es más aplicable al entrenamiento de la resistencia si se emplean barras y mancuernas, pero también se aplica al entrenamiento con el propio peso corporal. Intensidad puede referirse a la carga, ya que ciertos ejercicios pueden implicar más carga que otros. Por ejemplo, un fondo de brazos implica aproximadamente un 68 por ciento de peso corporal, no un 100 por ciento, porque hay varios puntos de apoyo y el cuerpo está inclinado en el punto superior del movimiento. Elevar los pies aumenta el porcentaje de peso corporal en el fondo de brazos, y realizar fondos con un solo brazo incrementa espectacularmente la carga sobre la articulación del hombro. A medida que se progresa a ejercicios más exigentes, la intensidad de los mismos aumenta desde el punto de vista de la carga articular.

Intensividad

En contraste con la anterior variable, la intensividad se refiere a veces a la intensidad del esfuerzo. Muchas personas creen que los términos *intensidad* e *intensividad* son intercambiables, pero aquella se refiere a la carga empleada, mientras que esta se refiere al esfuerzo realizado. La intensividad es simplemente el nivel de esfuerzo desplegado durante la sesión. Algunos días uno se sentirá estupendamente y se esforzará al 95 por ciento; otros lo hará a un 70. Si se esfuerza en exceso durante demasiado tiempo, malgastará el esfuerzo intentando hacer más de lo debido y, aún peor, podría entrar en las procelosas aguas del sobreentrenamiento. El cuerpo tiene una forma natural de pedirte que retrocedas, y es importante escuchar la biorretroalimentación y prestar atención a estas señales.

Densidad

Los materiales densos son muy compactos, mientras que los porosos no lo son tanto. De la misma forma, las sesiones densas rebosan de actividades. Entrenar la densidad generalmente se refiere a la cantidad de trabajo que se hace por sesión. Si se realiza un entrenamiento de

60 minutos, pero se descansa 5 minutos entre cada serie, se termina realizando solamente ocho series, y la sesión no es muy densa. A la inversa, si se realizan 25 series en 60 minutos, la sesión es bastante densa. No existe un equilibrio óptimo, porque el entrenamiento de la fuerza no se supone que simule el ejercicio aeróbico. Hay que forzarse y descansar después entre series, pero no excesivamente.

Los ejercicios más exigentes, como por ejemplo la Sentadilla Búlgara o las Dominadas con Agarre en Supinación, requieren más descanso entre series, mientras que los ejercicios más sencillos, tales como los Encogimientos Abdominales o las Elevaciones Contralaterales, no requieren mucho descanso. El emparejamiento antagonista es una forma de aumentar la densidad del entrenamiento, pero no hay que obsesionarse demasiado al respecto. El practicante que hace entrenamiento en circuito pero no acaba poniéndose más fuerte no mejora tanto como el que aumenta espectacularmente su fuerza aunque su entrenamiento no sea muy denso. Algunos practicantes no requieren descanso entre series, mientras que otros sí. La mayoría de las veces hay que proponerse realizar entre 30 y 90 segundos de descanso entre series.

Ritmo

El ritmo es una variable interesante con la que jugar, porque el entrenamiento con autocargas se presta a modificaciones de ritmo. El ritmo normalmente se indica con tres cifras. La primera se refiere a la fase concéntrica de la repetición (los músculos se acortan durante la contracción), la segunda a la fase isométrica (de bloqueo) del movimiento, y la tercera a la fase excéntrica (los músculos se elongan durante la contracción). Así, un ritmo de 1-0-3 requiere que, en cada repetición, el practicante levante su peso corporal en un segundo y luego baje el cuerpo en tres segundos. Un ritmo de 2-3-5 exige dos segundos concéntricos, tres segundos de pausa isométrica en el punto superior, y cinco segundos de trabajo excéntrico en cada repetición.

Una contracción isométrica implica mantener un movimiento en una posición estática durante cierto tiempo. Se puede mantener la posición inferior de un Fondo de Brazos o de una Zancada Estática para desarrolla movilidad y estabilidad en esas posiciones. Es posible también mantener el punto superior de una Dominada para Bíceps o de un Empuje de Caderas con una Sola Pierna para desarrollar fuerza y estabilidad en esas posiciones.

Una repetición realizada de esta forma te exige hacer una breve pausa en el ejercicio (normalmente entre uno y cinco segundos) en cierta posición, por ejemplo el punto inferior de un Fondo de Brazos o de una Sentadilla Búlgara, o el punto superior de un Remo Invertido o de un Empuje de Caderas.

Las repeticiones con fase negativa acentuada se realizan descendiendo de manera lenta y gradual excéntricamente. Por ejemplo, se podría descender en un ejercicio de Dominada para Bíceps o un Hundimiento (*Dip*) mientras se cuentan 10 segundos.

Las repeticiones explosivas se realizan aplicando una aceleración máxima, la cual puede variar dependiendo del objetivo. Por ejemplo, si se está intentando poner a punto los pectorales con Fondos de Brazos, se puede descender rápidamente e invertir rápidamente el movimiento. Si se está tratando de centrarse en la potencia de los tríceps, se puede realizar un Fondo de Brazos pliométrico separándose explosivamente del suelo y tocándose el tronco después en el límite superior del movimiento.

Las repeticiones parciales pueden realizarse exitosamente de vez en cuando para proporcionar un estímulo de entrenamiento novedoso. Las repeticiones completas son mejores para la fuerza y la hipertrofia, pero a veces es más sensato realizar parciales. Por ejemplo, en los Fondos de Brazos o los Hundimientos (*Dips*) es posible optar por centrarse en el límite inferior del movimiento y evitar realizar todo el recorrido ascendente como estrategia para centrarse en los pectorales. O bien puede decidirse realizar tantas repeticiones con todo el rango de movimiento como sea posible y luego cambiar a parciales para continuar la serie y aumentar la intensividad de la misma.

Manipulando el ritmo y usando estrategias de repetición única, se introduce variedad en el entrenamiento con el propio peso corporal.

Periodización

Se han escrito libros enteros sobre el tema de la periodización, por lo que trataré de ser breve. Periodización se refiere simplemente a cómo se intercambian las sesiones a lo largo del tiempo. Los levantadores que tienen un objetivo y un plan asisten a resultados mucho mejores que quienes danzan por el gimnasio sin rumbo fijo y no hacen más que pasar el tiempo.

Es posible periodizar los entrenamientos de un número infinito de maneras. Por ejemplo, un mes se realiza un número más elevado de repeticiones, el siguiente una cantidad intermedia y el tercer mes una cantidad reducida. O bien, tal vez un mes se incorporen contracciones isométricas, el siguiente se acentúe la fase negativa de ciertos ejercicios, y el tercero se introduzcan ejercicios pliométricos. Uno podría centrarse en la fuerza del segmento somático central durante dos semanas, y después en la del tren superior durante otras dos, para acabar con la del tren inferior durante dos más. Estas son solo unas cuantas estrategias de periodización.

También es un método de periodización sencillamente progresar con el tiempo a variantes de ejercicios más exigentes. Los entrenadores a veces planifican años enteros de entrenamiento para sus pupilos, pero para la mayoría de practicantes esto es innecesario, porque se pueden lograr excelentes resultados teniendo un plan general y entrenando simplemente guiándose por las sensaciones experimentadas. Lo más importante es progresar en las sesiones usando una técnica mejor, realizando más repeticiones y aumentando la intensidad, la intensividad y la densidad.

Voy a enseñarte a combinar todas las variables ofreciéndote ejemplos de rutinas de entrenamiento.

INTEGRACIÓN DE ELEMENTOS

Existen numerosas maneras de diseñar una rutina exitosa, y no hay ningún programa que sea el mejor para todo el mundo. Lo que le funciona a una persona puede que no le funcione a otra, y lo que te funciona este mes tal vez no lo haga dentro de seis meses. No obstante, algunos programas son mucho mejores que otros. Te he provisto de información sólida sobre el diseño de programas. Has aprendido los fundamentos y dispones de una buena ventaja. Si eres principiante, atente a una de las rutinas que ofrezco. Pero a medida que avances, adapta estos programas para adecuarlos mejor a tus preferencias y fisiología.

En los ejercicios con autocarga, es difícil recomendar rangos de repeticiones, porque varían dependiendo de tu nivel de fuerza y acondicionamiento físico. Por ejemplo, tres series de 15 repeticiones para el ejercicio de Fondo de Brazos será demasiado exigente para muchas personas y excesivamente fácil para otras. Por esta razón incluyo junto a los ejercicios solamente el número de series.

Los programas están escritos en forma de plantilla, para que puedas aprenderte los patrones de sesiones bien planificadas y sustituir unos ejercicios por otros según tu actual nivel de forma física. Las categorías de los ejercicios designadas como A1 y A2, B1 y B2, etc., indican superseries emparejadas en las que se realiza un ejercicio después del otro sin descanso entre medias. Hay que realizar una serie del ejercicio número uno y luego otra del ejercicio número dos. Se descansa un minuto, y después de vuelve al ejercicio uno, etc., hasta haber realizado el número de series indicado.

He incluido una plantilla de rutina de entrenamiento integral, otra dividida en tren inferior y superior, una tercera de empuje-tracción, y una cuarta dividida por grupos musculares.

Rutina integral

Realizar la rutina de la tabla 11.2 de dos a cinco veces a la semana e ir variando los ejercicios. Este es el estilo de entrenamiento que yo recomiendo para practicantes que se atengan a un entrenamiento con autocargas. Esta rutina incluye ejercicios emparejados en forma de superseries, y los ejercicios específicos del final de la sesión ofrecen la oportunidad de centrarse en músculos concretos, pero impiden pasarse con un volumen excesivo.

Tabla 11.2 Ejemplo de rutina integral

	Tipo de ejercicio	Ejemplos de ejercicios	Número de series
A1	Predominancia de rodillas	Sentadilla en cajón (principiante) o Sentadilla pistola (avanzado)	3
A2	Tracción con el tren superior	Remo invertido modificado (intermedio) o Dominadas con desplazamiento lateral (avanzado)	3
B1	Predominancia de cadera	Peso muerto rumano con una sola pierna (principiante) o Empuje de caderas con una sola pierna (nivel intermedio)	3
B2	Empuje con el tren superior	Fondos de brazos con el tronco elevado (principiante) o Fondos con un solo brazo (avanzado)	3
C1	Lineal para el SSC	Encogimientos abdominales (principiante) o Encogimientos en suspensión con rodillas flexionadas (nivel intermedio)	1
C2	Lateral y rotatorio para el SSC	Encogimientos abdominales laterales (principiante) o La Plancha Lateral (nivel intermedio)	1
D1	Ejercicio específico	Elevaciones posteriores (de pie) para el fascículo posterior del deltoides (nivel intermedio) o Fondos de brazos con apoyo deslizante (avanzado)	1
D2	Ejercicio específico	Elevación de pantorrillas de pie (principiante) o Encogimiento escapular (nivel intermedio-avanzado)	1

Rutina dividida en tren inferior y superior

Realizar dos sesiones para el tren inferior y otras dos para el superior cada semana. Llevar a cabo todos los ejercicios (tabla 11.3) haciendo seguidas las series: ejecutar cada serie consecutivamente de un ejercicio en particular antes de pasar al siguiente.

Tabla 11.3 Ejemplo de rutina dividida en tren inferior y superior

	Tipo de ejercicio	Ejemplos de ejercicios	Número de series
DÍAS 1 Y 3: TREN INFERIOR			
1	Cuádriceps	Sentadilla completa (principiante) o Sentadilla búlgara (nivel intermedio)	3
2	Isquiosurales	Hiperextensión inversa (principiante) o *Curl* de piernas ruso sin manos (avanzado)	3
3	Glúteos	El puente de glúteos (principiante) o Marcha en empuje de caderas con los hombros elevados (nivel intermedio)	3
4	Superserie de abdominales	Abdominales con las piernas flexionadas (principiante) y La Plancha Lateral (nivel intermedio) o Rodillo abdominal deslizante con las rodillas apoyadas (nivel intermedio-avanzado) y El Limpiaparabrisas (avanzado)	2
DÍAS 2 Y 4: TREN SUPERIOR			
1	Pectorales	Fondos de brazos con el tronco elevado (principiante) o Fondos de brazos con palmada (nivel intermedio-avanzado)	3
2	Espalda	Tracciones frontales con toalla (principiante) o Dominadas con deslizamiento lateral (avanzado)	3
3	Hombros	Empujar hacia atrás (nivel intermedio) o Fondos de brazos en posición carpada con los pies elevados (nivel intermedio-avanzado)	2
4	Superserie de brazos	*Curl* en posición invertida (palanca corta) (principiante) y Extensiones de tríceps con palanca corta (nivel intermedio) o Dominadas con agarre en supinación (nivel intermedio-avanzado) y Fondos de tríceps con apoyo en forma de rombo (nivel intermedio-avanzado)	2

Rutina de empuje-tracción

Realizar dos sesiones de empuje y otras dos de tracción cada semana. Ver la tabla 11.4.

Tabla 11.4 Ejemplo de rutina de empuje-tracción

	Tipo de ejercicio	Ejemplos de ejercicios	Número de series
DÍAS 1 Y 3: EMPUJE			
A1	Cuádriceps	Sentadilla de sumo (principiante) o Subida al cajón alto (nivel intermedio)	3
A2	Empuje con el tren superior	Fondos de brazos en elevación y con palanca corta (nivel intermedio) o Fondos de brazos en posición invertida apoyado en una pared (avanzado)	3
B1	Glúteos	El puente de glúteos (principiante) o Empuje de caderas con una sola pierna (nivel intermedio)	3
B2	Tríceps	Fondos de tríceps con palanca corta (nivel intermedio) o Hundimientos en banco con tres puntos de apoyo (avanzado)	2
C	Abdominales	Descenso bilateral de piernas con rodillas en extensión (nivel intermedio) o La Escuadra (avanzado)	2

(continúa)

Tabla 11.4 Ejemplo de rutina de empuje-tracción (*continuación*)

	Tipo de ejercicio	Ejemplos de ejercicios	Número de series
		DÍAS 2 Y 4: TRACCIÓN	
A1	Isquiosurales	Extensión de espalda asistida con compañero (principiante) o *Curl* deslizante de piernas (nivel intermedio-avanzado)	3
A2	Tracción con el tren superior	Remo invertido modificado (nivel intermedio) o Remo invertido con deslizamientos laterales (avanzado)	3
B1	Ejercicio de tracción adicional para la espalda o los isquiosurales	Peso muerto rumano con elevación de rodilla y extensión de brazos (nivel intermedio) o Remo invertido a un brazo (avanzado)	3
B2	Bíceps	*Curl* en posición invertida (palanca corta) (nivel intermedio) o *Curl* en posición invertida (palanca larga) (nivel intermedio-avanzado)	2
C	Abdominales	Bicicleta (principiante) o La Bandera del Dragón (avanzado)	2

Rutina dividida por grupos musculares

Distribuir las sesiones de manera que se entrene todo el cuerpo durante tres a cinco días. Ver tabla 11.5.

Tabla 11.5 Ejemplo de rutina dividida por grupos musculares

	Tipo de ejercicio	Ejemplos de ejercicios	Número de series
		DÍA 1: CUÁDRICEPS, GLÚTEOS, ABDOMINALES	
1	Cuádriceps	Zancada inversa (nivel intermedio) o Sentadilla de patinador (nivel intermedio-avanzado)	3
2	Empuje con el tren superior	Sentadilla en pared con contracción isométrica (principiante) o Híbrido de salto al cajón y zancada inversa (nivel intermedio)	3
3	Glúteos	La Pinza (principiante) o Elevación de caderas en decúbito lateral (nivel intermedio-avanzado)	3
4	Tríceps	Encogimientos abdominales reversos (principiante) o La Plancha Frontal alternando dos apoyos (nivel intermedio-avanzado)	2
5	Abdominales	La Plancha Lateral (nivel intermedio) o Elevación lateral del tronco asistida (trabajo de oblicuos) (nivel intermedio-avanzado)	2

	Tipo de ejercicio	Ejemplos de ejercicios	Número de series
DÍA 2: REGIÓN PECTORAL, HOMBROS, TRÍCEPS			
1	Región pectoral	Fondos de brazos con el tronco elevado (principiante) o Fondos de brazos en elevación (nivel intermedio-avanzado)	3
2	Región pectoral	Fondos de brazos con palanca corta (nivel intermedio) o Fondos de brazos con apoyo deslizante (avanzado)	3
3	Hombros	Fondos de brazos en posición carpada con los pies elevados (nivel intermedio-avanzado) o Fondos de brazos en posición invertida apoyado en una pared (avanzado)	3
4	Hombros	Empujar hacia atrás (nivel intermedio) o Elevaciones posteriores (de pie) (nivel intermedio)	2
5	Tríceps	Extensiones de tríceps (nivel intermedio-avanzado) o Fondos de tríceps con apoyo estrecho (nivel intermedio-avanzado)	2
DÍA 3: ISQUIOSURALES, GLÚTEOS, PANTORRILLAS			
1	Isquiosurales	Hiperextensión inversa (principiante) o *Curl* de piernas ruso sin manos (avanzado)	3
2	Isquiosurales	Peso muerto rumano con elevación de rodilla y extensión de brazos (principiante) o Extensión de espalda con una sola pierna (nivel intermedio)	3
3	Glúteos	La Coz con la pierna en flexión (principiante) o Empuje de caderas a una sola pierna con los hombros y los pies elevados (avanzado)	3
4	Pantorrillas	Elevación de pantorrillas de pie (principiante) o Elevación de pantorrillas de pie con una sola pierna (principiante)	2
5	Pantorrillas	Elevación de pantorrillas en sentadilla (principiante) o Saltos de tobillo con una sola pierna (nivel intermedio)	2
DÍA 4: ESPALDA, CUELLO, BÍCEPS			
1	Espalda	Dominadas con toalla (nivel intermedio-avanzado) o Dominadas con deslizamiento lateral (avanzado)	3
2	Espalda	Remo invertido modificado (nivel intermedio) o Remo invertido con deslizamientos laterales (avanzado)	3
3	Espalda	Tracciones frontales con toalla (principiante) o Encogimiento escapular (nivel intermedio-avanzado)	3
4	Cuello	Contracción isométrica del cuello contra resistencia manual (principiante) o Contracción isométrica de la parte posterior del cuello en pared (nivel intermedio)	2
5	Bíceps	*Curl* en posición invertida (palanca corta) (nivel intermedio) o *Curl* en posición invertida (palanca larga) (nivel intermedio-avanzado)	2

ENTRENAMIENTO PARA PERDER GRASA

En el capítulo anterior hablé del entrenamiento interválico de alta intensidad (EIAI) y de resistencia metabólica (ERM) para perder grasa, proceso que estos métodos pueden ayudar a acelerar. No obstante, hay que recordar que, cuando se entrena intensamente, se tiene más hambre. La mayoría de la gente fracasa en sus intentos de perder grasa porque, aunque se entrenan con intensidad, no logran alcanzar un déficit calórico. Si se quiere adelgazar, hay que consumir menos calorías de las que se gastan. El entrenamiento de la fuerza, el EIAI y el ERM harán que se quemen más calorías y se pierda peso, pero solo si se evita la tentación (especialmente a últimas horas de la noche) de asaltar el frigorífico. Se tendrá hambre al adelgazar, porque el organismo y las hormonas del hambre parecen querer impedirte lograr tus objetivos.

Lograrás tu físico óptimo no pasando hambre ni realizando una actividad cardiovascular excesiva, sino a través de una inteligente combinación de prácticas dietéticas, entrenamiento de la fuerza, EIAI y ERM. He aquí algunas reglas generales que recordar:

- Consumir la cantidad apropiada de calorías. La mayor parte de la gente calcula de menos el número de calorías que consume al día. En Internet pueden encontrarse con facilidad muchos buenos calculadores de calorías.
- Consumir las proporciones ideales de hidratos de carbono, proteínas y grasas saludables. Muchas personas consumen demasiados hidratos de carbono y no suficientes proteínas ni grasas saludables.
- Dar prioridad al entrenamiento de la fuerza. Esto es lo que desarrolla o conserva el tejido muscular, de manera que quemas más grasa para adelgazar. Evitar el temido aspecto delgado pero con barriga (alguien de peso normal, pero que sigue teniendo un exceso de grasa y demasiado poco músculo) y, en cambio, ponerse y mantenerse fuerte. Realizar entre tres y cinco sesiones de entrenamiento de la fuerza a la semana.
- Añadir varias sesiones breves de EIAI y ERM a la semana, pero no dejar que estos entrenamientos provoquen tales molestias musculares que interfieran con la calidad de las sesiones de fuerza.

Se pueden realizar sesiones de EIAI en una pista de atletismo o en un campo de deportes, en el agua, en cinta de correr, en bicicleta, en una máquina de remo, en una máquina elíptica o en un simulador de escaleras (*stepper*), y en otros lugares. He aquí ejemplos de sesiones de EIAI y ERM:

Ejemplos de sesiones de EIAI

Protocolo 1 de EIAI: Esprintar 10 segundos, caminar 50 segundos; realizar esto 10 veces. El tiempo total de la sesión es de 10 minutos.

Protocolo 2 de EIAI: Esprintar 30 segundos, caminar 90 segundos; realizar esto ocho veces. El tiempo total de la sesión es de 16 minutos.

Protocolo 3 de EIAI: Esprintar 60 segundos, caminar 4 minutos; realizar esto cuatro veces. El tiempo total de la sesión es de 20 minutos.

Ejemplos de sesiones de ERM

Protocolo 1 de ERM: Elegir un ejercicio para el tren inferior dominante de rodilla, como por ejemplo una Sentadilla, y un ejercicio de empuje con el tren superior, como por ejemplo Fondos de Brazos. Realizar 60 segundos de uno de los ejercicios, e inmediatamente 60 segundos del siguiente, y descansar después durante 60 segundos. Repetir tres veces. Elegir entonces un ejercicio para el tren inferior dominante de cadera, como por ejemplo, Empuje de Caderas con los Hombros Elevados, y un ejercicio de tracción con el tren superior, como, por ejemplo, uno de Remo Invertido. Realizar 60 segundos de un ejercicio, realizar inmediatamente 60 segundos del siguiente, y luego descansar durante 60 segundos. Realizar esto tres veces. El tiempo total de la sesión es de 18 minutos.

Protocolo 2 de ERM: Elegir tres ejercicios integrales del capítulo 10. Asegurarse de que difieran significativamente entre sí; por ejemplo, *Burpees,* El Escalador y el Paso del Oso. Realizar 30 segundos de un ejercicio, descansar 15 segundos, realizar 30 segundos del segundo ejercicio, descansar 15 segundos, realizar 30 segundos del tercer ejercicio, y descansar después 15 segundos. Realizar esto tres veces. El tiempo total de la sesión es de 6 minutos, 45 segundos.

Protocolo 3 de ERM: Elegir un ejercicio compuesto para el tren inferior, como por ejemplo Sentadilla Completa con Salto o Zancada Inversa, un ejercicio compuesto para el tren superior, como por ejemplo Fondos de Brazos en Posición Carpada o Dominadas con Agarre en Supinación, y un ejercicio integral, como, por ejemplo, Fondos de Brazos con Extensión de Caderas o Tracción Isométrica con Toalla y Marcha de Glúteos. Realizar 30 segundos de un ejercicio, descansar 15 segundos, realizar 30 segundos del segundo ejercicio, descansar 15 segundos, realizar 30 segundos del tercer ejercicio, y luego descansar 15 segundos. Realizar esto tres veces. El tiempo total de la sesión es de 6 minutos, 45 segundos.

Como dije anteriormente, hay muchas maneras de elaborar una sesión efectiva de EIAI o de ERM, por lo que no hay mayor problema en hacer pequeños ajustes en los tiempos de trabajo, de descanso y totales.

EL AUTOR

Bret Contreras, Máster en Ciencias (MSc) y especialista certificado en entrenamiento de la fuerza y acondicionamiento (CSCS), ha llegado a ser conocido en la industria de la fuerza y el acondicionamiento como *the Glute Guy* (el chico de los glúteos) debido a su reconocida experiencia en ayudar a sus clientes a desarrollar glúteos fuertes y torneados. Actualmente está preparando su doctorado en Ciencias del Deporte en la Universidad Politécnica de Auckland (Nueva Zelanda), donde ha estudiado con el experto en biomecánica John Cronin. Contreras ha llevado a cabo numerosos experimentos electromiográficos en sus investigaciones.

Como expropietario del Lifts Studio en Scottsdale (Arizona), Contreras trabajó estrechamente con cientos de clientes, desde personas sedentarias hasta atletas de élite, e inventó el Skorcher, una máquina para fortalecer los glúteos. Actualmente entrena a culturistas femeninas, escribe programas para clientes de todo el mundo y asesora a diversos equipos deportivos profesionales.

Contreras es un distinguido ponente sobre fuerza y acondicionamiento que interviene en muchas conferencias por todo Estados Unidos, incluyendo el Congreso de Entrenamiento Personal de 2013, organizado por la Asociación Nacional estadounidense de Fuerza y Acondicionamiento (NSCA). Es un autor muy leído y valorado por sus colegas y colaborador regular de publicaciones bien conocidas de este sector, entre las que se incluyen *Men's Health, Men's Fitness, Oxygen* y *MuscleMag*. La revista *Oxygen* le eligió por votación como *the Glute Expert* (el experto en glúteos) en su edición especial de 2010 dedicada a este grupo muscular. Contreras mantiene el servicio de redifusión (*podcast*) *The Strength of Evidence* (La Fuerza de las Pruebas), donde debate sobre temas importantes relativos a la fuerza y el acondicionamiento, y un blog popular (www.bretcontreras.com).

OTROS TÍTULOS PUBLICADOS POR TUTOR

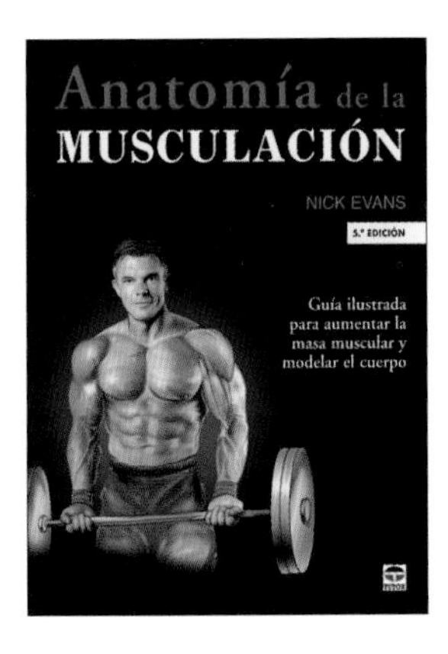

Anatomía de la musculación
(5ª edición)
Nick Evans
200 pp. Cód.: 502061

Guía definitiva para culturistas. Cada ejercicio se ilustra con un dibujo asombrosamente detallado, revelando la anatomía de los músculos principales que trabajan y de los que ayudan en el ejercicio.

Anatomía de los estiramientos
(Edición ampliada y actualizada)
Arnold G. Nelson
y *Jouko Kokkonen*
224 pp. Cód.: 502113

Nueva edición de la mejor guía ilustrada de los músculos en acción durante los estiramientos, con explicaciones para realizar cada ejercicio con seguridad y obtener el máximo rendimiento.

Anatomía del ejercicio
Pat Manocchia
192 pp. Cód.: 502069

Cómo trabaja el cuerpo cada vez que va al gimnasio. Todos los ejercicios se presentan con instrucciones claras, fotografías a todo color e ilustraciones anatómicas detalladas de cada músculo implicado en el ejercicio.

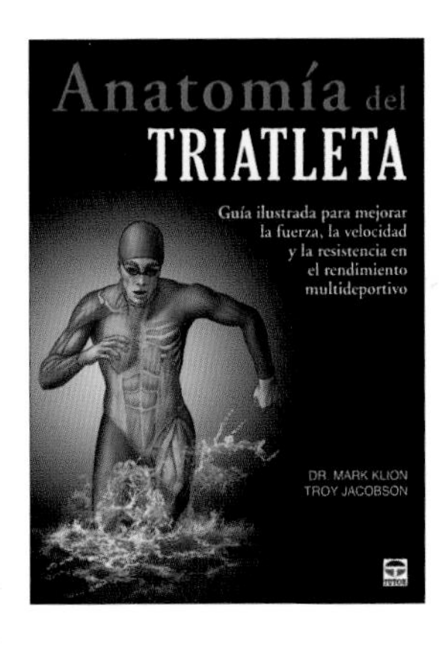

Anatomía del triatleta
Mard Klion
y *Troy Jacobson*
208 pp. Cód.: 502110

Incluye ilustraciones anatómicas y 82 ejercicios específicos para actividades multideportivas, con los que mejorar el rendimiento aumentando la fuerza muscular y la eficiencia de todos los movimientos.

Anatomía del nadador
Ian McLeod
200 pp. Cód.: 502086

74 efectivos ejercicios para mejorar la fuerza muscular en los cuatro estilos de competición. Con descripciones paso a paso e ilustraciones anatómicas en color altamente ilustrativas de los músculos implicados.

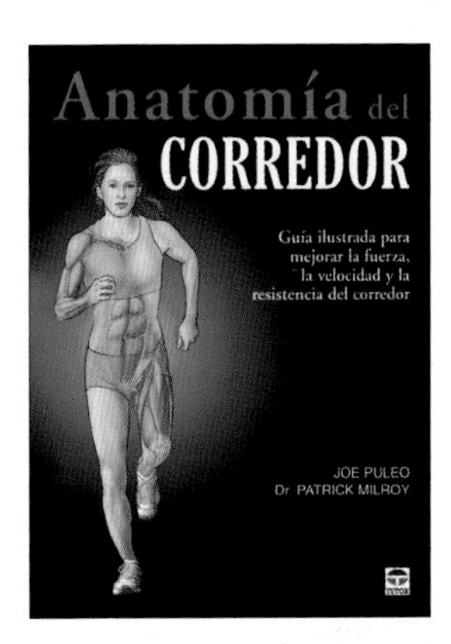

Anatomía del corredor
Joe Puleo
y *Patrick Milroy*
200 pp. Cód.: 502088

Ofrece 50 de los ejercicios de fuerza más efectivos para el corredor, descritos paso a paso y con ilustraciones absolutamente precisas desde el punto de vista anatómico de los músculos implicados.

OTROS TÍTULOS PUBLICADOS POR TUTOR

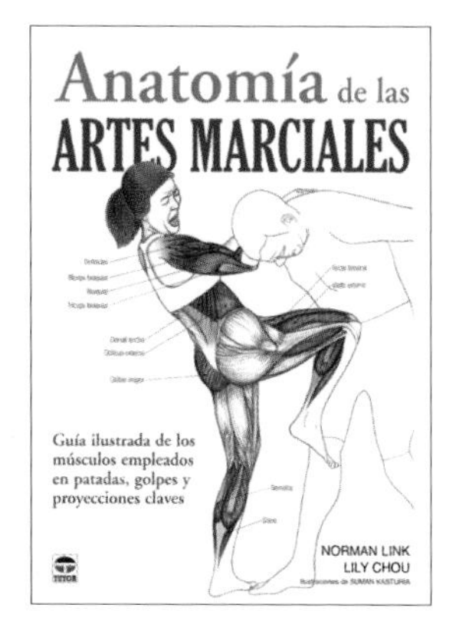

Anatomía de las artes marciales
Norman Link y *Lily Chou*
144 pp. Cód.: 502100

Detallados dibujos anatómicos ilustran el funcionamiento del cuerpo durante las técnicas claves de las artes marciales, para entrenar logrando la máxima velocidad, potencia y precisión.

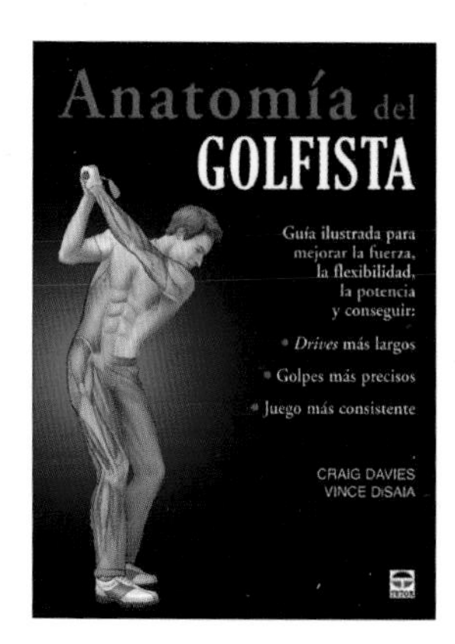

Anatomía del golfista
Craig Davies y *Vince DiSaia*
200 pp. Cód.: 502092

72 ejercicios con instrucciones expertas e ilustraciones en color, para mejorar el rendimiento del golfista, y aumentar su fuerza, potencia y amplitud de movimiento para un juego más largo y preciso.

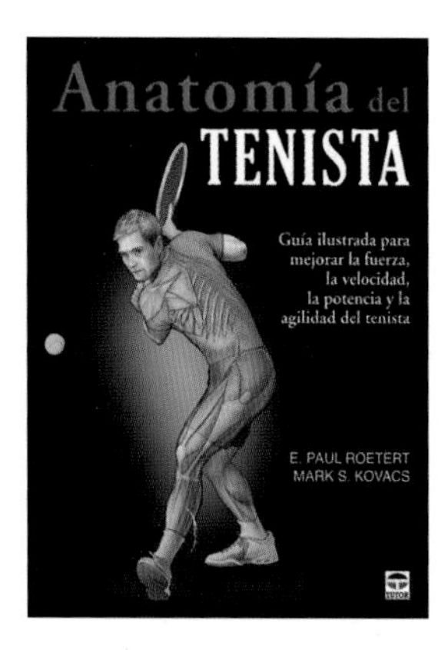

Anatomía del tenista
E. Paul Roetert y *Mark S. Kovacs*
224 pp. Cód.: 502103

72 de los ejercicios más efectivos para incrementar la fuerza, la velocidad y la agilidad en el juego, cada uno con descripciones paso a paso e ilustraciones anatómicas en color que resaltan los músculos en acción.

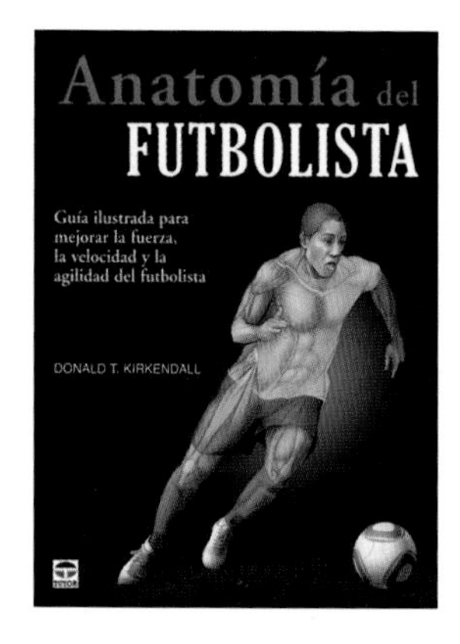

Anatomía del futbolista
Donald T. Kirkendall
224 pp. Cód.: 502101

Este libro enseña a elevar el nivel de juego aumentando la fuerza, la velocidad y la agilidad, con 79 ejercicios descritos paso a paso e ilustraciones anatómicas que resaltan los músculos que intervienen.

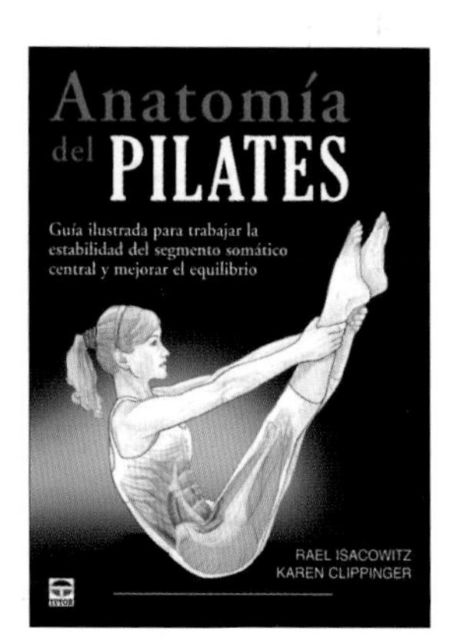

Anatomía del Pilates
Rael Isacowitz y *Karen Clippinger*
216 pp. Cód.: 502096

Con detalladas descripciones, instrucciones paso a paso e ilustraciones anatómicas en color, presenta ejercicios y programas que tonifican el cuerpo, mejoran el equilibrio y aumentan la flexibilidad.

Anatomía del yoga
Leslie Kaminoff
y *Amy Matthews*
288 pp. Cód.: 502104

La guía anatómica del yoga más vendida en el mundo, actualizada y ampliada con mayor número de ilustraciones anatómicas y más información.

Más información sobre éstos y otros libros de nuestro catálogo
en nuestra página: **www.edicionestutor.com**